ANNE LINDSAY

Au goût du cœur

TRÉCARRÉ
QUEBECOR MEDIA

Cet ouvrage a paru en anglais sous le titre *Anne Lindsay's Lighthearted Every Day Cooking* publié par Macmillan of Canada, une division de CDG Books.

Catalogage avant publication de la Bibliothèque nationale du Canada

Lindsay, Anne, 1943-

Au goût du cœur : recettes de tous les jours
Nouv. éd.
Traduction de : Lighthearted everyday cooking.
Comprend un index.
Publ. en collab. avec : Fondation des maladies du cœur du Canada.
ISBN 2-89568-181-3

1. Cœur – Maladies – Diétothérapie – Recettes. 2. Régimes hypolipidiques – Recettes. 3. Cuisine santé. I. Fondation des maladies du cœur du Canada. II. Titre.

RC684.D5L5514 2003 641.5'6311 C2003-940331-9

Design : Libby Starke
Photocomposition et montage : Claude Bergeron
Photographie des plats : Clive Webster
Photographie de la couverture : Vince Noguchi Photography
Styliste culinaire : Olga Truchan
En couverture : Pâtes au jambon et à la tomate pour moi (p. 163)

Nous reconnaissons l'aide financière du gouvernement du Canada par l'entremise du Programme d'aide au développement de l'industrie de l'édition (PADIÉ) pour nos activités d'édition ; du Conseil des arts du Canada ; de la SODEC ; du gouvernement du Québec par l'entremise du Programme de crédit d'impôt pour l'édition de livres (gestion SODEC).

ISBN 2-89568-181-3

Dépôt légal – 2003
Bibliothèque nationale du Québec

Éditions du Trécarré, division de Éditions Quebecor Média inc.
7, chemin Bates
Outremont (Québec)
H2V 4V7

Imprimé au Canada

Table des matières

Remerciements de l'auteur

À moins d'avoir vécu l'expérience, il est difficile d'imaginer le nombre d'intervenants nécessaires à la rédaction d'un livre de recettes santé. J'ai eu le rôle très agréable de cuisiner et de rédiger, mais plusieurs autres étapes ont dû être franchies avant de publier cet ouvrage. Voici quelques-unes des personnes qui ont travaillé dans l'ombre et que je tiens à remercier.

Shannon Graham, amie, diététiste et collègue, qui m'a aidée à tester les recettes de tous mes livres.

Ma belle-sœur, Nancy Williams, qui a effectué la recherche et s'est chargée de l'organisation de mon bureau.

Carol Dumbrow, nutritionniste à la Fondation des maladies du cœur du Canada, qui a consacré de nombreuses heures à la lecture du manuscrit et à l'évaluation des valeurs nutritives.

Denise Beatty, qui a écrit une excellente introduction, et qui est toujours à ma disposition lorsque j'ai besoin de la consulter.

Sharon Joliat, d'Info Access, pour son expertise dans l'évaluation des valeurs nutritives des recettes.

Bev Renahan, pour le soin qu'elle a apporté à la correction des textes des recettes.

Le photographe, Clive Webster, la styliste, Olga Truchan et l'accessoiriste, Diane Hood pour la beauté des photographies.

Tous les membres de la Fondation des maladies du cœur de l'Ontario et du bureau national qui ont participé de près ou de loin à cet ouvrage. Tout d'abord pour m'avoir demandé de l'écrire et y avoir consacré autant de temps, et surtout, les nombreux bénévoles qui le vendent avec enthousiasme.

Mon amie Elizabeth Baird, journaliste en alimentation à la revue *Canadian Living*, pour son aide et son appui.

Susan Pacaud, Claire Arfin et tous les amis qui m'ont fourni des recettes pour ce livre, qu'ils en aient été conscients ou non.

Tout le personnel chez Macmillan, qui s'est engagé à part entière dans la publication de cet ouvrage et avec lequel c'est un plaisir de travailler. Des remerciements tout particuliers à Phillipa Campsie et Susan Girvan, qui ont sacrifié quelques week-ends ensoleillés afin que ce livre sorte à temps.

Mille fois merci à ma famille, d'abord à Bob, mon mari, pour son appui constant et ses solides conseils, et pour s'être chargé des provisions le samedi matin lorsque je travaillais. Merci à ma fille Susie ainsi qu'à mes fils, Jeff et John, mes critiques les plus honnêtes ainsi que mes laveurs de vaisselle attitrés, pour tous les bons repas que nous prenons ensemble.

Merci enfin à tous ceux et celles qui ont acheté ce livre, en espérant qu'il les aidera à préparer des repas jour après jour. Je suis vraiment ravie que mes livres de recettes soient appréciés et utilisés avec autant d'assiduité.

PRÉFACE

C'est avec grand plaisir que la Fondation des maladies du cœur du Canada présente aux Canadiennes et aux Canadiens la version révisée de *Au goût du cœur*. Depuis la première parution de ce livre en 1991, de nombreuses études ont démontré qu'une saine alimentation et une bonne santé vont de pair tout au long de la vie. Le lecteur trouvera dans l'introduction révisée les plus récentes notions et informations sur la façon de s'alimenter pour garder son cœur en santé et, tout au long du livre, de nouvelles recettes ainsi que plusieurs qui ont été mises à jour.

La Fondation des maladies du cœur aide les Canadiennes et les Canadiens à faire de meilleurs choix santé en leur offrant, depuis plus de 10 ans, des livres de recettes pratiques. Et pour sensibiliser la population à l'importance d'une saine nutrition, la Fondation a créé le programme Visez SantéMC, un programme d'information nutritionnelle conçu pour aider le consommateur à faire des choix santé à l'épicerie. Quand vous verrez le logo Visez SantéMC sur l'emballage d'un produit, vous saurez que cet aliment est recommandé dans le cadre d'une saine alimentation. Pour plus d'information sur ce programme, visitez le site www.visezsante.org

Visez santé
FONDATION DES MALADIES DU CŒUR

Les sondages révèlent que les Canadiennes et les Canadiens sont intéressés à manger sainement et à faire des choix santé lorsqu'ils font leurs emplettes. En vous offrant des solutions faciles à utiliser telles que le programme Visez SantéMC et notre collection de livres de recettes, nous espérons vous faciliter la vie quelque peu !

Carolyn Brooks

Carolyn Brooks
Présidente
Fondation des maladies du cœur du Canada

Remerciements

La Fondation des maladies du cœur tient à remercier les personnes suivantes pour leur participation à la révision du chapitre d'introduction de *Au goût du cœur.* Grâce à leurs compétences, nous sommes en mesure de vous présenter des informations à jour et faciles à comprendre.

Ken Buchholz, M.D., C.C.M.F.
Carol Dombrow, B.Sc., Dt.P.
Karyn Fedun
Gail Leadlay, B.Sc., Dt.P.
Doug MacQuarrie, M.Éd.
Bretta Maloff, M.Éd., Dt.P.
Sylvia Poirier, inf. aut., M.Sc.Inf.
Michele Turek, M.D., F.R.C.P.C.

La Fondation des maladies du cœur du Canada voudrait également remercier les bénévoles et le personnel de la Fondation des maladies du cœur de l'Ontario pour leur leadership dans la production de ce qui s'est avéré un autre succès de librairie au Canada !

Des remerciements particuliers à l'équipe du « Cookbook Task Force » qui a travaillé de façon exceptionnelle pour vous offrir un véhicule qui vous permettra d'acquérir de saines habitudes alimentaires pour le cœur : Linda Bruton, Philippa Campsie, Lilianne Bertrand, Robert Dees, Carol Dombrow, Rick Gallop, Lynn Garrison, Anthony Graham, Richard Lauzon, Janet Meredith, Denise Schon et Elinor Wilson.

Merci également à Denise Beatty, Dt.P., qui a rédigé l'excellente introduction du livre, ainsi qu'à Sharyn Joliar, Dt.P., d'Info Access, pour son expertise dans l'analyse nutritionnelle des recettes.

La Fondation tient également à remercier CDG Books, en particulier Susan Girvan, et Anne Lindsay. C'est en grande partie grâce à elles que ce livre est maintenant à la portée des Canadiennes et des Canadiens.

De nouvelles délices culinaires d'Anne Lindsay

La cuisine santé vous intéresse ? Si oui, vous connaissez probablement déjà Anne Lindsay. Comme dans ses précédents livres de cuisine, elle propose ici des recettes à la fois saines et savoureuses.

Recettes de tous les jours au goût du cœur donne la vedette à la cuisine familiale de tous les jours, avec des recettes simples et faciles à préparer, adaptées au style de vie des familles modernes.

Vous y trouverez les mêmes recettes que dans l'édition précédente, plus quelques nouvelles, ajoutées pour tenir compte des tendances actuelles en matière de nutrition.

C'est l'introduction du livre qui a été le plus remaniée. Nous avons mis à jour les informations et les conseils nutritionnels, en fonction des plus récentes recherches et des courants de pensée actuels sur l'alimentation et la cuisine au goût du cœur.

Anne Lindsay propose dans ce livre, qui compte plus de 200 succulentes recettes familiales, une méthode simple et agréable pour créer et servir des repas santé chez soi.

Des hors-d'œuvre aux desserts, vous découvrirez que manger santé peut être un vrai plaisir. *Bon appétit !*

Bien manger pour un cœur en santé

Ce que l'on mange a une incidence, qui peut être positive ou négative, sur la santé du cœur et de l'appareil circulatoire. Étude après étude, les chercheurs concluent que les bonnes habitudes alimentaires et l'activité physique sont deux des meilleurs moyens d'éviter les facteurs de risque des maladies cardiaques associés à l'alimentation : excédent de poids, taux élevés de cholestérol sanguin et de triglycérides, et hypertension[1].

Si vous présentez déjà un ou plusieurs de ces facteurs de risque, ne désespérez pas. Les conseils sur la saine alimentation et les recettes de ce livre vous feront acquérir des habitudes alimentaires qui vous permettront de perdre du poids et de ramener à des niveaux plus sains votre tension artérielle et vos taux de cholestérol sanguin et de triglycérides.

Bien manger, c'est facile

Au cours des dernières décennies, nous avons beaucoup appris sur les effets de l'alimentation sur la santé. Et nos connaissances sur les liens entre la nourriture, la nutrition et la santé continuent de progresser rapidement. Toutefois, comme les dernières découvertes sont rarement présentées dans le contexte d'un régime alimentaire global, la confusion s'installe et les gens finissent par croire que manger sainement est compliqué. En réalité, c'est tout le contraire.

---

1. Pour savoir comment les différentes matières grasses dans le sang (cholestérol et triglycérides) et la tension artérielle peuvent faire augmenter les risques de maladies cardiaques et d'accidents vasculaires cérébraux, voir l'Annexe B, page 237.

Les conseils donnés dans ce livre sont basés sur les *Recommandations alimentaires pour la santé des Canadiennes et des Canadiens*. Ces directives constituent un résumé facile à utiliser et elles s'appuient sur une quantité incroyable de preuves scientifiques.

Recommandations alimentaires pour la santé des Canadiennes et des Canadiens

- Agrémentez votre alimentation par la variété.
- Dans l'ensemble de votre alimentation, donnez la plus grande part aux céréales, pains et autres produits céréaliers, ainsi qu'aux légumes et aux fruits.
- Choisissez des produits laitiers à faible teneur en gras, des viandes maigres et des aliments préparés contenant peu ou pas de matières grasses.
- Cherchez à atteindre et maintenez un poids santé en étant régulièrement actif et en mangeant sainement.
- Limitez votre consommation de sel, d'alcool et de caféine.

Si vous les suivez, vous constaterez que les conseils sur l'alimentation contenus dans ces directives sont source de nombreux bienfaits pour la santé. Votre état de santé général s'améliorera, vous vous sentirez plus énergique et vos risques de développer des maladies comme les maladies cardiaques, le cancer, le diabète et l'obésité, diminueront.

Si vous avez des problèmes de santé, les saines habitudes alimentaires décrites dans ce livre constituent un bon point de départ pour vous aider à modifier vos habitudes en fonction de vos besoins particuliers.

Voyons à présent comment mettre en pratique chacune de ces recommandations.

Agrémentez votre alimentation par la variété

L'équilibre est la base même d'une bonne alimentation. Autrement dit, il faut s'efforcer de consommer suffisamment de chaque élément nutritif essentiel sans faire une consommation excessive de certains d'entre eux, comme les matières grasses.

Il va sans dire que moins la gamme d'aliments consommés est variée, plus il est difficile de manger sainement. Par contre, avec une alimentation diversifiée, il est plus facile d'obtenir tous les nutriments requis et moins dangereux de surconsommer des aliments de moindre qualité.

Avoir une alimentation diversifiée signifie manger différents aliments et varier leur préparation, comme l'illustrent les exemples qui suivent :

- intégrez au moins un légume différent à votre menu chaque jour au lieu de toujours alterner entre les pois, les carottes et le maïs ;
- remplissez le bol à fruits avec autre chose que des pommes, des oranges et des bananes ;

- variez vos repas du soir en cuisinant plus souvent du poisson et des légumineuses au lieu de manger du poulet cinq jours sur sept;
- pour relever la saveur de vos légumes, remplacez le beurre par un peu de vinaigrette à l'huile d'olive.

Dans l'ensemble de votre alimentation, donnez la plus grande part aux céréales, pains et autres produits céréaliers ainsi qu'aux légumes et aux fruits

De toutes les lignes directrices sur l'alimentation, celle-ci sera probablement la plus bénéfique pour votre santé globale. De nombreuses études ont démontré que les régimes alimentaires riches en produits à grains entiers, en légumes et en fruits sont associés à une meilleure santé et à des risques moindres de développer des maladies cardiaques et autres maladies chroniques comme le cancer, le diabète, les cataractes et l'obésité. De fait, le plus récent traitement de l'hypertension met en lumière le rôle des légumes, des fruits et des produits laitiers riches en calcium dans la réduction de l'hypertension (pour plus d'information sur l'hypertension, voir p. 238).

Le *Guide alimentaire canadien pour manger sainement* (offert gratuitement dans les CLSC ou sur le site web de Santé Canada – www.hc-sc.gc.ca) recommande de consommer davantage de ces aliments – de 5 à 12 portions de produits céréaliers et de 5 à 10 portions de légumes et de fruits par jour.

Comme les fruits, les légumes et les produits à grains entiers sont en général faibles en calories et en matières grasses, les régimes alimentaires basés sur ces aliments sont plus susceptibles de vous aider à maintenir un poids santé, une tension artérielle normale et des niveaux plus sains de cholestérol sanguin et de triglycérides.

Des produits à grains entiers, des légumes et des fruits pour un apport accru en fibres alimentaires

Les aliments végétaux – légumes, fruits, céréales, légumineuses, noix et graines – sont les principales sources de fibres alimentaires. On estime que la plupart des gens ont besoin de 25 à 35 g de fibres par jour – ce qui est environ deux fois la quantité de fibres absorbées par les Canadiennes et les Canadiens quotidiennement.

Il existe deux types de fibres alimentaires : les fibres solubles et les fibres insolubles. Les deux types sont présents dans les aliments à très haute teneur en fibres, mais il existe quelques aliments qui sont exceptionnellement riches en fibres de l'un ou l'autre type.

Les fibres solubles

Les fibres solubles peuvent faire diminuer de façon significative les taux élevés de cholestérol sanguin. Les meilleures sources de fibres solubles sont :

- le son d'avoine,
- le psyllium et les céréales pour petit déjeuner qui en contiennent,
- la farine d'avoine,

- les légumineuses telles que pois et haricots secs, lentilles,
- les fruits riches en pectine comme les pommes, les fraises, les agrumes,
- les graines de lin moulues.

Les fibres alimentaires insolubles

Le son de blé est la source la plus connue de fibres alimentaires insolubles, qui aident à prévenir et à maîtriser les problèmes de régularité intestinale. Les meilleures sources sont :

- le son de blé et les produits céréaliers à base de son de blé,
- les pains et les céréales à base de grains entiers,
- les fruits et les légumes, avec la pelure et les graines lorsque c'est possible,
- les noix,
- les légumineuses telles que pois et haricots secs, lentilles.

Conseils sur la consommation quotidienne de fibres

- Commencez la journée avec un bol de céréales riches en fibres, idéalement une céréale qui fournit au moins 4 g de fibres ou plus par portion.
- Envie d'un changement ? Préparez votre propre müesli (p. 187).
- Pour augmenter la teneur en fibres de vos céréales, ajoutez une cuillérée de raisins secs, des abricots hachés, des pruneaux, des tranches de banane, des amandes ou des graines de lin moulues.
- Les muffins sont une très bonne source de fibres, en particulier les muffins au son ou à l'avoine et surtout s'ils contiennent des fruits (p. 198 et 201).
- Ajoutez des fibres à vos salades : carottes, tranches de pommes, fruits séchés, bouquets de brocoli et de chou-fleur crus, pois chiches et haricots rouges.
- Incorporez les légumineuses à vos repas. Ce sont d'excellentes sources de fibres solubles. La soupe aux pois à l'ancienne (p. 44), les fèves au lard à l'ancienne (p. 175) ou le cari de lentilles parfumé à la coriandre (p. 173) constituent des repas riches en fibres et faibles en matières grasses.
- Les petits pois sont une très bonne source de fibres. Intégrez-les à différents mets : plats cuisinés, sautés à la chinoise, riz ou nouilles.
- Ajoutez des fibres à vos plats cuisinés et mets sautés en y mettant une poignée de son d'avoine ou de blé, ou de céréales croustillantes à haute teneur en fibres.
- En collation, optez pour les pommes, les poires, les carottes, etc.
- Buvez beaucoup car les liquides augmentent l'efficacité des fibres.

Recettes à très haute teneur en fibres

Repas riches en fibres

Ce menu d'une journée vous donne un aperçu de ce qu'il faut manger pour obtenir la quantité de fibres alimentaires dont vous avez besoin chaque jour.

Repas	*Fibres*
MATIN	
Jus de pomme (1/2 t/125 ml)	0,4 g
1 portion de céréales de son d'avoine cuites (3/4 t/180 ml)	4,5 g
Avec du lait 1 %	0,0 g
Avec des raisins secs (1/4 t/60 ml)	3,5 g
COLLATION	
1 muffin au son	2,5 g
MIDI	
Soupes aux pois à l'ancienne (1 t/250 ml)	5,4 g
Sandwich au thon sur pain de blé entier	
– 2 tranches de pain	2,8 g
– thon	0,0 g
Verre de lait 1 % (1 t/250 ml)	0,0 g
1 poire	4,7 g
SOIR	
Poitrine de poulet rôtie au four (3 oz/90 g)	0,0 g
Pomme de terre au four (moyenne, sans la peau)	0,4 g
Pois et carottes mélangés (1/2 t/125 ml)	4,2 g
Salade de légumes verts (1 t/250 ml)	1,0 g
Verre de lait 1% (1 t/250 ml)	0,0 g
Teneur totale en fibres pour la journée	**32,4 g**

Les produits à grains entiers, les fruits et les légumes : des sources de vitamines antioxydantes, de minéraux et de substances phytochimiques

Les légumes, les fruits et les produits à grains entiers sont d'excellentes sources de vitamines, de minéraux et de substances phytochimiques naturelles. Des centaines d'études ont démontré que les gens qui consomment de grandes quantités de ces aliments courent moins de risques d'être victimes de maladies cardiaques et de cancer.

Les vitamines antioxydantes (bêta-carotène, C, E) font souvent parler d'elles parce qu'on les associe à un effet bénéfique pour la santé, tout comme l'acide folique et les vitamines B_6 et B_{12}.

Depuis quelque temps, on accorde une attention particulière aux substances phytochimiques et à la protection qu'elles offrent contre les maladies cardiaques et le cancer. On souligne souvent un point important à leur propos : les bénéfices pour la santé que l'on attribue aux vitamines et aux substances phytochimiques résultent probablement de l'interaction de tous ces éléments les uns avec les autres.

Santé du cœur : des aliments qui peuvent faire toute la différence

Voici quelques exemples d'aliments végétaux qui aident à maintenir les taux de cholestérol et de triglycérides à des niveaux qui ne présentent pas de danger pour la santé et font diminuer les risques de crises cardiaques et d'accidents vasculaires cérébraux.

Aliment	*Éléments santé du cœur*
Aliments à base de soja, comme les noix de soja, les boissons au soja, le tofu et la farine de soja (pas la sauce soja)	Isoflavones (une classe de phyto-œstrogènes), saponines et protéines de soja
Amandes et noix	Gras monoinsaturés et polyinsaturés, fibres et vitamine antioxydante E
Grande variété de légumes, huiles végétales, fruits, légumineuses et céréales	Stérols végétaux
Graines de lin	Gras oméga-3 (acide alphalinolénique), fibres solubles
Poissons gras (saumon, espadon, truite, morue, hareng, maquereau et tassergal)	Gras oméga-3 (acide eicosapentanoïque et acide docosahexanoïque)
Jus de raisin ou vin rouge	Flavonoïdes : quercétine et resvératrol
Melon d'eau, pâte, sauce et jus de tomate	Lycopène
Agrumes	Flavonoïdes et limonoïdes

Choisissez des produits laitiers à faible teneur en gras, des viandes maigres et des aliments préparés contenant peu ou pas de matières grasses

Depuis que ce livre a été publié pour la première fois, notre compréhension des liens entre les gras alimentaires et la maladie cardiaque a énormément progressé. Nous savons maintenant que certains gras alimentaires sont sains et bénéfiques pour la santé du cœur, alors que d'autres élèvent les taux de cholestérol sanguin et peuvent faire augmenter les risques de maladies cardiaques et d'accidents vasculaires cérébraux.

Vous trouverez peut-être utile de vous référer à la section des annexes intitulée Cholestérol sanguin, triglycérides et santé du cœur de la page 237 avant de poursuivre votre lecture.

Quelle est la consommation recommandée de matières grasses ?

Pour l'adulte canadien moyen, en santé[2], on recommande de restreindre la consommation de gras à 30 % ou moins du total des calories ingérées quotidiennement. En grammes de gras, cela signifie environ :

- 90 g de gras ou moins pour un homme,
- 65 g de gras ou moins pour une femme.

Comme l'apport en matières grasses est basé sur les besoins en calories, la quantité de matières grasses acceptable pour vous variera selon votre âge et votre niveau d'activité. Quant aux personnes qui suivent un traitement pour réduire un taux élevé de cholestérol sanguin ou de triglycérides, leur médecin leur recommandera probablement de diminuer encore plus leur consommation de matières grasses.

Maintenant que vous savez quelle est la consommation de matières grasses recommandée, voyons les différents types de gras et leur incidence sur la santé du cœur.

Notions de base sur les gras alimentaires

La liste qui suit fait le point sur certains faits se rapportant aux gras alimentaires.

Type de gras alimentaire	*Incidence sur la santé*	
Mauvais gras	**Effets néfastes**	**Principales sources**
Gras saturés	Augmentation du cholestérol total et du cholestérol LDL	Viandes grasses, produits laitiers réguliers, fromage, beurre, saindoux, grignotines, repas minute, aliments préemballés
Gras trans	Augmentation du taux de cholestérol LDL et diminution du taux de cholestérol HDL[3]	Tous les aliments contenant du shortening ou des huiles végétales partiellement hydrogénées : margarine dure, biscuits, craquelins, grignotines, repas minute, aliments préparés
Bons gras	**Effets bénéfiques**	
Gras monoinsaturés	Diminution du taux de mauvais cholestérol (LDL) ; aucun effet sur le taux de cholestérol HDL	Huiles : olive, canola, arachide ; margarines non hydrogénées faites à partir de ces huiles ; noix et graines

2. Les régimes stricts, à faible teneur en matières grasses et destinés aux adultes ne sont pas recommandés pour les tout-petits et les jeunes enfants. Les calories supplémentaires fournies par les matières grasses assurent la croissance normale de leurs cheveux. Durant leur croissance, les enfants peuvent certainement profiter d'aliments à teneur réduite en matières grasses comme le lait à 2 %, mais il ne faut pas restreindre leur consommation d'aliments nutritifs comme le fromage et le beurre d'arachide en raison de leur teneur en matières grasses.

Type de gras alimentaire	*Incidence sur la santé*	
Bons gras	**Effets bénéfiques**	**Principales sources**
Gras polyinsaturés (deux types)		
Gras oméga-3 : acide éricosapentaénoïque (EPA) et acide docosahexaénoïque (DHA)	Le gras oméga-3 prévient la formation de caillots sanguins et abaisse les taux de cholestérol LDL et de triglycérides	Sources de gras alphalinoléniques : huiles de canola et de soja, graines de lin, œufs oméga-3 et certains produits d'œuf liquide. L'EPA et le DHA viennent principalement des poissons gras comme le maquereau, le hareng, le saumon, l'espadon, la truite, la morue et le tassergal
Gras oméga-6 ou acide linoléique	Réduction du taux de cholestérol LDL	Huiles : carthame, tournesol, maïs ; margarines non hydrogénées faites avec ces huiles ; noix et graines

De nombreux aliments contiennent des matières grasses, mais la plupart des mauvais gras (saturés et trans) proviennent de cinq sources principales. Voici les aliments à surveiller :

- beurre, mayonnaise, margarines dures faites d'huiles végétales hydrogénées ou partiellement hydrogénées ;
- viandes grasses comme le bœuf haché régulier ou le bacon, la volaille avec la peau ;
- produits laitiers entiers ;
- repas minute, grignotines, aliments frits ;
- de nombreux produits de boulangerie tels que croissants, gâteaux, biscuits.

Qu'en est-il des aliments qui contiennent du cholestérol ?

Le cholestérol alimentaire est celui que l'on trouve dans les aliments. Il ne faut pas le confondre avec le cholestérol sanguin (LDL et HDL).

Seuls les aliments d'origine animale contiennent du cholestérol.

Bien des gens pensent que les aliments à teneur élevée en cholestérol, comme les œufs et le foie, sont les principaux responsables de l'élévation du taux de cholestérol sanguin. Nous savons toutefois que le cholestérol *alimentaire* n'a pas une grande incidence sur le cholestérol *sanguin*. Seules les personnes à haut risque doivent surveiller leur consommation d'aliments qui contiennent du cholestérol.

Alors, qu'est-ce qui cause l'élévation du taux de cholestérol sanguin ?

Les principaux coupables sont les gras saturés et trans. Ce sont donc ces gras qu'il faut chercher à éliminer de notre alimentation.

On peut manger des œufs, alors ?

Oui, les œufs font partie d'une saine alimentation. La plupart des gens peuvent en manger avec modération sans danger. Mais qu'est-ce qu'une consommation « modérée » pour des gens normaux et en santé ? Trois… cinq œufs par semaine ?

Les gens aimeraient qu'on leur donne un chiffre précis, mais c'est impossible.

À moins que votre médecin ne vous recommande de réduire votre consommation d'œufs, la meilleure chose à faire est de suivre la recommandation visant une alimentation diversifiée.

Notez que c'est le jaune qui contient le gras et le cholestérol. Si l'on vous conseille de limiter votre consommation d'œufs, vous pouvez continuer d'utiliser des œufs frais dans la plupart des recettes en substituant un ou deux blancs d'œufs à un œuf entier.

On trouve maintenant sur le marché du blanc d'œuf liquide surgelé qui peut remplacer le blanc d'œuf frais dans la confection des omelettes et des pâtisseries.

Petits trucs pour réduire l'apport en gras

Il existe plusieurs moyens simples de modifier le type de gras consommé et d'en réduire la quantité. Si vous les adoptez, ils peuvent faire une réelle différence. En voici quelques-uns.

- Chaque cuillérée à thé de beurre (principalement du gras saturé) que vous éliminez réduit votre consommation de 4 g.
- Procurez-vous une bonne poêle antiadhésive. Vous pourrez utiliser moins de gras pour faire cuire vos aliments, de l'huile d'olive ou de canola.
- En buvant du lait écrémé au lieu du lait à 2 %, vous éliminerez 5 g de gras par tasse. La plupart des recettes de ce livre ont été analysées en supposant l'utilisation de lait à 2 %.
- Recherchez les fromages réduits en gras, qui contiennent 15 % de matières grasses ou moins.
- Remplacez la crème par du lait dans votre café.
- Réduisez vos portions de viande, de poisson et de volaille. En moyenne, 3 oz (90 g) de viande maigre (bœuf, porc, agneau) contiennent de 9 à 10 g de gras et la volaille 5 g.
- Utilisez des coupes de viande maigres, de la volaille tranchée ou du poisson en conserve pour les sandwichs. Évitez saucisson, salami et bologne, beaucoup plus riches en matières grasses.
- Lorsque vous prenez une douceur glacée, optez pour un sorbet aux fruits ou un yogourt glacé au lieu de la crème glacée. Vous éliminerez 12 g de gras.
- Comme grignotines, prenez des bretzels à faible teneur en gras et du maïs soufflé sans beurre. Ou choisissez les noix de préférence aux croustilles. Vous n'éliminerez pas de calories, mais les noix contiennent des gras qui sont bons pour le cœur alors que les croustilles contiennent beaucoup de gras trans, mauvais pour la santé.
- Évitez les muffins géants, les croissants, les tartes et les gâteaux. Ils contiennent rarement moins de 12 g de matières grasses, et ce sont la plupart du temps des gras saturés et trans.

Cherchez à atteindre et maintenez un poids santé en étant régulièrement actif et en mangeant sainement

Le quatrième point des *Recommandations alimentaires pour la santé des Canadiennes et des Canadiens* met l'accent sur l'importance de maintenir un poids santé. Si vous faites de l'embonpoint – environ 48 %[4] des adultes canadiens en font –, vous êtes plus à risque de maladies cardiaques et d'accidents vasculaires cérébraux. Votre tension artérielle et vos taux de lipides sanguins vont probablement augmenter et vous avez de fortes chances de développer un diabète de type 2. Le diabète est un facteur de risque de maladies cardiaques.

Questions de poids

Les experts en santé s'entendent : la meilleure façon de gérer son poids est d'acquérir tôt dans la vie de saines habitudes alimentaires et physiques de façon à ne jamais avoir de problèmes de poids.

Pour ceux qui font déjà de l'embonpoint, le défi consiste à adopter des habitudes alimentaires et physiques plus saines afin de perdre du poids et de ne pas le regagner.

Votre poids est-il un poids santé ?

Les spécialistes des questions de poids sont d'accord pour dire qu'il n'y a pas de « poids idéal ». Vous pouvez savoir si votre poids présente des risques pour votre santé en calculant votre indice de masse corporelle (IMC). Cet indice est conçu pour les gens de 20 à 65 ans et il est considéré comme une façon assez exacte d'évaluer votre poids par rapport à votre santé. Voir la section des annexes (page 239) pour déterminer votre IMC.

Atteindre un poids santé

Il n'y a pas de formule miracle pour perdre du poids. Si tel était le cas, l'obésité ne serait pas un problème aussi répandu au pays et les programmes d'amaigrissement rapide seraient moins populaires.

Ce qui semble fonctionner le mieux à long terme, c'est une combinaison d'activité physique quotidienne et une alimentation saine à faible teneur en calories.

Faire plus d'activité physique

Beaucoup de spécialistes des questions de poids croient que les gens développent de l'embonpoint non pas parce qu'ils mangent trop, mais parce qu'ils ne font pas assez d'activité physique.

Les avantages de l'activité physique dépassent largement le contrôle du poids. En devenant plus actif, vous vous sentirez mieux, plus fort, moins stressé et plus dynamique. Et le fait que votre tension artérielle et vos taux de triglycérides soient plus bas et votre niveau de bon cholestérol (HDL) plus élevé aura des effets bénéfiques sur la santé de votre cœur.

---

4. Statistique Canada, *Enquête nationale sur la santé de la population,* 1996-1997.

Comment devient-on physiquement plus actif ?

Le *Guide d'activité physique* de Santé Canada spécifie que pour demeurer bien portant et améliorer sa santé, il faut accumuler au moins 60 minutes d'activité physique légère chaque jour. Il n'est pas nécessaire de faire ces 60 minutes d'un seul coup – elles peuvent être réparties en quelques séances de 10 minutes durant la journée.

Pour les activités d'intensité modérée, comme la marche rapide ou la bicyclette, la durée doit être de 30 à 60 minutes et pour les activités comme le jogging ou la danse aérobique, de 20 à 30 minutes suffisent.

D'autres trucs pour rester actif

- Préparez-vous un programme écrit décrivant en détail le type d'exercice que vous comptez faire et à quel moment. Faites un tableau sur lequel vous suivrez vos progrès.
- Choisissez des activités à votre goût et à votre mesure. Vous inscrire à un cours de danse aérobique avancé alors que vous n'avez pas fait d'exercice depuis des années peut être décourageant. Si vous faites de l'embonpoint, commencez par la marche.
- Intégrez l'activité physique à votre routine quotidienne. Marchez pendant votre heure de repas, nagez s'il y a une piscine à proximité, joignez-vous à un club de marche dans un centre commercial des environs, inscrivez-vous à un cours d'exercices après le travail.
- Demandez à un ami de vous accompagner si ça vous stimule et si vous trouvez que c'est plus agréable. Toutefois, n'établissez pas votre programme d'activités en fonction de l'horaire de cette personne.

Une alimentation saine, à faible teneur en calories pour perdre du poids

Suivez les principes de base sur la saine alimentation présentés dans cette introduction, en insistant sur les aliments à teneur réduite en calories et en matières grasses. Vous trouverez dans le *Guide alimentaire canadien pour manger sainement* des conseils sur le nombre de portions et la grosseur de celles-ci.

- Attention à la grosseur des portions : bagels et muffins géants de même que les formats super-géants de frites et de boissons gazeuses.
- Mangez lorsque vous avez faim, arrêtez avant d'être rassasié. Fruits, yogourt à faible teneur en gras ou chocolat chaud allégé sont de bons choix de collation.
- Évitez les grignotines riches en calories, comme les croustilles, les biscuits et les craquelins-collation.
- Surveillez ce que vous mangez – pesez et mesurez vos portions pour vous assurer qu'elles respectent les recommandations du *Guide alimentaire canadien.* Les recherches ont démontré que les gens sous-estiment presque toujours les quantités d'aliments qu'ils consomment.
- Consultez le tableau de la valeur nutritive sur l'étiquette pour comparer les aliments et choisissez ceux qui constituent un meilleur choix santé. Voir page 16 les informations sur l'étiquetage des produits alimentaires et sur le programme Visez Santé^{MC}.

La Fondation des maladies du cœur du Canada a conçu une brochure sur la perte de poids intitulée, *Habitudes santé pour un poids santé – un guide pratique au sujet du contrôle du poids,* que l'on peut se procurer sur le site web de la Fondation : **www.fmcoeur.ca/poidssante**

Limitez votre consommation de sel, d'alcool et de caféine

On recommande aux Canadiennes et aux Canadiens de réduire leur consommation de sel car celui-ci est une source importante de sodium, l'une des causes de l'hypertension.

Comment réduire le sel

- Préparez plus d'aliments vous-même au lieu de les acheter tout prêts. Lisez les étiquettes, comparez les produits et choisissez ceux qui contiennent le moins de sel ou de sodium.
- Utilisez des bouillons de viande ou de légumes faits à la maison, des bouillons à faible teneur en sodium ou de l'eau.
- Méfiez-vous également des aliments transformés car ils contiennent habituellement plus de sel.
- Mangez moins de grignotines, comme les croustilles et les bâtonnets au fromage et moins de craquelins réguliers car ils peuvent contenir énormément de sel.
- Éliminez le sel de vos recettes ou réduisez-le de moitié.
- N'ajoutez pas de sel à l'eau de cuisson des légumes ou des pâtes.
- Utilisez de l'oignon ou de l'ail nature pour assaisonner viandes, poissons, volailles et légumes, ou choisissez la poudre de préférence au sel d'oignon et d'ail.
- Ne mettez pas la salière sur la table, mais laissez la poivrière. Un soupçon de poivre ou d'une autre épice rehaussera un aliment en mal d'assaisonnement.
- Utilisez des tomates en conserve à faible teneur en sodium ou congelez vous-même vos tomates.
- Rehaussez la saveur de vos plats avec autre chose que le sel : fines herbes, épices, jus de citron, moutarde, ail, oignons, gingembre, flocons ou sauce au piment fort.
- Rincez à l'eau froide les fèves et les lentilles en conserve et égouttez-les.

L'alcool

Consommé avec modération, l'alcool a sa place dans un régime de vie sain.

On a beaucoup parlé ces dernières années des bienfaits du vin rouge pour la santé. Le vin rouge en particulier et d'autres types d'alcool contiennent des substances phytochimiques appelées flavonoïdes qui peuvent avoir un effet bénéfique sur la santé du cœur en faisant augmenter le taux de bon cholestérol (HDL) et diminuer les risques de formation de caillots sanguins. Il ne faut toutefois pas oublier que l'alcool a ses désavantages et que la plupart des experts en santé mentionnent qu'une consommation d'alcool excessive présente des risques qui l'emportent de loin sur les bienfaits.

La Fondation des maladies du cœur recommande aux adultes en santé qui consomment de l'alcool de ne pas dépasser 2 consommations par jour, avec une limite hebdomadaire de 14 consommations pour les hommes et de 9 pour les femmes.

	Qu'est-ce qu'un verre ?
Un verre correspond à :	341 ml/12 oz (1 bouteille) de bière (5 % d'alcool)
	142 ml/4-5 oz de vin (12 % d'alcool)
	45 ml/1 1/2 oz de spiritueux (40 % d'alcool)

Conseils pour réduire sa consommation

- Réduisez la quantité d'alcool que vous absorbez en mélangeant le vin à de l'eau gazéifiée et la bière à du soda gingembre (ginger ale).
- Un verre sur deux, prenez une consommation non alcoolisée. Ajoutez une tranche de limette à de l'eau gazéifiée ou à du jus de tomate.
- Essayez la bière non alcoolisée en vente dans les supermarchés.
- Ne vous méprenez pas sur le contenu de vos consommations. Les bières légères ne contiennent pas beaucoup moins d'alcool que les bières ordinaires. Les « coolers » au vin ont peut-être le goût des boissons gazeuses mais ils contiennent à peu près autant d'alcool que 1 1/2 oz (45 ml) de spiritueux.

La caféine et le café

Soixante pour cent de la caféine que nous consommons vient du café, 30 pour cent provient du thé et le reste provient de trois sources : les colas, le chocolat et les médicaments. Comme une très grande proportion de la caféine que nous ingérons provient du café, il est difficile de séparer les effets de la caféine de ceux des autres composantes du café.

Sources de caféine[5]

PRODUIT		CAFÉINE
Café		
(tasse de 200 ml/6 oz)	Filtre	108-180 mg
	Instant (régulier)	60-90 mg
Thé		
(200 ml/6 oz)	Faible	18-24 mg
	Fort	78-108 mg
Boisson gazeuse de type cola		
(355 ml/12 oz)	1 cannette	28-64 mg
Produits à base de cacao	Lait au chocolat (250 ml/8 oz)	2-8 mg
	Tablette de chocolat (56 g/2 oz)	
	Noir	40-50 mg
	Au lait	3-20 mg

Le café et la caféine sont-ils sans danger ?

Bien qu'il ait souvent été question des dangers du café, aucune preuve convaincante n'a été trouvée permettant d'établir un lien entre une consommation modérée de café ou de caféine et des problèmes de santé graves. Toutefois, une plus grande consommation peut avoir des effets secondaires indésirables.

En résumé

Voilà pour les principes de base d'une saine alimentation. Voyons maintenant comment mettre ces idées en pratique dans :

- la planification de repas et de goûters santé,
- les emplettes,
- les repas au restaurant.

La planification de repas sains

Une saine alimentation, c'est la somme de tous les repas et goûters consommés sur une longue période. Tout en gardant à l'esprit les bases de la planification du menu lorsque vous préparez ou choisissez un repas, rappellez-vous qu'il ne suffit pas de bien manger de temps à autre pour acquérir de bonnes habitudes alimentaires.

Bien manger ne se limite pas à préparer des recettes bonnes pour la santé. Il faut ensuite compléter le repas avec d'autres aliments pour obtenir un apport équilibré de tous les éléments nutritifs, sans dépasser les quantités recommandées pour certains, les matières grasses, par exemple.

Le succès de la planification d'un repas sain réside dans la combinaison d'une variété d'aliments et dans le mélange des couleurs et des saveurs. En règle générale, il faut combiner au moins trois types d'aliments différents :

Tranches de poulet rôti	(viande)
Riz à grain entier	(céréale)
Haricots verts	(légume)
Fèves au four	(substitut de viande)
Petit pain de blé entier	(céréale)
Verre de lait à faible teneur en matières grasses	(produit laitier)
Pomme fraîche	(fruit)
Muffin au son	(céréale)
Morceau de fromage	(produit laitier)

5. *Source* : Approvisionnement et Services Canada. *Renseignements sur le Guide alimentaire à l'intention des éducateurs et des communicateurs. La catégorie « Autres aliments »*. Ottawa, 1992.

La planification pour manger sainement

Il va de soi que si chaque repas est sain, vous mangerez bien tous les jours, toutes les semaines. Ce n'est malheureusement pas toujours le cas. Vous devez donc faire preuve d'ingéniosité pour compenser les déficits en éléments nutritifs lorsque vos repas sont loin d'être parfaits.

À certaines occasions, vous mangerez plus de matières grasses que la quantité recommandée. C'est normal. Bien manger, c'est aussi profiter de ces occasions-là en planifiant vos repas de manière à compenser ces écarts au repas précédent ou suivant. Il en est de même des gens qui voyagent beaucoup et qui se plaignent souvent de la faible teneur en fibres des repas de restaurant. Ces personnes doivent être à l'affût des sources de fibres présentes sur le menu, comme le pain de blé entier et les coupes de fruits frais.

Les emplettes

Vous préparez et mangez peut-être la plupart de vos repas à la maison, mais c'est probablement à l'épicerie, devant les étagères garnies de milliers de produits, que se prennent la plupart des décisions concernant vos menus.

Dans les pages qui suivent, nous vous ferons parcourir les allées d'un supermarché type. En même temps, nous vous parlerons des divers articles d'épicerie et de leur rôle dans une saine alimentation. Prêt ? Allons-y !

Les bons outils

Les listes d'ingrédients et l'information nutritionnelle qui figurent sur les étiquettes peuvent vous aider à faire de bons choix, mais vous devez également savoir comment utiliser ces informations à votre avantage. Il vous incombe de connaître les principes de base de la nutrition dont nous avons parlé et de planifier vos achats comme vous planifiez vos repas. Faites une liste avant de partir.

Étiquetage nutritionnel

Au moment d'aller sous presse, le gouvernement fédéral s'apprêtait à publier un nouveau règlement sur l'étiquetage nutritionnel grâce auquel les consommateurs pourront choisir leurs aliments de manière à manger sainement. Le nouveau règlement va faire en sorte que nos étiquettes nutritionnelles ressembleront davantage aux étiquettes américaines.

Voici quelques-unes des principales caractéristiques des nouvelles étiquettes :

- L'étiquetage nutritionnel sera obligatoire (il était volontaire) sur la plupart des denrées préemballées. Les aliments non touchés incluent : viandes fraîches, charcuteries et fromages, fruits et légumes, aliments de restaurant et aliments préparés et vendus dans de petites boutiques, comme les boulangeries-pâtisseries.
- L'information nutritionnelle sera contenue dans un petit encadré appelé « tableau de la valeur nutritive ».

- Le tableau de la valeur nutritive doit indiquer d'une manière standard la teneur de l'aliment en calories et 13 autres éléments nutritifs.
- D'après le règlement, l'étiquette doit inclure une déclaration de ce qui constitue une portion.
- L'étiquette nutritionnelle inclut un nouvel élément : le pourcentage de l'apport quotidien. Associé à un élément nutritif, ce chiffre indique quel pourcentage de l'apport quotidien recommandé pour cet élément vous obtenez par portion consommée. Vous savez ainsi si vous prenez un peu ou beaucoup de cet élément.
- Les allégations relatives à la teneur nutritive, comme « léger » ou « faible teneur en sodium », seront strictement définies pour garantir au consommateur que l'allégation signifie toujours la même chose. L'allégation « léger » signifiera désormais seulement « valeur énergétique réduite » ou « teneur réduite en gras ». Des allégations comme « goût léger » ne seront plus permises. L'allégation « faible teneur en sodium (ou sel) » signifiera que le produit contient 140 mg ou moins de sodium ou de sel tandis que « légèrement salé » signifiera que le produit contient « au moins 50 % moins de sodium/sel ajouté ».
- Pour la première fois au Canada, des allégations santé liées aux aliments pourront figurer sur l'étiquette. Pour un produit à faible teneur en sodium et à teneur élevée en potassium par exemple, l'étiquette pourra contenir un énoncé sur la relation entre le sodium, le potassium et l'hypertension. De même, sur les aliments à faible teneur en gras trans et saturés, il pourra y avoir un énoncé informant les consommateurs que les aliments qui contiennent peu de ces types de gras peuvent faire diminuer les risques de maladies cardiaques.

Valeur nutritionnelle
Par tasse (264 g)

Quantité	% apport quotidien
Calories 260	
Gras 13 g	20 %
Gras saturés 3 g + Gras trans 2 g	25 %
Cholestérol 30 mg	
Sodium 660 mg	28 %
Glucides 31 g	10 %
Fibres 0 g	0 %
Sucres 5 g	
Protéines 5 g	
Vitamine A 4 % • Vitamine C 2 %	
Calcium 15 % • Fer 4 %	

*Acheter des aliments sains à l'aide du programme Visez santé^MC^*

La Fondation des maladies du cœur a conçu le programme Visez Santé^MC^ pour vous aider à faire des choix éclairés lorsque vous faites vos emplettes. En outre, ce logo s'accompagne toujours d'un tableau de la valeur nutritive et d'un message explicatif vous indiquant comment l'aliment en question s'inscrit dans une saine alimentation.

Par exemple, le message Visez Santé^MC^ sur un pain se lit comme suit : *« Ce pain est une source de fibres. Donner une grande part aux produits céréaliers tels que le pain et augmenter les fibres sont des composantes d'une alimentation saine. Compagnie XYZ appuie financièrement le programme éducatif Visez Santé^MC^. La Fondation des maladies du cœur ne privilégie aucun produit. Voir www.visezsante.org* Bien sûr, certains aliments qui n'affichent pas le logo Visez Santé^MC^ peuvent être tout aussi nutritifs que ceux qui l'affichent.

Pour plus d'information, consulter le site *www.visezsante.org*

Savoir acheter

Nous allons commencer par faire le tour du magasin puis nous explorerons les allées intérieures.

- Premier arrêt : *les fruits et les légumes frais.* Faites d'abondantes provisions ici, en misant sur la variété. N'oubliez pas les fines herbes et les épices fraîches, qui vous permettront de réduire le sel et le gras de vos plats et d'en rehausser la saveur.
- Passons aux comptoirs *viande, volaille et poisson frais.* Choisissez les coupes maigres et achetez suffisamment de poisson pour un ou deux repas durant la semaine.
- Choisissez judicieusement les viandes à sandwich tranchées ou préemballées car elles peuvent contenir beaucoup de matières grasses et de sodium. Optez plutôt pour le rôti de bœuf nature, le jambon maigre ou la dinde tranchée.
- Avez-vous besoin d'*œufs* ? Pensez à acheter des œufs enrichis à l'oméga-3 ou de l'œuf liquide pour augmenter la teneur de votre alimentation en oméga-3.
- Passons ensuite au comptoir des *produits laitiers* pour faire provision de lait, de yogourt et de fromage cottage. Lisez bien les étiquettes. Les meilleurs choix ici sont le lait, le yogourt et le fromage cottage contenant 2 % ou moins de matières grasses. Si vous avez besoin de crème ou de crème sure, optez pour les produits qui contiennent le moins de gras ou remplacez-les par du yogourt nature.
- Au comptoir des *fromages,* choisissez des fromages à faible teneur en matières grasses, soit 15 % ou moins.
- Beurre et margarine : n'oubliez pas que le beurre contient beaucoup de gras saturés. La margarine molle à base d'huile non hydrogénée, vendue dans des contenants en plastique, est un meilleur choix santé.

Dans les allées intérieures maintenant…

- Oubliez l'allée des boissons gazeuses et des grignotines.
- *Céréales* : lisez bien la liste des ingrédients et optez pour des céréales à grains entiers (avoine ou blé entier) et celles qui sont enrichies de fibres (son de blé, son d'avoine ou psyllium). À partir du tableau de la valeur nutritive, choisissez des céréales qui contiennent 4 g de fibres ou plus par portion.
- *Confitures, gelées, miel et sirops.* Même s'ils ne sont pas des plus nutritifs, ces à-côtés peuvent agrémenter rôties et muffins si vous avez éliminé le beurre et la margarine. Bien qu'il soit riche en calories, le beurre d'arachide est riche en protéines, bons gras et fibres.
- *Vinaigrettes* : recherchez celles qui sont à teneur réduite en matières grasses et en calories, ou achetez une bonne huile, comme de l'huile d'olive extra vierge, et préparez vous-même votre vinaigrette.
- *Huiles* : choisissez une huile riche en gras monoinsaturés, comme l'huile d'olive ou de canola, ou une huile riche en gras polyinsaturés, comme l'huile de carthame, de tournesol ou de maïs.

- Les *jus en conserve* sont un bon choix. Ne faites pas l'erreur d'acheter des boissons enrichies de vitamine C, qui ne sont pas aussi nutritives que le jus. Les fruits en conserve sont également bons. Choisissez ceux qui sont dans leur propre jus plutôt que dans le sirop. Les légumes en conserve contiennent en général beaucoup de sodium ; les légumes frais ou surgelés sont un meilleur choix.
- *Biscuits et craquelins* : comme ils sont faits de shortening végétal, la plupart des biscuits et craquelins contiennent beaucoup de matières grasses, surtout des gras trans. Lisez les étiquettes et cherchez ceux qui sont à teneur réduite en matières grasses et à teneur élevée en fibres. Attention aux craquelins assaisonnés qui devraient plutôt se vendre dans l'allée des croustilles.
- *Poisson en conserve* : le thon, le saumon, le crabe, les sardines et les crevettes sont de bons choix ; choisissez de préférence ceux qui sont dans l'eau ou le bouillon. Vérifiez bien la teneur en sel si vous suivez un régime à teneur réduite en sodium.
- *Condiments* : ils contiennent habituellement beaucoup de sodium, mais ils sont utiles pour rehausser la saveur des aliments faibles en matières grasses. Privilégiez la moutarde forte, la salsa, la sauce chili, la pâte de cari, les vinaigres aromatisés et autres trempettes faibles en matières grasses.
- Évitez les mélanges à soupe, à sauce et à plats cuisinés car ils contiennent peu d'éléments nutritifs et toujours énormément de sel.

Au comptoir des produits surgelés, vous trouverez de bons et de mauvais choix

- *Bons choix* : jus surgelés, légumes et fruits nature surgelés, pâte à pain, bagels, gaufres à grains entiers surgelées, viande, volaille et poisson nature, mets et repas faibles en matières grasses, sorbet et yogourt glacé.
- *Mauvais choix* : légumes en sauce au beurre, frites, pommes de terre farcies surgelées, repas et mets surgelés ordinaires, viandes et poissons panés et frits, gâteaux, croissants, pâtisseries, crème glacée.

En continuant…

- *Ingrédients à pain et à pâtisserie* : ici, vous trouverez les pruneaux, abricots et raisins secs riches en fibres, ainsi que les noix et les graines à parsemer sur vos plats végétariens.
- *Fruits en portions individuelles, coupes de pouding et de yogourt non réfrigérés* : peuvent être utiles pour les goûters rapides ou les boîtes à lunch.
- *Section cuisine internationale* : prenez le temps de bien regarder. Vous y trouverez des éléments intéressants qui peuvent vous aider à varier votre alimentation.
- *Mélanges à muffins et à gâteaux, farines* : recherchez les farines complètes. Quant aux mélanges à muffins, choisissez ceux qui sont à l'avoine. Pour un bon dessert à faible teneur en matières grasses, prenez un mélange à gâteau des anges.
- *Légumineuses sèches et en conserve* : lentilles, pois cassés, pois chiches, haricots rouges – faites des provisions de ces aliments riches en fibres et faibles en matières grasses.

- *Riz et pâtes* : deux bons choix à faible teneur en matières grasses. Essayez le riz et les pâtes à grains entiers.
- *Sauces tomate et sauces pour pâtes* : elles sont pratiques mais elles contiennent énormément de sel.
- *Pains* : essayez différentes variétés : pain de seigle, de blé entier, à la farine d'avoine. Pour changer, achetez des pains pitas, des tortillas et des croustipains.

Repas et goûters à emporter

La planification des repas et des goûters à emporter ne diffère pas de celle des repas préparés à la maison. L'important demeure de les préparer à partir d'aliments variés et nutritifs. Il faut toutefois faire attention à leur teneur en sucre car il est probable que le goûter ou le repas ne sera pas suivi d'une séance de brossage de dents.

Repas à emporter

- Le sandwich demeure le mets à emporter le plus pratique. Utilisez du pain de grains entiers et variez les sortes. Mettez très peu de beurre, de margarine et de mayonnaise et utilisez des condiments comme la moutarde pour donner du goût et humecter la garniture. Emballez laitue et tranches de concombre ou de tomate séparément et ajoutez-les au moment de manger.
- Accompagnez le sandwich de légumes ou de fruits.
- Pour varier, essayez aussi muffins, yogourt, crudités, craquelins, fromage, pomme, fromage cottage, ananas en tranche, tranche de pain de seigle, salade de pâtes, lait, pêches, pointe de pizza, orange.
- Ayez les aliment suivants en réserve pour faciliter votre tâche :
  - tranches de fromage emballées individuellement
  - emballages individuels de craquelins et de beurre d'arachide
  - craquelins à grains entiers, à faible teneur en matières grasses
  - jus en boîte ou en cannette
  - coupes individuelles de fruits, de yogourt ou de pouding au lait[6]
  - pains et petits pains variés : pain pita, bagels, tortillas ou bretzels mous
  - biscuits à faible teneur en matières grasses
  - muffins
  - fruits faciles à emporter tels que bananes, oranges, raisins, pommes, poires
- Si vous disposez d'une bouilloire ou d'un four à micro-ondes au moment du lunch, vous pouvez faire bouillir de l'eau et préparer une soupe ou un chili instantané.

Les enfants veulent souvent apporter des friandises dans leur boîte à lunch. Les bretzels, le maïs soufflé fait à la maison avec juste un peu de beurre et les mélanges de bretzels et de

6. Les aliments emballés individuellement, bien que pratiques, ajoutent au problème croissant de l'élimination des déchets et ne peuvent être considérés comme écologiques. Soyez sensible aux questions environnementales et achetez une bouteille isolante pour chaque membre de la famille. Faites provision de contenants et de bouteilles en plastique réutilisables en prévision des lunchs.

céréales représentent de bons substituts aux croustilles ; les biscuits faibles en matières grasses sont également acceptables.

Les goûters

Les goûters sont en fait de petits repas auxquels il convient d'appliquer les principes de la saine alimentation. Il est particulièrement important de les préparer à partir d'aliments sains car les jeunes enfants tirent souvent une grande partie de leur apport alimentaire quotidien de leurs goûters. Voici quelques bonnes suggestions :

- lait à teneur réduite en matières grasses, jus de fruits non sucré, jus de légumes
- céréales non enrobées de sucre, de préférence à grains entiers
- craquelins à grains entiers avec fromage à teneur réduite en matières grasses ou beurre d'arachide
- muffin au son ou à grains entiers, pas trop sucré
- yogourt à moins de 2 % de matières grasses
- pouding à base de lait
- fruits frais ou en conserve, dans leur jus et non dans le sirop
- légumes en bâtonnets ou en rondelles
- bâtonnets de pain
- sandwich
- demi-bagel avec fromage
- pointe de pizza (sur pain hamburger, tortilla, muffin anglais, etc.)
- maïs soufflé ou noix pour les enfants plus vieux qui risquent moins de s'étouffer avec ce genre d'aliments
- yogourt glacé

Les croustilles, les bâtonnets au fromage, les bonbons, les produits de boulangerie sucrés, les bandes aux fruits, les boissons gazeuses, les céréales sucrées et les fruits secs, ne conviennent pas aux goûters, soit parce qu'ils n'ont aucune valeur nutritive, parce qu'ils sont collants ou parce que leur teneur en sucre en fait de mauvais choix pour les dents.

Les repas santé du cœur au restaurant

Manger au restaurant, surtout si c'est trois ou quatre fois par semaine, peut nuire à une saine alimentation. En général, les repas de restaurant sont plus copieux, contiennent plus de calories, de matières grasses et de sodium et sont moins riches en fibres que les repas préparés à la maison.

Voici quelques conseils pour vous aider à profiter de cette tendance, que vous preniez une bouchée dans un restaurant minute ou un repas cinq services dans un grand restaurant.

- Choisissez des restaurants, des buffets et des cafétérias qui ont des menus variés. Vous courrez la chance d'avoir plus de choix d'aliments sains quand les plats sont variés.
- Demandez ce que vous voulez. Par exemple, du poisson grillé ou cuit au four et non frit, du lait plutôt que de la crème pour le café, des vinaigrettes et des sauces faibles en matières grasses ou servies à part afin que vous puissiez en contrôler la quantité.

- Commandez une soupe à base de lait ou de bouillon, comme de la soupe poulet et nouilles, et non une soupe à base de crème.
- Mangez votre pain sans beurre ou margarine. Demandez toujours des petits pains, du pain ou des rôties de blé entier.
- Comme plat principal, choisissez un plat à faible teneur en matières grasses. Les mets populaires comme la lasagne, la quiche, les côtes levées et le macaroni au fromage sont acceptables à l'occasion, mais ils contiennent trop de calories, de matières grasses et de sodium pour être consommés souvent.
- Commandez des plats faibles en matières grasses et riches en fibres, comme un chili aux haricots, une soupe aux pois cassés ou un minestrone ; complétez le repas avec un petit pain de blé entier et un verre de lait à 2 %, 1 % ou écrémé.
- Attention aux salades ! Une salade verte agrémentée de légumes et accompagnée d'une vinaigrette faible en matières grasses est un bon choix. Mais les salades de pommes de terre ou de macaronis et la salade César contiennent beaucoup de calories et de matières grasses.
- Choisissez du riz nature ou une pomme de terre au four plutôt que des frites. Garnissez la pomme de terre de vinaigrette faible en calories de salsa, de yogourt ou de crème sure faible en matières grasses ; évitez le beurre ou la crème sure régulière.
- Essayez les sautés qui contiennent surtout du riz ou des pâtes faibles en matières grasses, beaucoup de légumes et peu de viande.
- Ne vous sentez pas obligé de terminer votre assiette si vous n'avez plus faim.
- Prenez un dessert léger la plupart du temps : une coupe de fruits frais, un sorbet ou du yogourt glacé. Réservez les desserts « décadents » pour des occasions spéciales.

Restauration rapide : prendre le meilleur et laisser le pire

Les Canadiennes et les Canadiens mangent en moyenne une fois par semaine dans un restaurant à service rapide. Contrairement à la croyance populaire, tous les repas servis dans ce type de restaurant ne sont pas désastreux sur le plan nutritionnel. Plusieurs grandes chaînes de restauration rapide fournissent, sur demande, une brochure nutritionnelle qui décrit le contenu en éléments nutritifs des repas qu'ils servent.

Si une telle brochure n'est pas disponible, voici quelques conseils qui vous permettront d'éviter les écueils de la restauration rapide.

- Choisissez la plus petite portion.
- Choisissez des aliments de base, comme un hamburger nature ou un sandwich au poulet grillé au lieu d'un hamburger de luxe ou d'un sandwich au poulet ou au poisson frit.
- Prenez une pizza tomate fromage au lieu d'une pizza double fromage et bacon.
- Demandez qu'on ne mette pas de beurre ou de margarine dans votre sandwich.
- Commandez un lait ou un jus au lieu d'un lait fouetté ou d'une boisson gazeuse.
- Demandez une vinaigrette à faible teneur en calories pour accompagner votre salade. Prenez la salade de fruits s'il y en a au menu.

- Attention au contenu du petit déjeuner. Un muffin anglais ou un croissant avec des œufs, du bacon et du fromage est un choix riche en matières grasses pour commencer la journée. Essayez plutôt les crêpes, sans beurre et avec un peu de sirop. Si vous prenez des œufs, demandez-les pochés ou cuits durs au lieu de frits.
- Allez à des endroits qui servent des menus plus sains : soupe, salade, produits à base de blé entier, sandwichs au rôti de bœuf, poulet au four, chili, mets mexicains à base de légumineuses.
- Pas facile d'éviter la forte teneur en sodium des repas minute. Les personnes en santé devraient essayer de contrebalancer cette surenchère de sodium aux autres repas ; les personnes qui suivent un régime à teneur réduite en sodium ne devraient pas manger ce type de nourriture trop souvent.
- Les fibres alimentaires ne sont pas abondantes dans la plupart des repas des restaurants minute. Il y a quelques éléments riches en fibres mais en général, vous devrez compenser le manque de fibres à d'autres moments de la journée.

Aliments minute contenant des fibres

- Salades : accompagnées d'une vinaigrette réduite en calories et en matières grasses
- Pommes de terre au four : garnies d'un ingrédient à faible teneur en calories et en gras, comme le chili ou la salsa au lieu de bacon et de fromage
- Chili : plus il contient de haricots, mieux c'est
- Mets mexicains à base de légumineuses
- Petits pains de blé entier
- Salade de fruits et fruits frais

Place à la cuisine santé

Vous voilà donc en possession de tous les éléments requis pour préparer des repas « au goût du cœur » pour vous-même et toute votre famille. Voyons maintenant comment mettre toutes ces connaissances en pratique grâce aux recettes qui suivent.

Ne cachez pas ce livre dans votre armoire. Laissez-le sur le comptoir et efforcez-vous à compter d'aujourd'hui d'essayer au moins une recette chaque jour. *Cuisinez au goût du cœur tous les jours.*

Denise Beatty, nutritionniste-conseil

Recherchez ce crochet ✓.
Il indique un délicieux repas
à préparer à l'avance et à réchauffer.

Hors-d'œuvre et Goûters

Rouleaux aux légumes à l'orientale

Tortellinis en brochettes

Trempette aux épinards et aux artichauts

Bruschettas aux tomates et au basilic frais

Endives au fromage de chèvre et aux crevettes

Guacamole léger et vite fait

Trempette aux oignons verts

Tartinade de saumon fumé

Trempette mexicaine aux haricots

Tomates et concombres à la mexicaine

Brochettes de poulet à l'orientale

Sauce thaïlandaise aux arachides

Quesadillas fromagées aux chilis

Burritos mexicains éclair

Pizza minute aux tomates, au brocoli et à l'oignon rouge

Sangria aux agrumes

Gaspacho rafraîchissant

Rouleaux aux légumes à l'orientale

Parfaits comme entrée, ces rouleaux sont aussi savoureux qu'attrayants. Les feuilles de papier de riz (habituellement de Thaïlande) s'achètent dans certaines épiceries spécialisées ou chinoises. Ajoutez du piment fort au goût si vous aimez les mets épicés.

Sauce :

1/2 tasse	vinaigre de riz	125 ml
2 c. à table	sauce soja	25 ml
2 c. à table	sauce hoisin	25 ml
1 c. à table	beurre d'arachide	15 ml
2 c. à thé	sucre	10 ml
1 c. à thé	gingembre frais, râpé	5 ml
1/8 c. à thé	flocons de piment fort	0,5ml

Rouleaux :

2 oz	nouilles de riz (vermicelles de riz)	60 g
8	champignons shiitake (frais ou séchés)	8
1/4 tasse	bouillon de poulet OU de légumes	50 ml
8	petits oignons verts, parés	8
16	feuilles de papier de riz (8 po/20 cm de diamètre)	16
8	feuilles de laitue Boston OU laitue en feuilles, coupées en deux	8
1 1/4 tasse	fèves germées	300 ml
2	petites carottes, grossièrement râpées	2
2 c. à table	feuilles de menthe fraîche et de coriandre	25 ml

Sauce : mélangez le vinaigre de riz, la sauce soja, la sauce hoisin, le beurre d'arachide, le sucre, le gingembre et le piment fort.

Rouleaux : dans une casserole d'eau bouillante, cuisez les nouilles pendant 2 minutes ; égouttez et rincez à l'eau froide. Égouttez et placez dans un bol. Versez 1/4 tasse (50 ml) de sauce sur les nouilles, mélangez et réservez.

Faites ramollir les champignons séchés (s'il y a lieu) dans de l'eau chaude et coupez-les en lamelles. Dans une petite casserole, faites cuire les champignons dans le bouillon de poulet pendant 3 minutes ou jusqu'à ce qu'ils soient tendres. Coupez les oignons verts dans le sens de la longueur en fines lamelles et coupez celles-ci en morceaux de 3 po (8 cm) de long.

Dans un grand bol d'eau chaude, faites ramollir 1 feuille de papier de riz pendant 2 minutes. Retirez-la, mettez à plat et pliez en deux.

Mettez une feuille de laitue sur la feuille de papier de riz de façon à ce qu'elle dépasse légèrement. Déposez-y quelques lamelles d'oignon

PAR PORTION (2 ROULEAUX)		
Calories		**101**
g	matières grasses	**1**
g	gras saturés	**traces**
g	fibres	**2**
EXCELLENTE SOURCE DE : vitamine A		
g	protéines	**3**
g	glucides	**21**
mg	cholestérol	**0**
mg	sodium	**204**
mg	potassium	**180**

vert, qui dépasseront aussi légèrement, et garnissez d'une cuillerée de nouilles, de 2 morceaux de champignon, de quelques fèves germées, d'un peu de carotte et de menthe ou de coriandre.

Repliez le bord arrondi de la feuille de papier de riz et enroulez autour de la farce. Procédez de la même façon pour les autres rouleaux. (Les rouleaux peuvent être couverts et conservés au réfrigérateur jusqu'à 6 heures.)

Servez 2 rouleaux par personne dans des assiettes individuelles ; servez le reste de la sauce comme trempette.

Donne 8 portions.

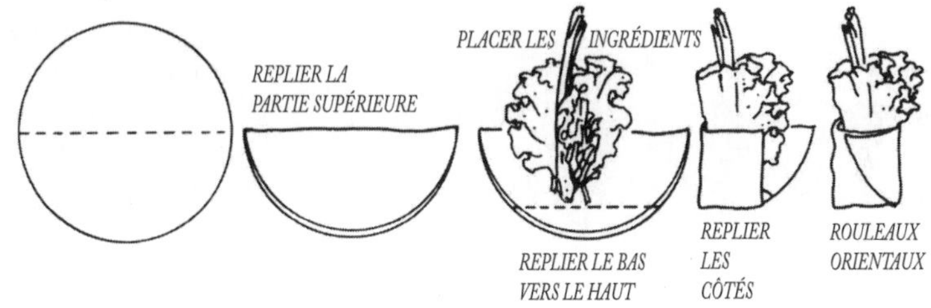

TORTELLINIS EN BROCHETTES

Les tortellinis ou les petits chapeaux (capeletti) farcis de viande ou de fromage sont faciles à mettre en brochette et superbes comme hors-d'œuvre. Achetez des pâtes de différentes couleurs et enfilez-les sur des brochettes en bois. Disposez-les ensuite dans une assiette avec des crudités et une Trempette aux épinards et aux artichauts, dont vous trouverez la recette en page 26. (Voir photo vis-à-vis de la page 26.)

1/2 lb	tortellinis OU petits chapeaux*	250 g
1 c. à table	huile d'olive	15 ml

Dans une grande casserole d'eau bouillante, faites cuire les tortellinis selon le mode de cuisson indiqué sur l'emballage ou jusqu'à ce que les pâtes soient *al dente*. Égouttez et remettez dans la casserole ; incorporez l'huile afin d'empêcher les pâtes de coller.

Enfilez deux tortellinis de couleur différente sur chaque brochette. (Vous pouvez couvrir et conserver au réfrigérateur jusqu'à 1 journée.) Servez les tortellinis à la température ambiante ou réchauffez en les plongeant dans l'eau bouillante.

Donne environ 25 brochettes.

* Vous pouvez vous les procurer au comptoir des produits surgelés ou des produits laitiers de la plupart des supermarchés.

PAR BROCHETTE		
Calories		**35**
g	matières grasses	**2**
g	gras saturés	**traces**
g	fibres	**traces**
g	protéines	**1**
g	glucides	**4**
mg	cholestérol	**2**
mg	sodium	**22**
mg	potassium	**16**

TREMPETTE AUX ÉPINARDS ET AUX ARTICHAUTS

Servez cette délicieuse trempette avec des crudités ou avec les Tortellinis en brochettes en page 25. Vous pouvez aussi la préparer avec la moitié moins de yogourt et l'utiliser pour farcir des champignons, des tomates cerise, du céleri ou des feuilles d'endives, le tout garni d'une lanière de tomate séchée au soleil. (Voir photo ci-contre.)

1	paquet (10 oz/284 g) d'épinards surgelés hachés	1
1	boîte de cœurs d'artichauts (14 oz/398 ml), égouttés	1
1/2 tasse	mayonnaise légère	125 ml
1 c. à table	aneth frais émincé OU basilic OU 1/2 c. à thé (2 ml) d'aneth OU de basilic séché	15 ml
1	petite gousse d'ail, émincée	1
1 1/4 tasse	yogourt à faible teneur en matières grasses	300 ml
	Sel et poivre	

Faites décongeler les épinards et pressez-les pour en extraire l'eau. Hachez grossièrement les épinards et les cœurs d'artichauts au robot culinaire. Incorporez la mayonnaise, l'aneth ou le basilic et l'ail au robot culinaire.

Incorporez le yogourt. Salez et poivrez au goût. (Vous pouvez couvrir et conserver au réfrigérateur jusqu'à 24 heures.) Si la trempette est trop épaisse, ajoutez du yogourt.

Donne environ 3 tasses (750 ml) de trempette.

Tomates cerises farcies

Coupez le dessus des tomates cerises et évidez-les ; farcissez de Tartinade de saumon fumé (p. 34) ou de Trempette aux épinards et aux artichauts.

Je n'incorpore pas le yogourt aux ingrédients avant de les passer au mélangeur car il se sépare et se liquéfie.

PAR C. À TABLE (15 ML)		
Calories		**14**
g	matières grasses	**1**
g	gras saturés	**traces**
g	fibres	**traces**
g	protéines	**1**
g	glucides	**1**
mg	cholestérol	**2**
mg	sodium	**32**
mg	potassium	**42**

Endives au fromage de chèvre et aux crevettes (p. 31), Tortellinis en brochettes (p. 25), Tartinade de saumon fumé (p. 34), Trempette aux épinards et aux artichauts (ci-dessus).

vergine

BRUSCHETTAS AUX TOMATES ET AU BASILIC FRAIS

Nous préparons souvent cette recette pour le lunch ou comme goûter, particulièrement les fins de semaine du mois d'août ou de septembre, lorsque les tomates sont sucrées et juteuses. Si vous ne pouvez vous procurer de basilic frais, utilisez 1 c. à thé (5 ml) de basilic séché et saupoudrez de 2 c. à table (25 ml) de parmesan râpé, ou parsemez de dés de fromage de chèvre doux et faites griller pendant 1 minute. (Voir photo ci-contre.)

2	grosses tomates, en dés (environ 2 tasses/500 ml)	2
1/4 tasse	basilic frais haché et légèrement tassé	50 ml
1	gousse d'ail, émincée	1
	Sel et poivre	
1/2	miche de pain croûté OU pain italien OU 1 baguette	1/2
1	grosse gousse d'ail, coupée en deux	1
1 c. à table	huile d'olive	15 ml
2 c. à table	parmesan frais râpé (facultatif)	25 ml

Dans un bol, mélangez les tomates, le basilic, l'ail émincé ; salez et poivrez au goût. Laissez reposer pendant 15 minutes, ou couvrez et conservez au réfrigérateur jusqu'à 4 heures.

Coupez le pain en tranches épaisses de 1 po (2,5 cm) ; placez sur une plaque à biscuits et faites griller jusqu'à ce que les deux côtés soient bien dorés. Frottez un côté des tranches de pain avec la partie coupée de la gousse d'ail et badigeonnez d'huile d'olive. Recouvrez du mélange aux tomates et saupoudrez de parmesan (s'il y a lieu). Si le mélange aux tomates a été réfrigéré, faites griller les bruschettas pendant 1 minute.

Donne environ 16 tranches.

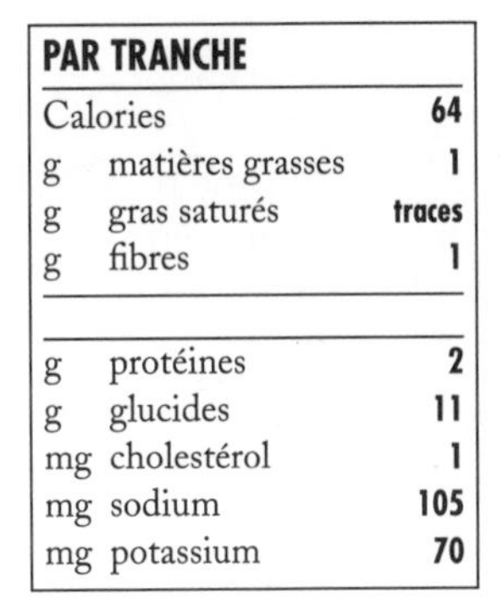

PAR TRANCHE		
Calories		64
g	matières grasses	1
g	gras saturés	traces
g	fibres	1
g	protéines	2
g	glucides	11
mg	cholestérol	1
mg	sodium	105
mg	potassium	70

Bruschettas aux tomates et au basilic frais (ci-dessus), Pizza minute aux tomates, au brocoli et à l'oignon rouge (p. 40)

Les enfants et la saine alimentation

C'est à vous comme parents d'inculquer de bonnes habitudes alimentaires à vos enfants : vos enfants suivront votre exemple. Afin de vous faciliter la tâche, voici des trucs et des moyens qui vous aideront à bien alimenter vos enfants. Avec une saine alimentation, manger est aussi un plaisir ! Je vous souhaite donc d'excellents repas en compagnie de votre famille !

Trucs pour favoriser les bonnes habitudes alimentaires chez les enfants :

- Donnez vous-même l'exemple et les enfants vous imiteront.
- Sachez être maître de la situation : les jeunes enfants achètent rarement eux-mêmes de la nourriture ; si vous ne gardez pas de friandises à la maison, vous avez déjà résolu la moitié du problème.
- Soyez positif à l'heure des repas. N'accordez pas d'attention aux enfants qui font les difficiles ou qui ne mangent pas ; attardez-vous plutôt à ceux qui mangent une variété d'aliments. Ce petit truc fonctionne à merveille si l'on agit subtilement. Par exemple, parlez du bon goût de l'aliment plutôt que de montrer du doigt l'enfant qui n'en mange pas. Non seulement l'enfant qui n'en mange pas ne recevra pas d'attention, mais il se sentira exclu de la conversation.
- Servez des aliments savoureux. Les jeunes enfants préfèrent habituellement les aliments apprêtés simplement sans trop d'assaisonnements ou de sauce.
- Ne faites pas de promesses ou ne suppliez pas les enfants, et ne leur laissez pas croire qu'ils ont prise sur vous en ce qui concerne la nourriture ; ils sauront vite en profiter.
- Usez de bon sens ! Si vous donnez des biscuits à des jeunes enfants à peine 15 minutes avant le dîner, ils n'auront évidemment pas faim à l'heure du repas. S'ils sont affamés, faites-les manger plus tôt ou donnez-leur au moins un petit goûter nutritif comme des carottes crues, des morceaux de pomme ou une demi-tranche de pain de blé entier.
- Ne tentez pas de convaincre les enfants en leur disant que c'est bon pour eux ; ils s'en moquent. Le bon goût est plus vendeur ! Choissisez un repas où l'enfant mange bien pour discuter des bonnes habitudes alimentaires et du fait qu'il faut manger une grande variété d'aliments pour être en bonne santé. Ce n'est pas le moment d'aborder ce sujet lorsque l'enfant fait le difficile.
- Ne renoncez pas à redonner aux enfants des aliments qu'ils n'aiment pas. Ils peuvent ne pas aimer un aliment la première fois qu'ils y goûtent et finir par l'apprécier la deuxième ou troisième fois. Il est préférable d'introduire de nouveaux aliments un à un en les combinant avec des aliments connus. Ajoutez, par exemple, un nouveau légume dans un ragoût ou dans une soupe aux légumes.
- Servez des petites portions aux jeunes enfants ; même si vous êtes responsable de la qualité de leur alimentation, respectez leur appétit. Tout comme vous, ils ont parfois moins faim.
- Informez-vous de ce qui leur est servi comme goûter ou comme repas à l'école ou à la garderie, et prenez-le en considération dans la planification des repas.

Conseils pour préparer un lunch nutritif que les enfants aimeront :

- Faites participer les enfants à la préparation de leur lunch plutôt que de leur donner de l'argent pour s'acheter des croustilles ou des boissons gazeuses. Maintenant que mes enfants sont adolescents, je leur donne souvent de l'argent pour qu'ils aillent acheter les aliments et les jus pour leur boîte à lunch. De cette manière, ils peuvent choisir ce qu'ils aiment.
- Dites aux enfants qu'un bon lunch inclut un choix des 4 groupes d'aliments :
  produits laitiers (yogourt, lait, fromage), fruit et légumes, pains et céréales, viandes et substituts.

Si les enfants choisissent des aliments qu'ils aiment parmi ces groupes, il est plus probable qu'ils mangent leur lunch.

- Choisissez du pain à grain entier, du pain de seigle ou pumpernickel plutôt que du pain blanc. Privilégiez les muffins au son ou le pain pita et les petits pains de blé entier, non seulement pour leur teneur en fibres mais aussi pour leur goût.
- Variez les garnitures des sandwichs ; utilisez des restes de viandes froides, de la dinde ou du poulet tranché, du fromage partiellement écrémé ou écrémé, du saumon ou du beurre d'arachide. Choisissez du thon en conserve dans l'eau plutôt que dans l'huile.
- Omettez le beurre et la margarine ou mettez-en le moins possible ; choisissez plutôt de la mayonnaise légère et ajoutez de la laitue, de la luzerne, des carottes râpées, des tranches de concombre ou de tomate pour rehausser la saveur et pour garder le sandwich humide. (Emballez séparément les aliments les plus juteux comme le concombre, les tomates ou la laitue afin qu'ils soient ajoutés à la dernière minute sinon le sandwich risque d'être détrempé et peu mangeable.)
- Accompagnez les crudités de trempette ; c'est l'une des façons les plus efficaces de faire manger des légumes aux enfants. Essayez la recette de Trempette mexicaine aux haricots en page 35 ou la Trempette aux oignons verts en page 33.
- Préparez un lunch avec des aliments qui ne présentent pas de danger. Mes enfants congèlent les petites boîtes de jus (si votre congélateur est très froid, mettez les jus congelés au réfrigérateur la veille). À l'heure du dîner, ils seront décongelés mais encore froids et auront gardé les autres aliment au frais. Si vous possédez une boîte à lunch isolante souple et que vous y placez un jus congelé, vous pouvez en toute sécurité y mettre du yogourt ou du fromage cottage.
- Choisissez des aliments qui se conservent bien à la température ambiante. Par temps chaud, le beurre d'arachide et le fromage sont de bons choix ; évitez les œufs, le poisson et la volaille.
- Ne réutilisez pas les papiers d'emballage ; ils pourraient contenir des bactéries.
- Utilisez les restes pour les lunchs ; la pizza, les mets sautés, les plats de pâtes, les pains de viande, les salades de haricots et les salades de chou sont de bons choix pour le lunch (ou le déjeuner).
- Emportez un plat chaud, comme du chili, des fèves au four, du spaghetti avec sauce à la viande, de la soupe ou du ragoût, en le mettant dans une bouteille isolante à large goulot.
- Ajoutez un dessert nutritif comme des Carrés aux dattes et aux noix (recette en page 205), des Carrés à l'ananas et aux carottes (recette en page 204), des biscuits à la farine d'avoine, du Pain aux carottes et à la cannelle (recette en page 194), des crèmes-desserts ou de la compote de pommes.

Les goûters

Les goûters jouent un rôle important dans le régime alimentaire des enfants et doivent être choisis avec soin. Que le goûter soit acheté ou maison, évitez ceux qui sont riches en matières grasses et en sucre. Cela ne veut pas dire que les enfants ne mangeront jamais de croustilles, mais certainement pas tous les jours. Ayez une provision d'aliments nutritifs qu'ils pourront manger nature : fruits, crudités ou yogourt.

- Faites griller la moitié d'un muffin anglais de blé entier, recouvrez-le d'une tranche de tomate ou nappez de sauce tomate et couvrez le tout de mozzarella à faible teneur en matières grasses. Parsemez d'un peu d'origan et faites cuire au four micro-ondes jusqu'à ce que le fromage soit fondu.
- Utilisez du pain pita de blé entier pour faire des mini-pizzas ou déchiquetez le pita en morceaux et trempez-les dans de l'hummus (une trempette aux pois chiches), ou dans la Trempette mexicaine aux haricots (recette en page 35).

- Garnissez la moitié d'un bagel à grain entier de fromage ricotta et d'aneth frais haché ; ou de morceaux de pomme, de beurre d'arachide et de tranches de banane ; ou de fromage à la crème faible en matières grasses et de tranches de concombre.
- Ayez toujours du yogourt nature ou à saveur de fruits sous la main et ajoutez-y des fruits frais, des morceaux de fruits séchés ou des céréales peu sucrées.
- Recouvrez de petites tortillas de blé de haricots à la mexicaine, de tranches de tomate ou de poulet cuit haché et agrémentez de fromage râpé à faible teneur en matières grasses ; enroulez la tortilla et faites-la cuire au four micro-ondes jusqu'à ce que le fromage soit fondu.

Comparaison de divers goûters

	Calories	m.g. (g.)	sodium (mg)
Maïs soufflé 1 tasse/250 ml, nature	32	traces	traces
Maïs soufflé 1 tasse/250 ml avec 1 c. à thé/5 ml d'huile	74	4	131
Maïs soufflé enrobé de caramel 1 tasse/250 ml	160	5	77
Noix mélangées 1/2 tasse/125 ml rôties à sec	430	37	9
Noix mélangées 1/2 tasse/125 ml, salées rôties à l'huile	463	42	489
Croustilles (10)	108	7	107
Bretzels salés (10 bâtonnets)	19	traces	86
Beignets à la levure, fourrés à la confiture	289	16	249
Biscuits aux brisures de chocolat (2)	96	4	28
Tablette de chocolat au lait (50 g)	256	15	41
Crème glacée (10 % m.g.) 1/2 tasse/125 ml	140	8	56
Lait glacé 1/2 tasse/125 ml	117	2	65
Yogourt aux fruits 175 g, 1 ou 2 % m.g.	177	3	87
Pomme	82	traces	0
Banane	105	1	1

Comparaison des hamburgers

S'alimenter sainement ne veut pas nécessairement dire se priver de tous ses aliments préférés, mais plutôt faire des choix. Tous les hamburgers ne sont pas pareils : le bœuf que l'on achète, le mode de cuisson et les garnitures peuvent faire varier considérablement la teneur en matières grasses.

Hamburger habituel :
Pâté de bœuf haché ordinaire de 88 g, frit à la poêle, servi sur petit pain blanc ordinaire, 2 c. à thé (10 ml) de beurre ou de margarine, 1 c. à table (15 ml) de relish ou de ketchup et 1 tranche (1 oz/28 g) de préparation de fromage fondu = 56 % des calories provenant des matières grasses.

Choix plus sain (moins de matières grasses, plus de fibres) :
Pâté de bœuf haché maigre de 88 g, cuit sur le gril ou grillé au four, servi sur petit pain de blé entier, 1 tranche de tomate, 1 feuille de laitue, des oignons hachés et 1 c. à table (15 ml) de relish = 34 % des calories provenant des matières grasses.

ENDIVES AU FROMAGE DE CHÈVRE ET AUX CREVETTES

Ces hors-d'œuvre faciles à préparer garnissent élégamment une assiette en plus d'avoir un goût sublime ! Ma fille Susie en raffole. Servez-les dans un grand plat accompagnés de tomates cerises. *(Voir photo vis-à-vis de la page 26.)*

4	endives	4
5 oz	fromage de chèvre frais	140 g
1/3 tasse	ricotta écrémé (5 % m.g.) OU crème sure légère	75 ml
	Poivre	
1/4 lb	petites crevettes cuites	125 g
	Petits brins d'aneth frais (facultatif)	1

Détachez les feuilles d'endives, lavez à l'eau froide et égouttez bien.

Dans un petit bol, mettez le fromage de chèvre, le fromage ricotta et du poivre au goût ; mélangez bien.

Farcissez l'extrémité la plus large des feuilles d'endives du mélange de fromage ; garnissez de crevettes et d'un brin d'aneth (s'il y a lieu).

Donne environ 30 hors-d'œuvre.

PAR HORS-D'ŒUVRE		
Calories		**23**
g	matières grasses	**1**
g	gras saturés	**1**
g	fibres	**traces**
g	protéines	**2**
g	glucides	**1**
mg	cholestérol	**10**
mg	sodium	**64**
mg	potassium	**19**

GUACAMOLE LÉGER ET VITE FAIT

Puisque l'avocat est très riche en matières grasses, j'utilise un mélange de petits pois et d'avocat, ce qui permet tout de même de préserver le goût authentique de cette trempette mexicaine. Servez-la avec des crudités, des feuilles d'endives ou des tortillas cuites.

1 2/3 tasse	petits pois surgelés (1/2 lb/250 g), décongelés	400 ml
1	avocat pelé	1
2	grosses tomates, pelées, épépinées et hachées	2
2	petites gousses d'ail, émincées	2
1/4 tasse	oignon rouge émincé	50 ml
2 c. à table	jus de citron frais	25 ml
1 c. à thé	assaisonnement au chili	5 ml
1/2 c. à thé	sel	2 ml
1/2 c. à thé	cumin moulu	2 ml
	Une pincée de piment de Cayenne	

Réduisez les petits pois en purée au robot culinaire jusqu'à consistance lisse. Dans un bol, écrasez l'avocat à l'aide d'une fourchette et ajoutez les pois, les tomates, l'ail, l'oignon, le jus de citron, l'assaisonnement au chili, le sel, le cumin et le piment de Cayenne ; mélangez jusqu'à consistance homogène.

Donne 2 tasses (500 ml) de guacamole.

Guacamole aux asperges et à l'avocat

Lorsque c'est la saison des asperges, essayez cette variante : substituez 1/2 lb (250 g) d'asperges cuites aux petits pois.

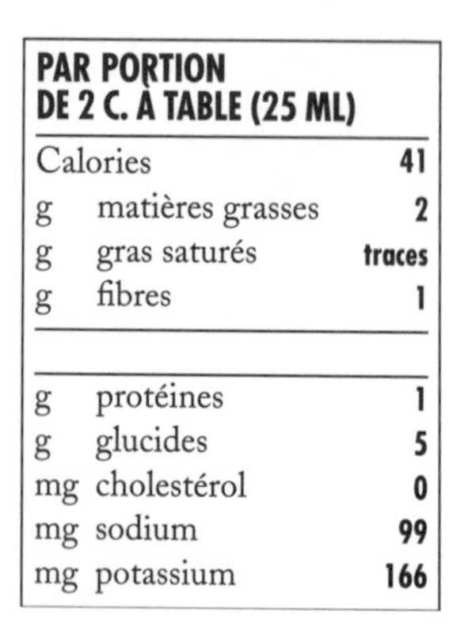

PAR PORTION DE 2 C. À TABLE (25 ML)		
Calories		**41**
g	matières grasses	**2**
g	gras saturés	**traces**
g	fibres	**1**
g	protéines	**1**
g	glucides	**5**
mg	cholestérol	**0**
mg	sodium	**99**
mg	potassium	**166**

TREMPETTE AUX OIGNONS VERTS

Mes enfants raffolent de cette trempette avec des crudités. J'y ajoute volontiers du basilic frais ou toute herbe fraîche que j'ai sous la main.

1 tasse	fromage cottage à faible teneur en matières grasses	250 ml
1/4 tasse	oignons verts hachés	50 ml
1/4 tasse	persil frais haché	50 ml
1/2 tasse	yogourt à faible teneur en matières grasses	125 ml
2 c. à table	parmesan fraîchement râpé (facultatif)	25 ml
	Sel et poivre	

Au robot culinaire ou au mélangeur, réduisez en purée le fromage cottage, les oignons et le persil. Versez le mélange dans un bol et incorporez le yogourt et le parmesan. Assaisonnez de sel et de poivre au goût. Couvrez et conservez au réfrigérateur pendant 1 heure ou jusqu'à 2 jours.

Donne 1 1/2 tasse (375 ml) de trempette.

Trempette au basilic frais

Préparez la Trempette aux oignons verts et ajoutez-y 1/2 tasse (125 ml) de basilic frais haché lorsque vous la passez au mélangeur.

PAR PORTION DE 2 C. À TABLE (25 ML)

	Calories	**24**
g	matières grasses	**traces**
g	gras saturés	**traces**
g	fibres	**traces**
g	protéines	**3**
g	glucides	**2**
mg	cholestérol	**2**
mg	sodium	**84**
mg	potassium	**54**

TARTINADE DE SAUMON FUMÉ

Étendez ce mélange onctueux sur des toasts Melba ou utilisez-le pour farcir des champignons, des tomates cerises ou des endives. Vous pouvez aussi remplacer le saumon par de la truite fumée. (Voir photo vis-à-vis de la page 26.)

1 tasse	ricotta ou crème sure légère	250 ml
2 oz	saumon fumé, haché (environ 1/3 tasse/75 ml)	60 g
2 c. à table	aneth frais haché	25 ml
2 c. à table	câpres égouttées	25 ml
2 c. à thé	jus de citron	10 ml
2 c. à thé	ketchup	10 ml
1 c. à thé	raifort	5 ml
	Sel et poivre	

Réduisez la ricotta ou la crème sure en purée au robot culinaire ou au mélangeur. Ajoutez le saumon fumé, l'aneth, les câpres, le jus de citron, le ketchup et le raifort. À l'aide de l'interrupteur marche/arrêt, mélangez le tout délicatement. Salez et poivrez au goût.

Donne 1 1/3 tasse (325 ml) de tartinade.

Lorsque vous achetez des craquelins et du fromage pour préparer un goûter, choisissez-les avec soin. Les meilleurs craquelins sont les toasts Melba, les galettes de riz, les biscottes et les biscuits soda. Les craquelins faits de matières grasses ou de fromage sont beaucoup plus riches. Comparez : 2 craquelins Ryvita garnis de 4 c. à table (60 ml) de fromage cottage à 2 % m.g. contiennent 2 g de matières grasses ; 4 craquelins Ritz garnis de 2 c. à table (25 ml) de fromage à la crème contiennent 15 g de matières grasses.

PAR C. À TABLE (15 ML)		
Calories		22
g	matières grasses	1
g	gras saturés	1
g	fibres	0
g	protéines	2
g	glucides	1
mg	cholestérol	5
mg	sodium	189
mg	potassium	24

LUNCH POUR LES ENFANTS

Trempette mexicaine aux haricots avec carottes, céleri et poivron vert crus.
Craquelins de blé entier
Tranches de fromage
Quartiers d'oranges
Biscuits à la farine d'avoine

Vous pouvez vous procurer les haricots à la mexicaine en conserve au rayon des aliments mexicains dans la plupart des supermarchés. Sinon, utilisez des haricots pinto, égouttés et rincés ; réduisez en purée avec une tomate hachée et 1 c. à thé (5 ml) de cumin.

PAR PORTION DE 2 C. À TABLE (25 ML)		
Calories		35
g	matières grasses	traces
g	gras saturés	traces
g	fibres	2
g	protéines	2
g	glucides	6
mg	cholestérol	0
mg	sodium	126
mg	potassium	137

PAR PORTION DE 2 C. À TABLE (25 ML)		
Calories		4
g	matières grasses	traces
g	gras saturés	0
g	fibres	traces
g	protéines	traces
g	glucides	1
mg	cholestérol	0
mg	sodium	1
mg	potassium	42

Trempette mexicaine aux haricots

Les enfants aiment beaucoup cette préparation comme garniture sur du céleri, comme trempette avec des crudités ou comme tartinade dans un sandwich de pain pita avec de la laitue, des tranches de tomate ou de concombre. Les piments chilis frais ou en conserve (épicés ou doux) sont aussi délicieux avec cette trempette. Pour les occasions spéciales, parsemez de fromage cheddar râpé.

1	boîte de haricots à la mexicaine (14 oz/398 ml)	1
1/3 tasse	yogourt à faible teneur en matières grasses	75 ml
2	oignons verts, hachés	2
1	gousse d'ail, émincée	1
1 c. à thé	cumin	5 ml
1 c. à thé	assaisonnement au chili	5 ml
2 c. à table	persil frais haché OU coriande	25 ml

Dans un bol, mettez les haricots, le yogourt, les oignons, l'ail, le cumin, l'assaisonnement au chili et le persil ; mélangez bien. Couvrez et conservez au réfrigérateur jusqu'à 2 jours.

Donne environ 2 tasses (500 ml) de trempette.

Tomates et concombres à la mexicaine

Servez cette salsa avec des tacos, des burritos ou comme trempette.

1	grosse tomate, en petits dés	1
1 tasse	concombre en petits dés	250 ml
1	petit piment chili vert (en conserve ou frais) haché OU 1/4 c. à thé (1 ml) de flocons de piment fort	1
2 c. à table	oignon émincé	25 ml
1 c. à table	vinaigre de vin	15 ml
1 c. à table	coriandre fraîche hachée (facultatif)	15 ml
1/2	gousse d'ail, émincée	1/2

Dans un bol, mettez la tomate, le concombre, le piment, l'oignon, le vinaigre, la coriandre (s'il y a lieu) et l'ail ; mélangez bien.

Réduisez en purée 1 tasse (250 ml) de ce mélange au robot culinaire ou au mélangeur et remettez dans le bol avec le reste du mélange. Servez à la température ambiante.

Donne environ 2 tasses (500 ml) de salsa.

Brochettes de poulet à l'orientale

Pour un barbecue d'été ou un cocktail d'hiver, servez ces bouchées tendres de poulet épicé comme hors-d'œuvre ou coupez-les en longues lanières et servez-les comme plat prinicpal. Pour un « satay », nappez-les de Sauce thaïlandaise aux arachides (recette suivante). Si vous désirez une variante moins épicée, réduisez la quantité de flocons de piment ou omettez-les.

1 lb	de filets de poulet désossé, sans peau OU de poitrines de poulet	500 g

Marinade :

2 c. à table	vinaigre de cidre	25 ml
2 c. à table	xérès sec	25 ml
2 c. à table	miel liquide	25 ml
2 c. à table	sauce soja à faible teneur en sodium	25 ml
2 c. à table	gingembre frais, émincé	25 ml
1 c. à table	huile de sésame	15 ml
1 c. à thé	coriandre moulue	5 ml
1	grosse gousse d'ail, émincée	1
1/2 c. à thé	flocons de piment fort	2 ml

Coupez le poulet en fines lanières de 1/2 po (1 cm) de largeur et d'environ 2 po (5 cm) de longueur s'il est servi en entrée, ou d'environ 5 po (12 cm) de longueur s'il est servi comme plat principal.

Marinade : dans un bol, mettez le vinaigre, le xérès, le miel, la sauce soja, le gingembre, l'huile de sésame, la coriandre, l'ail et les flocons de piment fort ; mélangez bien. Ajoutez le poulet et remuez pour bien enrober ; couvrez et conservez au réfrigérateur pendant 2 heures ou jusqu'à 24 heures.

Entre-temps, faites tremper 48 cure-dents ou 24 brochettes en bois dans l'eau pendant 30 minutes. Retirez le poulet de la marinade et enfilez sur les cure-dents ou les brochettes.

Disposez sur une plaque ou sur le gril ; faites griller au four ou sur le gril pendant 2 minutes de chaque côté ou jusqu'à ce que l'intérieur du poulet ait perdu sa teinte rosée.

Donne 48 hors-d'œuvre ou 4 portions (comme plat principal).

PAR BROCHETTE (HORS-D'ŒUVRE)		
	Calories	**14**
g	matières grasses	**traces**
g	gras saturés	**traces**
g	fibres	**traces**
g	protéines	**2**
g	glucides	**traces**
mg	cholestérol	**5**
mg	sodium	**18**
mg	potassium	**30**

PAR PORTION (PLAT PRINCIPAL)		
	Calories	**168**
g	matières grasses	**4**
g	gras saturés	**1**
g	fibres	**traces**
EXCELLENTE SOURCE DE : niacine, vitamine B_6		
g	protéines	**26**
g	glucides	**6**
mg	cholestérol	**66**
mg	sodium	**214**
mg	potassium	**363**

SAUCE THAÏLANDAISE AUX ARACHIDES

Utilisez cette sauce thaïlandaise piquante en guise de trempette avec les Brochettes de poulet à l'orientale (page ci-contre) ou pour accompagner votre recette préférée de « satay ». *Cette recette n'est pas faible en matières grasses ; toutefois, elle en contient moins que la plupart des sauces aux arachides. Comme elle est très piquante, vous n'en mangerez probablement qu'une petite quantité.*

1 tasse	arachides non salées rôties à sec*	250 ml
1 1/3 tasse	eau	325 ml
3	gousses d'ail	3
2 c. à table	cassonade bien tassée	25 ml
2 c. à table	jus de limette	25 ml
1 c. à table	sauce soja à faible teneur en sodium	15 ml
1/4 c. à thé	flocons de piment fort	1 ml
1	morceau (1 po/2,5 cm) de gingembre frais, pelé et tranché mince	1

Au mélangeur ou au robot culinaire, réduisez en purée pendant 2 minutes les arachides, l'eau, l'ail, la cassonade, le jus de limette, la sauce soja, les flocons de piment fort et le gingembre. Faites cuire pendant 30 minutes au bain-marie en remuant de temps en temps. (Vous pouvez couvrir la sauce et la conserver au réfrigérateur jusqu'à 2 semaines.) Servez chaud.

Donne environ 2 tasses (500 ml) de sauce.

* Pour rôtir les arachides, déposez-les sur une plaque de cuisson et faites-les rôtir pendant 12 minutes à 350 °F (180 °C).

PAR C. À TABLE (15 ML)		
Calories		**30**
g	matières grasses	**2**
g	gras saturés	**traces**
g	fibres	**0**
g	protéines	**1**
g	glucides	**2**
mg	cholestérol	**0**
mg	sodium	**16**
mg	potassium	**37**

QUESADILLAS FROMAGÉES AUX CHILIS

Une quesadilla (prononcée ké-sa-di-ya) est un genre de chausson fait d'une tortilla habituellement farcie de fromage et d'autres garnitures variées comme du jambon, de la saucisse cuite ou du poulet cuit, des piments chilis verts ou des haricots à la mexicaine. Le tout est garni de sauce à la mexicaine ou taco. Les quesadillas font un excellent goûter, dîner ou souper léger.

4	tortillas souples de blé OU de maïs de 8 po (20 cm)	4
1 tasse	mozzarella partiellement écrémée, râpée	250 ml
1/4 tasse	piments chilis verts en conserve, hachés	50 ml
1/4 tasse	oignons verts hachés	50 ml
2 c. à thé	margarine molle OU huile végétale	10 ml
	Tomates et concombres à la mexicaine (p. 35)	
	Laitue, en lanières	

Parsemez la moitié de chaque tortilla de fromage, de chilis et d'oignons ; pliez en deux et pressez les bords ensemble.

Badigeonnez une plaque ou un poêlon antiadhésif de margarine ou d'huile et faites chauffer à feu moyen-vif. Faites-y cuire 2 tortillas pendant environ 4 minutes de chaque côté ou jusqu'à ce qu'elles soient dorées et que le fromage soit fondu. Retirez du feu et coupez en 3 morceaux. Procédez de la même façon avec les autres tortillas. Garnissez de tomates et concombres à la mexicaine et de laitue en lanières.

Donne 4 portions.

Quesadillas au four

Préparez la recette selon le mode de préparation proposé mais faites cuire les quesadillas au four, sur une plaque, à 375 °F (190 °C) pendant 10 minutes ou jusqu'à ce qu'elles soient croustillantes.

PAR TORTILLA		
Calories		**198**
g	matières grasses	**8**
g	gras saturés	**3**
g	fibres	**1**
BONNE SOURCE DE : vitamine C, niacine, calcium		
EXCELLENTE SOURCE DE : vitamine A		
g	protéines	**10**
g	glucides	**21**
mg	cholestérol	**17**
mg	sodium	**330**
mg	potassium	**129**

Lorsque vous achetez du fromage, recherchez ceux qui ont la teneur la plus faible en matières grasses (m.g.). Un fromage étiqueté « à faible teneur en matières grasses » contient 15 % m.g. ou moins, soit environ 4,5 g de matières grasses par once (28 g), tandis qu'un fromage fait de lait écrémé contient 7 % m.g. ou moins, soit environ 2,1 g de matières grasses par once (28 g). En comparaison, le cheddar ordinaire contient 32 % m.g., soit environ 9,6 g de matières grasses par once (28 g).

Pour les recettes qui nécessitent du cheddar râpé, coupé ou émietté ou une autre variété de fromage à pâte ferme, rappelez-vous qu'un morceau de fromage de 1 oz (25 g) équivaut à environ 1/4 tasse (50 ml) de fromage râpé.

PAR PORTION	
Calories	**308**
g matières grasses	**8**
g gras saturés	**3**
g fibres	**8**

BONNE SOURCE DE :
vitamine A, riboflavine, niacine

EXCELLENTE SOURCE DE :
vitamine C, calcium, niacine, fer

g protéines	**17**
g glucides	**43**
mg cholestérol	**17**
mg sodium	**655**
mg potassium	**699**

Burritos mexicains éclair

Voici comment mes enfants préparent les burritos : ils garnissent les tortillas de haricots en purée, les recouvrent de fromage râpé et de légumes hachés ou de sauce mexicaine, les enroulent, puis les mettent à cuire au four ou au four micro-ondes.

1	boîte de haricots à la mexicaine (14 oz/398 ml)	1
1/3 tasse	salsa ou eau	75 ml
4	tortillas de blé de 9 po (23 cm)	4
1	tomate moyenne, hachée	1
4	petits oignons verts, hachés	4
1/2	petit poivron vert, haché (facultatif)	1/2
1 tasse	mozzarella écrémée, râpée	250 ml
	Laitue, en lanières	
	Tomates et concombres à la mexicaine (p. 35) OU sauce à taco	
	Crème sure légère OU yogourt à faible teneur en matières grasses	

Mélangez bien les haricots et la salsa ou l'eau.

Étendez une fine couche de ce mélange, soit 1/3 tasse (75 ml), sur chaque tortilla, en laissant une bordure de 1 po (2,5 cm). Garnissez les tortillas de tomate, d'oignons verts, de poivron vert (s'il y a lieu) et de la moitié du fromage.

Enroulez les tortillas et disposez, côté replié vers le bas, dans un plat allant au four légèrement graissé. Faites cuire au four à 400 °F (200 °C) pendant 10 minutes. Parsemez du reste de fromage et faites cuire pendant 5 minutes de plus ou jusqu'à ce que les burritos soient chauds et que le fromage soit fondu. (Vous pouvez aussi les couvrir de papier ciré et les faire cuire au four micro-ondes à puissance moyenne-maximale (70 %) de 2 à 4 minutes ou jusqu'à ce qu'ils soient bien chauds.)

Disposez chaque burrito sur un lit de laitue. Servez les tomates et concombres à la mexicaine ou la sauce à taco ainsi que la crème sure ou le yogourt à part.

Donne 4 portions.

Pizza

La pizza est un excellent goûter ou un souper rapide. Préparez des pizzas savoureuses en moins de temps qu'il n'en faut pour en faire livrer une. Vous ferez en plus des économies !

Achetez une croûte à pizza toute prête ou de la pâte à pizza préparée, fraîche ou surgelée, pour les moments où vous aurez le temps de l'abaisser vous-même. Sinon, utilisez du pain pita ou des muffins anglais, ou préparez des sous-marins pizzas avec du pain croûté coupé en deux sur la longueur.

Les garnitures aux légumes augmentent l'apport en fibres, en vitamines et en minéraux. Évitez cependant celles qui sont salées ou riches en matières grasses tels les anchois, les olives, le bacon, le pepperoni et le fromage à haute teneur en matières grasses.

PAR PORTION	
Calories	**205**
g matières grasses	**7**
g gras saturés	**3**
g fibres	**3**
BONNE SOURCE DE :	
vitamine A, riboflavine, calcium, fer, niacine	
EXCELLENTE SOURCE DE :	
vitamine C	
g protéines	**12**
g glucides	**25**
mg cholestérol	**18**
mg sodium	**417**
mg potassium	**294**

Pizza minute aux tomates, au brocoli et à l'oignon rouge

Cette pizza aux légumes juteux marie délicieusement les saveurs. (Voir photo vis-à-vis de la page 27.)

1	croûte à pizza de 12 po (30 cm)	1
1/4 tasse	sauce tomate*	50 ml
1 1/2 c. à thé	origan séché	7 ml
1/2	poivron vert, haché	1/2
1	tomate moyenne, tranchée	1
1 tasse	petits bouquets de brocoli	250 ml
1/2 tasse	fines rondelles d'oignon rouge	125 ml
2 c. à table	basilic frais haché OU 1/4 c. à thé (1 ml) de basilic séché	25 ml
1 tasse	mozzarella partiellement écrémée, râpée	250 ml
	Une pincée de flocons de piment fort (facultatif)	

Placez la croûte à pizza sur une plaque de cuisson antiadhésive ou un moule. Recouvrez la croûte de sauce tomate et parsemez d'origan.

Disposez le poivron vert, la tomate, le brocoli, l'oignon et le basilic sur la sauce. Parsemez ensuite de fromage et de flocons de piment (s'il y a lieu). Faites cuire au four à 450 °F (230 °C) pendant 10 minutes ou jusqu'à ce que le fromage soit bouillonnant.

Donne 4 portions.

* Pour réduire la teneur en sodium, remplacez la sauce tomate par 2 c. à table (25 ml) de pâte de tomates mélangée à 1/4 tasse (50 ml) d'eau.

Punch des vacances
Dans un bol à punch, mettez 1 bouteille (750 ml) de soda au gingembre (ginger ale) et 1 bouteille de jus de canneberge ainsi qu'une petite boîte de concentré de jus d'orange surgelé. Mélangez bien et ajoutez des glaçons avant de servir.

PAR PORTION		
Calories		85
g	matières grasses	traces
g	gras saturés	0
g	fibres	traces
g	protéines	1
g	glucides	21
mg	cholestérol	0
mg	sodium	24
mg	potassium	194

SANGRIA AUX AGRUMES

L'heureux mélange de jus de raisin blanc et d'agrumes donne une boisson très raffinée. Vous pouvez très bien utiliser du jus de raisin blanc pétillant plutôt que du jus de raisin et de l'eau gazéifiée.

1	limette	1
1	citron	1
1	orange	1
1	bouteille (1 L) de jus de raisin blanc	1
1	bouteille (750 ml) d'eau gazéifiée	1
	Glaçons concassés	

Coupez la limette, le citron et l'orange en deux. Extrayez le jus de la moitié de chaque fruit et coupez l'autre moitié en tranches minces.

Dans un grand pichet, mélangez le jus de raisin, l'eau gazéifiée, les jus et les tranches de limette, de citron et d'orange. Remplissez le quart des verres à vin de glace concassée et versez la sangria ; garnissez d'une tranche d'agrume.

Donne 8 portions de 1 tasse (250 ml) chacune.

GASPACHO RAFRAÎCHISSANT

Offrez cette boisson à l'heure du brunch à la place d'un Bloody Mary ou comme délicieux substitut aux boissons alcoolisées. Elle a bon goût et regorge de vitamine C.

1/4	concombre anglais, pelé	1/4
1/2	petit oignon	1/2
2	petites tomates	2
1/4	poivron vert, évidé	1/4
1	petite gousse d'ail, émincée	1
2 tasses	jus de tomate	500 ml
2 c. à table	vinaigre de vin rouge OU vinaigre de cidre	25 ml
1/4 c. à thé	aneth séché	1 ml
	Un filet de sauce au piment fort	
	Poivre	
	Tranches de citron OU de limette	

Hachez grossièrement le concombre, l'oignon, les tomates et le poivron vert et placez dans un mélangeur. Ajoutez l'ail et mélangez jusqu'à consistance lisse. Incorporez le jus de tomate, le vinaigre, l'aneth, la sauce au piment fort et du poivre au goût.

Conservez au réfrigérateur pendant au moins 1 heure ou jusqu'à ce que la boisson soit bien froide. Mélangez bien avant de verser dans des verres. Garnissez de tranches de citron ou de limette.

Donne 6 portions de 3/4 tasse (175 ml) chacune.

PAR PORTION		
Calories		**27**
g	matières grasses	**traces**
g	gras saturés	**0**
g	fibres	**1**
BONNE SOURCE DE :		
vitamine C		
g	protéines	**1**
g	glucides	**6**
mg	cholestérol	**0**
mg	sodium	**297**
mg	potassium	**300**

Soupes

Soupe aux pois à l'ancienne

Soupe estivale aux tomates et aux haricots verts

Soupe aux lentilles et à la saucisse fumée

Soupe aux lentilles et aux épinards avec yogourt au cari

Soupe aux poireaux et au chou

Soupe aux haricots noirs et au jambon

Chaudrée de poisson minute

Chaudrée de saumon généreuse

Chaudrée onctueuse aux huîtres

Minestrone aux haricots et au bœuf

Potage velouté aux carottes et aux panais

Potage à la citrouille parfumé au cari

Soupe aux champignons et à l'orge à l'ancienne

Soupe à l'oignon

Soupe aux champignons et aux nouilles chinoises

Chaudrée minute de haricots, de brocoli et de tomates

Bouillon de poulet maison

✓ À PRÉPARER À L'AVANCE

SOUPE AUX POIS À L'ANCIENNE

La plupart des recettes de soupe aux pois recommandent l'emploi de lard salé ou d'un os de jambon. Afin de réduire la quantité de matières grasses, je n'utilise pas de lard salé. Je fais toujours cette soupe lorsque j'ai un os de jambon, mais vous pouvez tout aussi bien la faire sans os. Au Québec, cette soupe est habituellement faite avec des pois jaunes secs. Si vous ne pouvez vous en procurer, utilisez des pois jaunes cassés. Essayez d'utiliser de la sarriette en feuilles plutôt que moulue.

La soupe aux pois est l'une des soupes les plus nutritives qui soient. Les pois secs sont une excellente source de fibres solubles (une étude a démontré que ce type de fibres aide à réduire le taux de cholestérol sanguin) et de potassium, de même qu'une bonne source de fer et de protéines.

2 tasses	pois jaunes secs OU pois cassés	500 ml
10 tasses	eau	2,5 L
1	os de jambon OU 1/4 lb (125 g) de jambon haché	1
5	oignons moyens, hachés	5
3	carottes moyennes, pelées et hachées	3
2	branches de céleri avec les feuilles, hachées	2
1 c. à thé	sarriette	5 ml
1	feuille de laurier	1
	Sel et poivre	

Rincez d'abord les pois. Dans une grande casserole, mettez les pois, l'eau, l'os de jambon ou le jambon, les oignons, les carottes, le céleri, la sarriette et la feuille de laurier, et portez à ébullition. Retirez l'écume, couvrez et laissez mijoter pendant 3 heures ou jusqu'à ce que les pois soient tendres et la soupe ait épaissi. Si la soupe est trop claire, laissez mijoter à découvert pendant 30 minutes de plus. Salez et poivrez au goût et retirez la feuille de laurier et l'os de jambon.

Donne 8 portions d'environ 1 1/4 tasse (300 ml) chacune.

PAR PORTION		
Calories		**203**
g	matières grasses	**2**
g	gras saturés	**traces**
g	fibres	**8**

BONNE SOURCE DE : niacine, fer

EXCELLENTE SOURCE DE : vitamine A, thiamine

g	protéines	**14**
g	glucides	**34**
mg	cholestérol	**8**
mg	sodium	**249**
mg	potassium	**699**

SOUPE ESTIVALE AUX TOMATES ET AUX HARICOTS VERTS

Préparez cette soupe légère durant l'été, lorsque les haricots verts et les tomates sont de saison et que vous pouvez facilement vous procurer du basilic frais.

Si vous suivez un régime à teneur réduite en sodium, utilisez de l'eau, du Bouillon de poulet maison (p. 60) ou un bouillon de poulet ou de légumes à faible teneur en sodium. La valeur en sodium donnée ici correspond à du bouillon en conserve additionné d'eau.

2 c. à thé	huile d'olive	10 ml
2	oignons moyens OU poireaux, hachés	2
3	carottes moyennes, hachées	3
1	grosse gousse d'ail, émincée	1
1 lb	haricots verts, en morceaux de 1 po (2,5 cm)	500 g
6 tasses	bouillon de poulet	1,5 L
3 tasses	tomates en dés	750 ml
1/4 tasse	de basilic frais haché OU 1 c. à table (15 ml) de basilic séché	50 ml
	Sel et poivre	

Dans une grande casserole, faites chauffer l'huile d'olive à feu moyen ; faites-y cuire les oignons et les carottes pendant 5 minutes. Ajoutez l'ail, les haricots et le bouillon et laissez mijoter pendant 20 minutes. Incorporez les tomates et laissez mijoter pendant 5 minutes. Enfin, ajoutez le basilic ; salez et poivrez au goût. Servez cette soupe chaude.

Donne 8 portions d'environ 1 tasse (250 ml) chacune.

PAR PORTION		
Calories		**87**
g	matières grasses	**2**
g	gras saturés	**1**
g	fibres	**3**
BONNE SOURCE DE : vitamine C, niacine		
EXCELLENTE SOURCE DE : vitamine A		
g	protéines	**6**
g	glucides	**12**
mg	cholestérol	**0**
mg	sodium	**616**
mg	potassium	**554**

SOUPER À RÉCHAUFFER

Soupe aux lentilles et à la saucisse fumée
Salade de chou
Petits pains de blé entier
Oranges
Biscuits
Lait

Si vous suivez un régime à teneur réduite en sodium, utilisez 8 tasses (2 L) d'eau plutôt que 4 tasses de bouillon et 4 tasses d'eau, ou utilisez un bouillon à faible teneur en sodium. La teneur en sodium sera alors de 359 mg. Si vous omettez aussi la saucisse, la teneur en sodium sera de 54 mg par portion. Sans la saucisse, la teneur en matières grasses sera également réduite à 4 g par portion.

PAR PORTION		
Calories		**408**
g	matières grasses	**12**
g	gras saturés	**3**
g	fibres	**9**
BONNE SOURCE DE :		
riboflavine		
EXCELLENTE SOURCE DE :		
vitamine A, thiamine, niacine, fer		
g	protéines	**25**
g	glucides	**52**
mg	cholestérol	**19**
mg	sodium	**871**
mg	potassium	**1222**

Soupe aux lentilles et à la saucisse fumée

Les lentilles sont une excellente source de fibres et contiennent une foule d'éléments nutritifs (protéines végétales, fer, calcium et vitamines du complexe B). Apprêtez cette soupe-repas la fin de semaine ou un soir en même temps que vous préparez le souper. Vous aurez ainsi un repas tout prêt que vous n'aurez qu'à réchauffer. Il n'est pas conseillé de manger beaucoup de saucisse car elle est riche en matières grasses ; cette recette est donc une bonne façon d'en utiliser juste un peu pour donner du goût.

1 c. à table	huile d'olive	15 ml
1	oignon, haché	1
4	branches de céleri, tranchées	4
6 oz	saucisse fumée (comme la kielbasa), en gros morceaux	170 g
4 tasses	bouillon de poulet OU de légumes	1 L
4 tasses	eau	1 L
2 tasses	lentilles vertes, sèches	500 ml
1	zeste d'orange (3 po/8 cm de long)	1
1 c. à thé	marjolaine séchée, émiettée	5 ml
1 c. à thé	sarriette séchée, émiettée	5 ml
3	carottes, pelées et tranchées	3
2	pommes de terre, pelées et en dés	2
	Sel et poivre	

Dans une grande casserole épaisse, faites chauffer l'huile à feu moyen ; ajoutez l'oignon et faites cuire pendant 5 minutes en remuant de temps en temps. Incorporez le céleri et la saucisse et faites cuire pendant 5 minutes en remuant de temps en temps.

Ajoutez le bouillon, l'eau, les lentilles, le zeste d'orange, la marjolaine et la sarriette et portez à ébullition. Baissez le feu, couvrez partiellement et laissez mijoter pendant 30 minutes.

Incorporez les carottes et les pommes de terre ; couvrez partiellement et laissez mijoter en remuant de temps en temps pendant 35 minutes ou jusqu'à ce que les lentilles soient tendres. Retirez le zeste d'orange ; salez et poivrez au goût.

Donne 6 portions d'environ 1 1/4 tasse (300 ml) chacune.

Soupe aux lentilles et aux épinards
avec yogourt au cari

Cette soupe est aussi simple à préparer avec des lentilles en conserve qu'avec des lentilles sèches. (Si vous utilisez des lentilles brunes sèches, lisez les renseignements dans la marge.) Cette soupe contient une foule d'éléments nutritifs ; accompagnée de pain grillé et d'une salade, elle constitue un repas rapide et nourrissant.

4 tasses	bouillon de poulet OU de légumes	1L
1	boîte de lentilles (19 oz/540 ml), égouttées OU 2 tasses (500 ml) de lentilles cuites	1
2	branches de céleri, hachées	2
2	petits oignons, émincés	2
2	petites gousses d'ail, émincées	2
4 tasses	épinards frais hachés, tassés (paquet de 10 oz/284 g)	1L
1 c. à table	jus de citron	15 ml
	Sel et poivre	

Yogourt au cari :

1/4 tasse	yogourt à faible teneur en matières grasses	50 ml
1 c. à thé	poudre de cari	5 ml

Dans une casserole, portez à ébullition le bouillon, les lentilles, le céleri, les oignons et l'ail ; baissez le feu, couvrez et laissez mijoter pendant 5 minutes. Incorporez les épinards et laissez mijoter pendant 3 minutes. Ajoutez le jus de citron et assaisonnez de sel et de poivre au goût. (Si vous désirez une soupe plus épaisse, retirez la moitié de la soupe et réduisez-la en purée au robot culinaire ou au mélangeur. Remettez ensuite dans la casserole et faites chauffer le tout.)

Yogourt au cari : mélangez le yogourt et le cari ; servez la soupe dans des bols et garnissez chaque portion d'une bonne cuillerée de yogourt au cari.

Donne 5 portions d'environ 1 tasse (250 ml) chacune.

Lentilles sèches

Si vous utilisez des lentilles sèches, suivez la recette de soupe aux lentilles en remplaçant les lentilles en conserve par 2/3 tasse (150 ml) de lentilles brunes sèches et en ajoutant 4 tasses (1L) d'eau avec les lentilles. Couvrez et faites cuire pendant 25 minutes ou jusqu'à ce que les lentilles soient tendres. Terminez ensuite la recette selon le mode indiqué.

Les lentilles sont une source économique d'éléments nutritifs. Elles regorgent de protéines, de fer, de niacine, de vitamine B, de glucides complexes et de fibres solubles. Elles ne contiennent pas de cholestérol et très peu de matières grasses. Il n'est pas nécessaire de faire tremper les lentilles sèches avant de les cuire ; les lentilles rouges requièrent environ 10 minutes de cuisson et les vertes environ 30 minutes.

PAR PORTION		
Calories		136
g	matières grasses	2
g	gras saturés	traces
g	fibres	4
BONNE SOURCE DE : thiamine, riboflavine		
EXCELLENTE SOURCE DE : vitamine A, niacine, fer		
g	protéines	12
g	glucides	19
mg	cholestérol	1
mg	sodium	825
mg	potassium	773

Soupe aux poireaux et au chou

Cette soupe est l'une de mes soupes d'hiver préférées. J'essaie donc d'en faire assez pour en avoir pour deux repas. Le premier soir, je la savoure avec les légumes en morceaux ; le deuxième, je réduis les légumes en purée. Si je n'ai pas de poireaux à la portée de la main, je les remplace par 2 oignons moyens et lorsque j'ai des herbes fraîches (aneth, thym ou basilic), j'en ajoute 1 ou 2 cuillerées à table (15 à 25 ml) juste avant de servir.

3 tasses	bouillon de poulet	750 ml
1	oignon moyen, haché	1
2 tasses	poireaux hachés (surtout la partie blanche)	500 ml
1 1/2 tasse	pommes de terre pelées et en dés	375 ml
2 tasses	chou vert haché	500 ml
1 tasse	lait	250 ml
	Sel et poivre	
	Aneth, persil OU oignons verts, hachés	

Pour réduire la teneur en sodium et obtenir une soupe plus onctueuse, utilisez 1 tasse (250 ml) de bouillon de poulet allongé de 3 tasses (750 ml) de lait.

Dans une grande casserole, portez à ébullition le bouillon de poulet, l'oignon, les poireaux et les pommes de terre. Couvrez, baissez le feu et laissez mijoter pendant environ 20 minutes ou jusqu'à ce que les légumes soient tendres.

Incorporez le chou et faites cuire pendant 5 à 8 minutes ou jusqu'à ce qu'il soit tendre. Ajoutez le lait en remuant et salez et poivrez au goût. Garnissez chaque portion d'aneth, de persil ou d'oignon vert.

Donne 6 portions d'environ 1 tasse (250 ml) chacune.

PAR PORTION		
Calories		**97**
g	matières grasses	**2**
g	gras saturés	**1**
g	fibres	**2**
BONNE SOURCE DE :	vitamine A, riboflavine, niacine	
g	protéines	**5**
g	glucides	**16**
mg	cholestérol	**3**
mg	sodium	**420**
mg	potassium	**406**

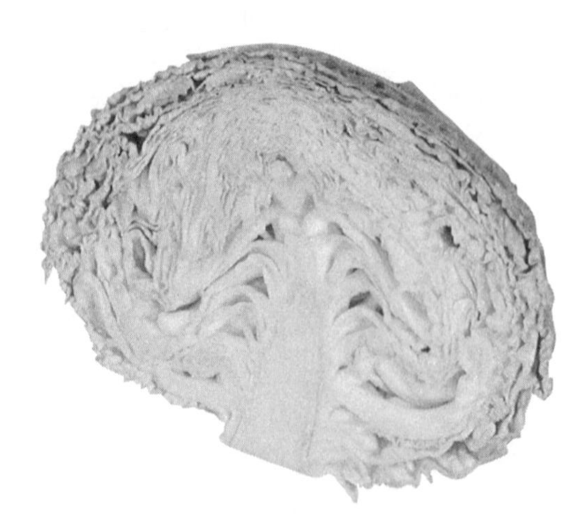

✓ À PRÉPARER À L'AVANCE

Soupe aux haricots noirs et au jambon

Voici une bonne façon d'utiliser un reste de jambon. Laissez seulement un peu de viande autour de l'os et n'ajoutez pas de jambon supplémentaire. Accompagnée de pain grillé et d'une salade verte, elle est idéale pour les petits soupers sans cérémonie. J'aime bien garnir chaque portion de crème sure ou de yogourt à faible teneur en matières grasses, de tomates et d'oignons verts hachés.

2 tasses	haricots noirs	500 ml
2 c. à table	huile végétale	25 ml
3	gousses d'ail, émincées	3
4	oignons, hachés	4
1	os de jambon (facultatif)	1
1/2 lb	jambon cuit, haché (environ 1 1/2 tasse/375 ml)	250 g
1	branche de céleri avec les feuilles, hachée	1
1	feuille de laurier	1
1 c. à thé	thym	5 ml
1 c. à thé	origan	5 ml
1 c. à thé	coriandre moulue	5 ml
8 tasses	eau OU bouillon de bœuf	2L

Mettez les haricots dans une passoire et lavez-les. Transvidez ensuite dans une grande casserole et couvrez de 8 tasses (2 L) d'eau. Portez à ébullition et laissez bouillir pendant 2 minutes. Retirez du feu, couvrez et laissez reposer pendant 1 heure ; égouttez.

Dans une grande casserole épaisse, faites chauffer l'huile à feu moyen. Ajoutez l'ail et les oignons en remuant et faites cuire pendant 3 à 5 minutes ou jusqu'à ce qu'ils soient tendres.

Incorporez les haricots, l'os de jambon (s'il y a lieu), le jambon, le céleri, la feuille de laurier, le thym, l'origan et la coriandre. Ajoutez l'eau ou le bouillon de bœuf et portez à ébullition.

Baissez le feu à moyen-doux, couvrez et laissez mijoter en remuant de temps en temps pendant 1 1/2 heure ou jusqu'à ce que les haricots soient tendres. Retirez ensuite la feuille de laurier et l'os.

Mettez environ 4 tasses (1 L) de soupe dans un robot culinaire ou un mélangeur et réduisez en purée ; remettez ensuite dans la casserole et brassez le tout.

Donne 10 portions d'environ 3/4 tasse (175 ml) chacune.

PAR PORTION
(à base d'eau)

	Calories	**189**
g	matières grasses	**5**
g	gras saturés	**1**
g	fibres	**6**

BONNE SOURCE DE :
niacine, fer

EXCELLENTE SOURCE DE :
thiamine

g	protéines	**13**
g	glucides	**24**
mg	cholestérol	**13**
mg	sodium	**327**
mg	potassium	**535**

Chaudrée de poisson minute

Si vous conservez un paquet de filets de poisson dans votre congélateur, vous pouvez en tout temps préparer un repas à la dernière minute. Tous les types de filets frais ou surgelés peuvent être utilisés pour cette recette. Si j'ai du bacon, j'en mets un peu pour donner un petit goût fumé. J'ajoute aussi parfois des carottes hachées ou du céleri et de l'aneth frais lorsque j'en ai.

1 c. à table	huile végétale OU 4 tranches de bacon, hachées	15 ml
1	oignon, haché	1
3	pommes de terre, en dés*	3
2 tasses	eau	500 ml
1 lb	filets de poisson frais ou surgelés, en gros morceaux	500 g
2 tasses	lait	500 ml
1 tasse	maïs en grains (surgelé OU en conserve)	250 ml
1/4 tasse	persil grossièrement haché OU aneth frais	50 ml
	Sel et poivre	

Dans une casserole épaisse, faites chauffer l'huile à feu moyen ou faites cuire le bacon et enlevez le gras. Ajoutez l'oignon et faites cuire pendant 5 minutes ou jusqu'à ce qu'il soit tendre. Ajoutez les pommes de terre et l'eau, couvrez et laissez mijoter jusqu'à ce que les légumes soient tendres mais croquants, soit pendant environ 15 minutes.

Incorporez le poisson, couvrez et faites cuire jusqu'à ce que le liquide soit opaque, soit pendant environ 2 minutes pour le poisson frais et 10 minutes pour le poisson surgelé.

Ajoutez le lait et le maïs en remuant et laissez mijoter jusqu'à ce que la soupe soit chaude. Ajoutez le persil ou l'aneth ; salez et poivrez au goût.

Donne 4 portions d'environ 1 1/2 tasse (375 ml) chacune.

* Je pèle les pommes de terre uniquement lorsque la peau est épaisse. Les pommes de terre avec la peau contiennent deux fois plus de fibres.

PAR PORTION
(sans bacon)

	Calories	**301**
g	matières grasses	**6**
g	gras saturés	**2**
g	fibres	**3**

BONNE SOURCE DE :
thiamine, riboflavine, calcium

EXCELLENTE SOURCE DE :
niacine

g	protéines	**27**
g	glucides	**36**
mg	cholestérol	**66**
mg	sodium	**179**
mg	potassium	**1065**

✓ À PRÉPARER À L'AVANCE

Chaudrée de saumon généreuse

J'ai mangé de cette délicieuse soupe pour la première fois au cours d'une mini-croisière au large de l'île de Vancouver, en compagnie d'un groupe de chroniqueurs en alimentation. La recette, tirée du Lopez Island Cookbook *est ici légèrement adaptée. Vous pouvez toujours utiliser du lait à 2 % m.g. ; cependant, le lait évaporé lui donne un goût qui me plaît. C'est un excellent plat pour le camping ou le nautisme.*

Lorsque vous utilisez du saumon en conserve, assurez-vous d'écraser les arrêtes et de les incorporer à la soupe car elles sont une excellente source de calcium.

1	boîte de saumon (7 1/2 oz/213 ml)	1
2 c. à thé	huile d'olive	10 ml
1/2 tasse	oignon haché	125 ml
1/2 tasse	céleri haché	125 ml
1/4 tasse	poivron vert haché	50 ml
1	gousse d'ail, émincée	1
3 tasses	pommes de terre en dés	750 ml
1 tasse	carottes en dés	250 ml
1 tasse	bouillon de poulet	250 ml
1 tasse	eau	250 ml
1/2 c. à thé	poivre	2 ml
1/2 c. à thé	graines d'aneth	2 ml
1 tasse	courgettes en dés	250 ml
1	boîte de lait concentré (14 oz/385 ml) à 2 % m.g.	1
1	boîte de maïs en crème (10 oz/284 ml)	1
	Poivre	
1/2 tasse	persil frais haché (facultatif)	125 ml

Égouttez le saumon en réservant le liquide et défaites en morceaux.

Dans une grande casserole antiadhésive, faites chauffer l'huile à feu moyen ; faites-y cuire l'oignon, le céleri, le poivron vert et l'ail en remuant pendant 5 minutes jusqu'à tendreté.

Ajoutez les pommes de terre, les carottes, le bouillon de poulet, l'eau, le poivre et l'aneth et portez à ébullition. Baissez le feu, couvrez et laissez mijoter pendant 20 minutes ou jusqu'à ce que les légumes soient tendres. Ajoutez les courgettes et laissez mijoter à couvert pendant encore 5 minutes.

Incorporez le saumon, le liquide réservé, le lait concentré et le maïs ; poivrez au goût. Faites cuire à feu doux jusqu'à ce que la soupe soit chaude. Parsemez de persil au moment de servir.

Donne 4 portions de 1 3/4 tasse (425 ml) ou 8 portions de 3/4 tasse (175 ml) chacune.

PAR PORTION
(plat principal)

	Calories	**359**
g	matières grasses	**8**
g	gras saturés	**3**
g	fibres	**5**

BONNE SOURCE DE :
thiamine

EXCELLENTE SOURCE DE :
vitamines A et C, riboflavine, niacine, calcium

g	protéines	**20**
g	glucides	**54**
mg	cholestérol	**20**
mg	sodium	**758**
mg	potassium	**1194**

PETIT SOUPER POUR DEUX

Tomates au fromage de chèvre et au basilic (p. 78)
Pain de blé entier grillé
Chaudrée aux huîtres onctueuse
Petits fruits frais et crème glacée

PAR PORTION (plat principal)	
Calories	**225**
g matières grasses	**8**
g gras saturés	**3**
g fibres	**2**
BONNE SOURCE DE : vitamine C, niacine	
EXCELLENTE SOURCE DE : vitamine A, riboflavine, calcium, fer	
g protéines	**12**
g glucides	**30**
mg cholestérol	**35**
mg sodium	**333**
mg potassium	**655**

Chaudrée onctueuse aux huîtres

Ce potage est l'une de mes recettes préférées pour un souper facile. Il peut aussi bien être servi en entrée que composer à lui seul le repas.
(Voir photo vis-à-vis de la page 58.)

1 c. à table	huile d'olive	15 ml
1	petit oignon, en dés	1
1	branche de céleri, en dés	1
1	carotte, en dés	1
2 c. à table	farine tout usage	25 ml
1/2 tasse	bouillon de poisson OU vin blanc	125 ml
1	boîte d'huîtres (5 oz/142 g)	1
1 tasse	pommes de terre pelées et en dés	250 ml
1 c. à thé	thym séché OU 1 c. à table (15 ml) thym frais	5 ml
2 1/4 tasses	lait	550 ml
2 c. à table	persil frais haché	25 ml
	Sel et poivre	

Dans une grande casserole, faites chauffer l'huile à feu moyen. Faites-y cuire l'oignon, le céleri et la carotte à couvert pendant 5 minutes. Incorporez la farine et, en remuant constamment, ajoutez graduellement le bouillon ou le vin blanc. Égouttez les huîtres et versez-en le liquide dans la casserole ; réservez les huîtres. Incorporez ensuite les pommes de terre et le thym, remuez et portez à ébullition. Baissez le feu et laissez mijoter à découvert jusqu'à ce que les pommes de terre soient tendres, soit pendant environ 10 minutes.

Ajoutez les huîtres, le lait et le persil ; faites cuire jusqu'à ce que la soupe soit chaude ; salez et poivrez au goût.

Donne 3 portions de 1 1/3 tasse (325 ml) ou 6 portions de 2/3 tasse (150 ml) chacune.

✓ À PRÉPARER À L'AVANCE

MINESTRONE AUX HARICOTS ET AU BŒUF

Cette soupe-repas contient une foule d'éléments nutritifs. Elle est facile à préparer, se conserve jusqu'à trois jours au réfrigérateur et se réchauffe au four micro-ondes. Cette version est plus légère que beaucoup d'autres recettes, car les légumes ne sont pas sautés dans l'huile.

1/2 lb	bœuf haché maigre	250 g
1	gros oignon, en dés	1
1	carotte, en dés	1
1	branche de céleri, en dés	1
1	petite courgette (6 po/15 cm), en dés	1
2	tomates OU 1 boîte de tomates (14 oz/398 ml), non égouttées et hachées	2
1	pomme de terre, pelée et en dés	1
3	gousses d'ail, émincées	3
8 tasses	eau	2 L
3/4 tasse	petites pâtes	175 ml
1 c. à thé	origan séché OU 2 c. à table (25 ml) d'origan frais	5 ml
1 c. à thé	basilic séché OU 2 c. à table (25 ml) de basilic frais*	5 ml
1	boîte de haricots blancs (19 oz/540 ml), égouttés	1
1/4 tasse	parmesan frais râpé	50 ml
1/2 tasse	persil frais haché	125 ml
	Sel et poivre	

Dans une grande casserole, faites brunir la viande à feu moyen en la séparant avec une fourchette ; égouttez le gras de cuisson. Ajoutez l'oignon et faites cuire en remuant pendant 3 minutes.

Ajoutez la carotte, le céleri, la courgette, les tomates, la pomme de terre et l'ail, et faites cuire en remuant pendant 3 minutes. Ajoutez ensuite l'eau et portez à ébullition.

Ajoutez les pâtes, l'origan et le basilic ; faites cuire à découvert jusqu'à ce que les pâtes soient al dente et que les légumes soient cuits, soit pendant 10 à 12 minutes.

Incorporez haricots, le parmesan et le persil ; salez et poivrez.

Donne 8 portions d'environ 1 1/4 tasse (300 ml) chacune.

* Si vous utilisez des herbes fraîches, ajoutez-les juste avant de servir.

PAR PORTION

Calories	**203**
g matières grasses	**4**
g gras saturés	**2**
g fibres	**7**

BONNE SOURCE DE :
niacine, fer

EXCELLENTE SOURCE DE :
vitamine A

g protéines	**13**
g glucides	**29**
mg cholestérol	**16**
mg sodium	**337**
mg potassium	**589**

Potage velouté aux carottes et aux panais

Le panais apporte un petit goût sucré à ce potage tout simple. Préparez-en à l'avance et conservez au réfrigérateur, jusqu'à 3 jours, ou au congélateur, jusqu'à 2 mois. En ce cas, ajoutez le lait uniquement au moment de servir.

1 c. à thé	huile végétale	5 ml
2 tasses	carottes hachées (environ 4 carottes moyennes)	500 ml
1 tasse	panais pelés et hachés (environ 2 panais moyens)	250 ml
1	petit oignon, haché	1
1	pomme de terre moyenne, pelée et hachée	1
3 tasses	bouillon de légumes OU de poulet	750 ml
1 1/2 tasse	lait	375 ml
	Ciboulette OU oignons verts hachés	

Dans une grande casserole ou dans un plat allant au four micro-ondes, mélangez l'huile, les carottes, les panais, l'oignon et la pomme de terre ; couvrez et faites cuire à feu doux pendant 20 minutes ou au four micro-ondes à puissance maximale pendant 10 minutes, ou jusqu'à ce que les légumes soient tendres.

Ajoutez le bouillon en remuant et portez à ébullition. Baissez le feu et laissez mijoter pendant 30 minutes à couvert ou faites cuire au four micro-ondes à puissance maximale pendant 15 minutes.

Réduisez le potage en purée au robot culinaire ou au mélangeur et remettez dans la casserole. Ajoutez le lait en remuant et réchauffez sans faire bouillir.

Au moment de servir, garnissez chaque portion de ciboulette ou d'oignon vert haché.

Donne 8 portions d'environ 3/4 tasse (175 ml) chacune.

Potage aux carottes et au gingembre

Suivre la méthode ci-contre mais n'ajoutez pas le panais. Ajoutez 4 tasses (1 L) de carottes, 2 c. à thé (10 ml) de gingembre frais émincé en même temps que l'huile. Parsemez de coriandre fraîche hachée.

PAR PORTION		
Calories		**95**
g	matières grasses	**2**
g	gras saturés	**1**
g	fibres	**2**
EXCELLENTE SOURCE DE :		
vitamine A		
g	protéines	**4**
g	glucides	**15**
mg	cholestérol	**3**
mg	sodium	**336**
mg	potassium	**385**

La plupart des bouillons en conserve ou en cubes ont une teneur élevée en sodium. Si vous suivez un régime à teneur réduite en sodium, il est préférable de préparer votre propre bouillon.

Bouillon de boulet rapide : versez tout le jus d'un poulet rôti dans un récipient, couvrez et réfrigérez. Enlevez le gras du dessus et utilisez la gélatine qui reste pour relever les soupes ou diluez-la avec de l'eau pour faire du bouillon.

Bouillon en cubes : puisque ce bouillon contient beaucoup de sodium, ajoutez le double de la quantité d'eau indiquée sur l'emballage.

PAR PORTION		
Calories		**94**
g	matières grasses	**3**
g	gras saturés	**1**
g	fibres	**1**
EXCELLENTE SOURCE DE :		
vitamine A		
g	protéines	**5**
g	glucides	**13**
mg	cholestérol	**5**
mg	sodium	**241**
mg	potassium	**342**

POTAGE À LA CITROUILLE PARFUMÉ AU CARI

Cet excellent potage d'automne est une recette de mes amis Peter et Penny White, tous deux excellents cuisiniers. La saveur de cari y est délicate afin de ne pas masquer le goût de la citrouille. Ce potage est meilleur lorsqu'on le prépare à l'avance car cela rehausse sa saveur.

1 c. à table	huile d'olive	15 ml
1/2 tasse	oignon finement haché	125 ml
1	gousse d'ail, émincée	1
1/2 lb	champignons frais, tranchés	250 g
2 c. à table	farine tout usage	25 ml
1 c. à thé	poudre de cari	5 ml
2 tasses	bouillon de poulet maison (p. 60)	500 ml
1	boîte de citrouille (14 oz/398 ml) OU 2 tasses (500 ml) de citrouille fraîche cuite	1
1 c. à table	miel liquide	15 ml
	Muscade fraîche râpée	
2 tasses	lait	500 ml

Dans une grande casserole, faites chauffer l'huile à feu moyen ; ajoutez l'oignon, l'ail et les champignons et faites cuire pendant 8 à 10 minutes ou jusqu'à ce qu'ils soient tendres. Ajoutez la farine et la poudre de cari en remuant ; faites cuire pendant 1 minute à feu moyen en remuant jusqu'à ce que le tout soit bien mélangé.

Incorporez le bouillon graduellement en battant au fouet jusqu'à ce que le mélange soit homogène. Ajoutez ensuite la citrouille et le miel en remuant, et assaisonnez de muscade au goût. Faites cuire à feu doux pendant 15 minutes en remuant de temps en temps. (Ce potage peut être préparé jusqu'à cette étape et être conservé au réfrigérateur, à couvert, jusqu'à 2 jours.)

Ajoutez le lait et réchauffez.

Donne 8 portions d'environ 3/4 tasse (175 ml) chacune.

✓ À PRÉPARER À L'AVANCE

Dans la mesure du possible, faites cette soupe une journée à l'avance, couvrez-la et réfrigérez-la. Le gras provenant de l'os se figera sur le dessus et vous pourrez ainsi le retirer facilement.

Soupe aux champignons et à l'orge à l'ancienne

Voici un excellent ingrédient de base pour vos soupes : l'orge est économique, nourrissante et nutritive. De plus, bon nombre de bouchers se font un plaisir de couper les os à soupe et de vous les donner. Il s'agit ici d'une recette de base ; ajoutez d'autres légumes tels que des poireaux, des haricots verts, du chou, du navet, des patates douces ou des courges.

8 tasses	eau	2 L
1/2 tasse	orge écossaise OU perlé	125 ml
1	gros os à soupe (de bœuf ou d'agneau)	1
1	feuille de laurier	1
3	grosses carottes, hachées	3
1	branche de céleri avec les feuilles, hachée	1
1	gros oignon, haché	1
1	grosse pomme de terre, pelée et en dés	1
1	gousse d'ail, émincée	1
1/4 c. à thé	thym séché	1 ml
1 1/2 tasse	champignons grossièrement hachés	375 ml
	Sel et poivre	

Dans une grande casserole, mettez l'eau, l'orge, l'os à soupe et la feuille de laurier et portez à ébullition. Baissez le feu, couvrez et laissez mijoter pendant 1 heure.

Ajoutez les carottes, le céleri, l'oignon, la pomme de terre, l'ail et le thym ; couvrez et laissez mijoter pendant encore 25 minutes. Ajoutez ensuite les champignons et laissez mijoter pendant encore 5 minutes ou jusqu'à ce que les légumes soient tendres. Salez et poivrez au goût ; retirez la feuille de laurier et l'os à soupe.

Donne 8 portions de 1 1/4 tasse (300 ml) chacune.

L'orge contient beaucoup de fibres solubles. Des études ont démontré que ce type de fibres diminue le taux de cholestérol sanguin.

PAR PORTION		
Calories		83
g	matières grasses	traces
g	gras saturés	0
g	fibres	3
EXCELLENTE SOURCE DE :		
vitamine A		
g	protéines	2
g	glucides	19
mg	cholestérol	0
mg	sodium	30
mg	potassium	243

✓ À PRÉPARER À L'AVANCE

Si vous suivez un régime à teneur réduite en sodium, utilisez du bouillon de bœuf maison ou un bouillon à faible teneur en sodium. Les valeurs nutritives données correspondent à du bouillon en conserve ou en cubes. Si vous utilisez de l'eau à la place, la teneur en sodium sera réduite à 252 mg par portion.

PAR PORTION (comme entrée)		
Calories		**202**
g	matières grasses	**8**
g	gras saturés	**4**
g	fibres	**2**
EXCELLENTE SOURCE DE : niacine, calcium		
g	protéines	**13**
g	glucides	**20**
mg	cholestérol	**19**
mg	sodium	**904**
mg	potassium	**253**

Soupe à l'oignon

J'essaie, lorsque mon programme est bien organisé, d'apprêter cette soupe pour le lendemain soir alors que je prépare le souper. Si la soupe doit être servie en entrée, je réduis la quantité de fromage. Les végétariens peuvent utiliser du bouillon de légumes au lieu de bouillon de bœuf.

1 c. à table	huile d'olive OU huile végétale	15 ml
6	oignons moyens, émincés (environ 8 tasses/2 L légèrement tassés)	6
1 c. à thé	sucre	5 ml
1 c. à table	farine tout usage	15 ml
6 tasses	bouillon de bœuf	1,5 L
1/2 tasse	vin blanc OU eau	125 ml
	Poivre	
4 à 8	tranches épaisses de pain croûté de la veille, grillées	4 à 8
2 tasses	fromage suisse OU jalsberg partiellement écrémé, râpé	500 ml
2 c. à table	parmesan frais râpé	25 ml

Dans une grande casserole épaisse, faites chauffer l'huile à feu moyen-doux. Ajoutez les oignons et le sucre, couvrez et faites cuire en remuant de temps en temps pendant 30 minutes ou jusqu'à ce que les oignons soient tendres. Augmentez légèrement la chaleur et faites cuire à découvert en remuant souvent pendant environ 10 minutes ou jusqu'à ce que les oignons soient bien dorés.

Saupoudrez les oignons de farine et mélangez bien. Incorporez le bouillon de bœuf et le vin ou l'eau ; portez à ébullition en remuant souvent. Baissez le feu, couvrez et laissez mijoter pendant 20 minutes ; assaisonnez de poivre au goût.

Disposez le pain grillé sur une plaque. Mélangez le fromage suisse et le parmesan ; recouvrez-en le pain grillé et faites griller jusqu'à ce que le fromage soit fondu. Versez la soupe dans les bols et placez le pain grillé sur le dessus.

Donne 4 portions d'environ 1 1/2 tasse (375 ml) ou 8 portions de 3/4 tasse (175 ml) chacune.

Soupe aux champignons et aux nouilles chinoises

Vous pouvez préparer cette soupe en moins de 10 minutes si vous utilisez les nouilles à chow-mein cuites que l'on trouve dans certaines épiceries chinoises. Sinon, utilisez les nouilles instantanées de type oriental en omettant les sachets d'assaisonnement, qui contiennent beaucoup de sel, ou encore utilisez tout autre type de nouilles fines cuites. Cette recette me sert de base et j'y ajoute ensuite des légumes ou les morceaux de viande cuite que j'ai sous la main. (Voir photo ci-contre.)

1 c. à table	huile végétale	15 ml
2 tasses	champignons tranchés (6 oz/170 g)	500 ml
1 c. à thé	ail émincé	5 ml
4 tasses	bouillon de poulet OU de légumes	1 L
2 tasses	nouilles à chow-mein fraîches OU 2 paquets (3 oz/85 g chacun) de nouilles orientales instantanées	500 ml
2 c. à table	xérès OU saké	25 ml
1 c. à table	jus de citron OU vinaigre de riz	15 ml
1 c. à thé	huile de sésame	5 ml
	Un filet de sauce piquante aux piments OU d'huile de chili	
1/2 tasse	oignons verts hachés	125 ml

Dans une grande casserole, faites chauffer l'huile à feu moyen ; faites-y cuire les champignons et l'ail pendant 2 minutes.

Ajoutez le bouillon et 2 tasses (500 ml) d'eau et portez à ébullition. Incorporez ensuite les nouilles, le xérès, le jus de citron ou le vinaigre de riz, l'huile de sésame et la sauce aux piments. Baissez le feu, couvrez et laissez mijoter pendant 3 minutes ; ajoutez les oignons verts en remuant.

Donne 4 portions d'environ 1 1/4 tasse (300 ml) chacune.

PAR PORTION		
Calories		**246**
g	matières grasses	**7**
g	gras saturés	**1**
g	fibres	**2**
BONNE SOURCE DE : thiamine		
EXCELLENTE SOURCE DE : riboflavine, niacine		
g	protéines	**9**
g	glucides	**34**
mg	cholestérol	**41**
mg	sodium	**396**
mg	potassium	**314**

Soupe aux champignons et aux nouilles chinoises (p. 58),
Chaudrée minute de haricots, de brocoli et de tomates (p. 59),
Chaudrée onctueuse aux huîtres (p. 52)

MENU

Chaudrée minute de haricots, de brocoli et de tomates
Bagels grillés
Salade verte

Bouillon de légumes : conservez les épluchures de légumes tels oignons, tomates, carottes, tiges de persil, pommes de terre, haricots verts, betteraves (mais non les crucifères : chou, brocoli, navet et aubergine) dans un sac de plastique et mettez au réfrigérateur. Lorsque vous aurez accumulé l'équivalent d'environ une demi-casserole, couvrez les légumes d'eau, portez à ébullition et laissez mijoter pendant 25 minutes. Passez le bouillon, laissez refroidir, couvrez et mettez au réfrigérateur.

PAR PORTION		
Calories		150
g	matières grasses	1
g	gras saturés	traces
g	fibres	11
BONNE SOURCE DE : vitamine A, thiamine, riboflavine, niacine, fer		
EXCELLENTE SOURCE DE : vitamine C		
g	protéines	10
g	glucides	28
mg	cholestérol	0
mg	sodium	622
mg	potassium	736

Chaudrée minute de haricots, de brocoli et de tomates

Pour un souper rapide, essayez cette soupe minute. J'aime bien les haricots blancs pour leur texture et leur couleur ; cependant, les haricots rouges ou les pois chiches font aussi bien l'affaire. Je mets habituellement du brocoli parce que j'en ai toujours au réfrigérateur, mais je suis certaine que les courgettes, les haricots verts ou les épinards seraient tout aussi délicieux. (Voir photo page précédente.)

2	oignons moyens, hachés	2
1 tasse	bouillon de bœuf OU de légumes	250 ml
1	boîte de tomates (19 oz/540 ml) non égouttées	1
2 tasses	brocoli haché	500 ml
1	boîte de haricots blancs (19 oz/540 ml) égouttés et rincés	1
1/2 c. à thé	basilic séché	2 ml
	Un filet de sauce au piment fort	
	Sel et poivre	

Dans une casserole, mettez les oignons et 1/2 tasse (125 ml) de bouillon ; couvrez et laissez mijoter pendant 5 minutes ou jusqu'à ce que les oignons soient tendres. Ajoutez les tomates, écrasez-les avec le dos d'une cuillère, et le reste du bouillon, 1 tasse (250 ml) d'eau et le brocoli ; portez à ébullition. Baissez le feu et laissez mijoter pendant 5 minutes ou jusqu'à ce que le brocoli soit tendre mais croquant.

Incorporez les haricots, le basilic et la sauce au piment ; salez et poivrez. Laissez réchauffer sur le feu.

Méthode au four micro-ondes : dans un grand bol, mettez les oignons et 1/2 tasse (125 ml) de bouillon ; couvrez et faites cuire au four micro-ondes à puissance maximale pendant 3 minutes. Ajoutez les tomates, le reste du bouillon, 1 tasse (250 ml) d'eau et le brocoli ; couvrez et faites cuire au four micro-ondes à puissance maximale pendant 5 minutes. Incorporez les haricots, le basilic et la sauce au piment, couvrez et faites cuire au four micro-ondes à puissance maximale pendant 3 minutes ou jusqu'à ce que la soupe soit chaude. Salez et poivrez au goût.

Donne 5 portions d'environ 1 1/4 tasse (300 ml) chacune.

Haricots verts et carottes en salade (p. 70), Salade de haricots rouges au fromage feta et au poivron (p. 65) et Salade thaïlandaise aux vermicelles (p. 63)

Bouillon de poulet maison

Si vous suivez un régime à teneur réduite en sodium, évitez d'utiliser du bouillon en cubes ou en conserve. Faites plutôt votre propre bouillon ou utilisez de l'eau ou un bouillon de légumes en cubes à faible teneur en sodium. Vous pouvez vous servir de tout morceau de poulet et même d'un poulet complet (sans les abats). Les dos et les cous de poulet coûtent moins cher.

12 tasses	eau froide	3 L
4 lb	poulet, entier OU en morceaux	2 kg
2	carottes, hachées	2
2	oignons, hachés	2
2	branches de céleri, hachées	2
2	feuilles de laurier	2
6	grains de poivre noir	6
2	brins de thym frais (OU un peu de thym, de basilic et de marjolaine séchés et émiettés)	2

Dans une grande marmite, portez à ébullition l'eau et le poulet. Retirez l'écume et ajoutez les carottes, les oignons, le céleri, les feuilles de laurier, les grains de poivre et le thym ; laissez mijoter à découvert pendant 4 heures.

Retirez du feu et passez ; couvrez et réfrigérez le bouillon jusqu'à ce que le gras se fige sur le dessus. Retirez ce gras et conservez le bouillon au réfrigérateur jusqu'à 2 jours ou surgelez-le.

Donne environ 8 portions de 1 tasse (250 ml) chacune.

Cette recette contient 4 mg de sodium par tasse (250 ml) comparativement à 746 mg pour le bouillon de poulet en conserve et 762 mg pour le bouillon de poulet en cubes.

Pour la préparation du bouillon

Une fois le poulet cuit, désossez-le et utilisez la viande dans les salades, les sandwichs, les plats de pâtes, les plats cuisinés ou les soupes. Congelez le bouillon de poulet maison dans des bacs à glaçons ou des contenants de 1/2 tasse (125 ml) et utilisez-le lorsque vous désirez rehausser la saveur d'un mets sans ajouter de sel.

Bouillon de dinde

Utilisez des os ou une carcasse de dinde à la place du poulet.

Bouillon de bœuf, de veau ou d'agneau

Utilisez des os de bœuf, de veau ou d'agneau à la place du poulet. Pour plus de saveur, faites rôtir les os avant de les faire mijoter dans l'eau. Déposez les os dans une rôtissoire et mettez-les au four à 400 ° F (200 °C) pendant 1 heure ou jusqu'à ce qu'ils soient dorés. Mettez-les ensuite dans la casserole et continuez selon la recette de base du bouillon.

PAR PORTION		
	Calories	3
g	matières grasses	traces
g	gras saturés	traces
g	fibres	0
g	protéines	traces
g	glucides	traces
mg	cholestérol	3
mg	sodium	4
mg	potassium	11

Salades

Salade César au goût du cœur

Toujours très appréciée, cette salade peut être préparée avec moins d'huile que d'habitude et sans œuf. Si vous préférez une sauce crémeuse, utilisez la Sauce veloutée à l'ail (p. 80).

2	tranches de pain (de blé entier de préférence)	2
1	grosse gousse d'ail, coupée en deux	1
1	grosse laitue romaine	1
3 c. à table	parmesan frais râpé	45 ml

Sauce :

2 c. à table	jus de citron	25 ml
2 c. à table	huile d'olive	25 ml
1 c. à table	eau	15 ml
1 c. à table	parmesan râpé	15 ml
1/2 c. à thé	moutarde en poudre	2 ml
1 c. à thé	sauce Worcestershire	5 ml
1	filet d'anchois, émincé OU 1 c. à thé (5 ml) de pâte d'anchois	1
	Sel et poivre	

Faites griller le pain pour qu'il soit bien bruni et croustillant et frottez-le des deux côtés avec les demi-gousses d'ail ; coupez le pain en cubes. Émincez l'ail, et ajoutez-le à la sauce.

Sauce : dans un petit bol, combinez l'ail, le jus de citron, l'huile, l'eau, le parmesan, la moutarde, la sauce Worcestershire et l'anchois et mélangez bien. Au moment de servir, déchiquetez les feuilles de romaine dans un saladier, arrosez de sauce et mélangez. Ajoutez les croûtons et le fromage et mélangez de nouveau.

Donne 5 portions.

La veille

Lavez la salade et essorez-la dans une essoreuse, un linge à vaisselle ou des essuie-tout. Enveloppez les feuilles dans un linge ou des essuie-tout et placez dans un sac de plastique au réfrigérateur. De cette façon, vous conserverez votre salade bien fraîche jusqu'au lendemain. La sauce peut également être préparée à l'avance et gardée au réfrigérateur pendant une journée. Mélangez-la de nouveau au fouet avant de l'utiliser. Préparez aussi vos croûtons un jour à l'avance.

Pour que votre salade soit plus croustillante, déchiquetez la laitue et ajoutez la sauce uniquement au moment de servir.

PAR PORTION		
	Calories	**115**
g	matières grasses	**7**
g	gras saturés	**2**
g	fibres	**2**
BONNE SOURCE DE :		
vitamines A et C		
g	protéines	**4**
g	glucides	**9**
mg	cholestérol	**4**
mg	sodium	**161**
mg	potassium	**321**

MENU DU SOIR RAPIDE

Poitrines de poulet grillées è l'ail et au gingembre (p. 84)
Brocoli en marguerite
Salade thaïlandaise aux vermicelles.

PAR PORTION	
Calories	**226**
g matières grasses	**6**
g gras saturés	**1**
g fibres	**3**
BONNE SOURCE DE :	
vitamine C	
g protéines	**4**
g glucides	**39**
mg cholestérol	**0**
mg sodium	**243**
mg potassium	**233**

Salade thaïlandaise aux vermicelles

Pour faire cette salade minute, ayez sous la main un paquet de nouilles ou de vermicelles de riz chinois. Si vous le désirez, vous pouvez remplacer les épinards et le poivron rouge par des carottes râpées, du céleri haché et des petits pois surgelés. Si vous n'aimez pas les mets trop épicés, mettez moins de flocons de piment fort. (Voir photo vis-à-vis de la page 59.)

8 oz	vermicelles de riz chinois OU fines nouilles de haricots mungo	250 g
2 tasses	feuilles d'épinards en lanières, bien tassées	500 ml
1	poivron rouge, en fines lamelles	1
1/4 tasse	coriandre fraîche, hachée	50 ml

Sauce thaïlandaise :

1/4 tasse	arachides non salées	50 ml
3 c. à table	gingembre frais, émincé	45 ml
1/4 tasse	jus de citron OU de lime	50 ml
1/4 tasse	eau	50 ml
2 c. à table	sauce soja à faible teneur en sodium	25 ml
1 c. à table	sucre	15 ml
1 c. à table	huile végétale	15 ml
1 c. à thé	huile de sésame	5 ml
1/4 c. à thé	flocons de piment fort	1 ml

Préparez les nouilles selon le mode de cuisson indiqué sur l'emballage ou faites-les cuire à l'eau bouillante pendant 3 minutes ou jusqu'à ce qu'elles soient tendres. Égouttez, rincez à l'eau froide et égouttez de nouveau.

Dans un saladier, mélangez les nouilles, les épinards et le poivron rouge.

Sauce thaïlandaise : déposez les arachides et le gingembre dans un robot culinaire ou un mélangeur, hachez-les finement et ajoutez-y le jus de citron, l'eau, la sauce soja, le sucre, l'huile végétale, l'huile de sésame et les flocons de piment. Mélangez bien.

Versez la sauce sur les nouilles, mélangez et garnissez de coriandre hachée.

Donne 6 portions.

Salade de saumon et de riz au cari

Le rouge orangé du saumon sockeye ajoute une touche décorative à cette salade, mais vous pouvez le remplacer par du thon ou du poulet cuit. Pour agrémenter un dîner ou un souper estival, servez cette salade dans des demi-tomates évidées ou garnissez-en des pains pour la boîte à lunch.

3 tasses	eau	750 ml
1 tasse	riz brun à grain long	250 ml
2 c. à thé	poudre de cari	10 ml
1 c. à thé	cumin moulu	5 ml
1 tasse	petits pois surgelés, décongelés	250 ml
1/2 tasse	oignons verts hachés	125 ml
1/2 tasse	raisins secs	125 ml
1/4 tasse	persil frais haché	50 ml
1	boîte de saumon (7 1/2 oz/213 g), égoutté et émincé	1

Vinaigrette :

1/4 tasse	vinaigre de vin blanc	50 ml
2 c. à table	huile d'olive	25 ml
2 c. à table	eau	25 ml
2 c. à thé	poudre de cari	10 ml
	Sel et poivre	

Portez l'eau à ébullition et ajoutez le riz, la poudre de cari et le cumin. Baissez le feu à moyen-doux et laissez mijoter pendant 40 minutes ou jusqu'à ce que l'eau ait été absorbée. Remuez à la fourchette et laissez-le refroidir. Ajoutez les petits pois, les oignons, les raisins secs et le persil, mélangez bien et réservez.

Vinaigrette : mettez le vinaigre, l'huile, l'eau et la poudre de cari dans un bol ou un bocal, mélangez bien ; versez sur la salade.

Incorporez délicatement le saumon au mélange et assaisonnez de sel et de poivre au goût. Servez ou couvrez et réfrigérez.

Méthode au four micro-ondes : dans une casserole de 8 tasses (2 L), mettez le riz, l'eau bouillante, la poudre de cari et le cumin ; couvrez et faites cuire au four micro-ondes pendant 45 minutes à puissance moyenne-faible (30 %). Mélangez à mi-cuisson. Retirez ensuite le riz du four micro-ondes et laissez-le reposer à couvert pendant 5 minutes. Incorporez de l'air à l'aide d'une fourchette et poursuivez la recette selon le mode de préparation ci-dessus.

Donne 6 portions d'environ 1 tasse (250 ml) chacune.

PAR PORTION

Calories		**298**
g	matières grasses	**9**
g	gras saturés	**2**
g	fibres	**3**

BONNE SOURCE DE : thiamine, fer

EXCELLENTE SOURCE DE : niacine

g	protéines	**12**
g	glucides	**44**
mg	cholestérol	**12**
mg	sodium	**220**
mg	potassium	**408**

MENU DE BOÎTE À LUNCH

Salade de haricots rouges au fromage feta et au poivron
Pain pita de blé entier
Tangerine ou poire

La famille des cruciféracées comprend le chou, le brocoli, le chou-fleur, le navet, le rutabaga, le chou frisé, le chou-rave, le bok choy (chou chinois) et les choux de Bruxelles.

Certaines études semblent indiquer que la consommation régulière de ces légumes peut réduire le risque de certains cancers.

PAR PORTION	
Calories	**165**
g matières grasses	**7**
g gras saturés	**3**
g fibres	**7**
BONNE SOURCE DE :	
riboflavine	
EXCELLENTE SOURCE DE :	
vitamine C	
g protéines	**8**
g glucides	**19**
mg cholestérol	**17**
mg sodium	**455**
mg potassium	**394**

Salade de haricots rouges au fromage feta et au poivron

J'ai voulu créer, avec cette recette, un plat très nutritif et facile à préparer que se conserverait au réfrigérateur pendant quelques jours tout en gardant sa pleine saveur. J'ai choisi les haricots pour leur teneur en fibres, en protéines et en fer ; le poivron rouge pour sa vitamine C, le chou pour ses fibres et sa vitamine C, et parce qu'il appartient à la famille des cruciféracées. J'ai ajouté le fromage feta pour les protéines et le calcium, et parce qu'il est plus faible en gras que bon nombre d'autres fromages.

Accompagnée de pain de blé entier, cette salade s'emporte bien comme lunch ou peut être servie comme souper rapide avec une soupe, un sandwich ou une omelette. (Voir photo vis-à-vis de la p. 59.)

1	boîte de haricots rouges (19 oz/540ml)	1
1	poivron rouge, haché	1
2 tasses	chou haché finement	500 ml
2	oignons verts, hachés	2
4 oz	fromage feta*, en cubes (1 tasse /250 ml)	125 g
1/4 tasse	persil frais haché	50 ml
1	gousse d'ail, émincée	1
2 c. à table	jus de citron	25 ml
1 c. à table	huile végétale	15 ml

Égouttez les haricots rouges, rincez-les à l'eau froide et placez-les dans un saladier. Ajoutez le poivron rouge, le chou, les oignons, le fromage, le persil, l'ail, le jus de citron et l'huile. Mélangez bien, couvrez et réfrigérez. Cette salade se conservera jusqu'à trois jours au réfrigérateur.

Donne 6 portions d'environ 1 tasse (250 ml) chacune.

* Ou mozzarella partiellement écrémée.

Salade Parmentier parfumée à l'estragon

Les pommes de terre rouges agrémentent de couleur cette salade mais toutes les variétés de pommes de terre s'y prêtent bien. Vous pouvez la varier en y ajoutant de la ciboulette hachée, de fines tranches de céleri ou de radis, du maïs, des pois mange-tout ou des haricots verts blanchis.

2 1/2 lb	petites pommes de terre rouges (non pelées)	1,25 kg
1 tasse	persil frais haché	250 ml
1/2 tasse	oignon rouge haché	125 ml
	Poivre	

Vinaigrette à l'estragon :

1/3 tasse	vinaigre blanc	75 ml
2 c. à table	huile d'olive	25 ml
1 c. à table	moutarde de Dijon OU à l'ancienne	15 ml
1/2 c. à thé	estragon séché	2 ml

Brossez les pommes de terre. Dans une grande casserole d'eau bouillante, faites-les cuire jusqu'à ce qu'elles soient tendres (vérifiez leur degré de cuisson à l'aide d'une fourchette) et égouttez-les. Remettez-les dans la casserole et remuez à feu moyen pendant 1 minute pour faire évaporer le surplus d'eau. Coupez les pommes de terre en tranches de 1/4 po (5 mm) d'épaisseur. Dans un saladier, mélangez-les au persil et à l'oignon.

Vinaigrette à l'estragon : dans un petit bol, mélangez le vinaigre, l'huile, la moutarde et l'estragon. Versez la vinaigrette sur les pommes de terre tièdes et mélangez. Assaisonnez de poivre au goût, couvrez et laissez reposer à la température ambiante pendant au moins 1 heure ou placez au réfrigérateur où la salade se conserve jusqu'à 3 jours.

Donne 8 portions d'environ 1 tasse (250 ml) chacune.

Si vous le désirez, remplacez la vinaigrette à l'estragon en mélangeant 1 tasse (250 ml) de yogourt à faible teneur en matières grasses, 1/4 tasse (50 ml) de mayonnaise légère et 1/2 c. à thé (2 ml) d'estragon séché.

PAR PORTION		
Calories		**162**
g	matières grasses	**4**
g	gras saturés	**traces**
g	fibres	**2**
BONNE SOURCE DE :		
vitamine C		
g	protéines	**3**
g	glucides	**30**
mg	cholestérol	**0**
mg	sodium	**34**
mg	potassium	**609**

BROCOLI EN FÊTE

Ma belle-sœur, Ann Braden, sert cette salade l'été à nos réunions familiales à la campagne. Elle y ajoute parfois des miettes de bacon cuit ! C'est le repas idéal pour votre lunch si vous le gardez au frais ou si vous disposez d'un réfrigérateur là où vous travaillez.

3 tasses	bouquets de brocoli (environ une tête)	750 ml
1/2 tasse	oignon rouge haché	125 ml
1/4 tasse	graines de tournesol	50 ml
1/2 tasse	raisins secs	125 ml
1/2 tasse	fromage feta émietté	125 ml

Sauce :

1/2 tasse	yogourt à faible teneur en matières grasses	125 ml
1/4 tasse	mayonnaise légère	50 ml
2 c. à table	sucre	25ml
1 c. à table	jus de citron	15 ml
	Sel et poivre	

Dans un saladier, mélangez le brocoli, l'oignon, les graines de tournesol, les raisins secs et le fromage.

Sauce : dans une tasse à mesurer, mélangez le yogourt, la mayonnaise, le sucre et le jus de citron. Versez cette préparation sur la salade et mélangez le tout. Assaisonnez de sel et de poivre au goût, couvrez et laissez reposer au réfrigérateur pendant 2 heures. Cette salade peut se conserver au frais jusqu'à 2 jours.

Donne 6 portions.

Le brocoli est riche en éléments nutritifs et est une bonne source de fibres. Il contient du calcium, du fer, du magnésium et de la vitamine A, B et C. La vitanime C facilite l'assimilation du fer par notre organisme.

Les produits laitiers représentent notre plus importante source de calcium. Si vous ne buvez pas de lait régulièrement, essayez de consommer des produits laitiers sous d'autres formes, comme le fromage feta et le yogourt dans cette salade.

Si vous désirez réduire le gras dans cette salade, coupez de moitié les quantités de fromage feta, de graines de tournesol et de mayonnaise légère.

PAR PORTION		
Calories		174
g	matières grasses	9
g	gras saturés	2
g	fibres	2
BONNE SOURCE DE : riboflavine, thiamine, acide folique, magnésium, vitamines C et B_{12}		
g	protéines	5
g	glucides	21
mg	cholestérol	10
mg	sodium	204
mg	potassium	299

✓ À PRÉPARER À L'AVANCE

Salade de poulet et de pâtes à l'orientale

Cette salade est superbe pour vos dîners, buffets ou soupers de la belle saison. Vous pouvez utiliser des pâtes en spirale, des vermicelles de riz ou des nouilles aux œufs, en fragments de 4 po (10 cm).

1 1/2 lb	poitrines de poulet, désossées et sans peau	750 g
1/2 tasse	vinaigre de riz	125 ml
1/4 tasse	sauce soja à faible teneur en sodium	50 ml
3 c. à table	gingembre frais, émincé	45 ml
2	gousses d'ail, émincées	2
1 c. à thé	sucre	5 ml
1 lb	pâtes OU vermicelles de riz	500 g
4	carottes de grosseur moyenne	4
2	poivrons verts	2
1/2 lb	pois mange-tout (facultatif)	250 g
2 c. à table	huile de sésame	25 ml

Coupez le poulet en julienne de 2 po (5 cm) et réservez. Dans un bol, mélangez le vinaigre, la sauce soja, le gingembre, l'ail et le sucre et incorporez le poulet. Couvrez et laissez reposer pendant 30 minutes.

Pendant ce temps, dans une grande casserole d'eau bouillante, faites cuire les pâtes jusqu'à ce qu'elles soient *al dente* et égouttez. Rincez les pâtes abondamment à l'eau froide et égouttez de nouveau. Mettez les pâtes dans un grand saladier.

Coupez les carottes et les poivrons verts en julienne et réservez.

Retirez le poulet de sa marinade avec une écumoire et réservez la marinade. Dans un grand poêlon à revêtement antiadhésif, faites cuire le poulet à feu moyen-vif, en tournant fréquemment, pendant 3 minutes ou jusqu'à ce qu'il ait perdu sa teinte rosée. Une fois cuit, incorporez le poulet aux pâtes.

Dans le poêlon, mettez les carottes et les poivrons verts et faites sauter pendant 3 minutes. Incorporez aux pâtes dans le saladier.

Versez la marinade allongée d'eau 1/2 tasse (125 ml) dans le poêlon, portez à ébullition et laissez mijoter pendant 5 minutes. Ajoutez les pois mange-tout (s'il y a lieu), couvrez et laissez cuire encore pendant 1 minute. Versez le tout sur les pâtes ; assaisonnez d'huile de sésame et mélangez. Servez tiède ou réfrigérez jusqu'à 2 jours.

Donne 10 portions d'environ 1 tasse (250 ml) chacune.

L'huile de sésame

Grâce à son goût exquis, l'huile de sésame parfume à merveille les sautés et certaines salades. Essayez-la ! Quelques gouttes ajoutées à un sauté en fin de cuisson ou à une salade en rehaussent la saveur. Vous pouvez vous procurer de l'huile de sésame dans presque tous les supermarchés ; sa durée de conservation est d'environ un an.

Le vinaigre de riz

Vous trouverez du vinaigre de riz dans la plupart des supermarchés. Avec son parfum légèrement sucré, son goût doux sans être trop acide, le vinaigre de riz se prête admirablement aux sauces à salades et aux mets sautés.

PAR PORTION		
	Calories	**297**
g	matières grasses	**5**
g	gras saturés	**1**
g	fibres	**3**
BONNE SOURCE DE : vitamine C		
EXCELLENTE SOURCE DE : vitamine A, niacine		
g	protéines	**22**
g	glucides	**40**
mg	cholestérol	**42**
mg	sodium	**250**
mg	potassium	**328**

Salade grecque

En été, nous préparons cette salade au moins un fois par semaine. Elle est parfaite pour les dîners de fin de semaine et elle accompagne très bien le poulet grillé ou l'agneau, au moment du souper. Il m'arrive d'y ajouter des artichauts, des câpres ou de l'oignon rouge haché mais jamais de laitue, si vous avez de belles tomates mûres et bien juteuses, vous verrez qu'une très petite quantité de sauce suffira amplement.

4	grosses tomates, en gros morceaux	4
2	concombres moyens, en gros morceaux (ou 1 concombre anglais)	2
4 oz	fromage feta, émietté (1 tasse/250 ml)	125 g
2 c. à table	origan séché	25 ml
2 c. à table	jus de citron	2 ml
1 c. à table	huile d'olive	15 ml
	Sel et poivre	
10	olives noires (à la grecque)	10

Dans un plat ou un saladier peu profond, mélangez les tomates, les concombres, le fromage, l'origan, le jus de citron et l'huile. Assaisonnez de sel et de poivre au goût. Mélangez délicatement, garnissez d'olives noires et servez à la température ambiante.

Donne 6 portions.

Si vous suivez un régime à faible teneur en matières grasses, éliminez les olives et l'huile d'olive et enlevez le fromage, ou mettez-en moins. Lorsque cette salade est préparée sans huile ni olives et avec moitié moins de fromage, elle ne contient que 2,5 g de matières grasses par portion.

PAR PORTION		
Calories		**130**
g	matières grasses	**9**
g	gras saturés	**3**
g	fibres	**2**
BONNE SOURCE DE : vitamines A et C, riboflavine		
g	protéines	**5**
g	glucides	**10**
mg	cholestérol	**17**
mg	sodium	**411**
mg	potassium	**422**

Haricots verts et carottes en salade

Vous pouvez préparer cette salade très colorée à l'avance et la servir, l'été, comme légume d'accompagnement. Elle s'emporte bien en pique-nique ou pour le lunch. (Voir photo vis-à-vis de la page 59.)

1/4 lb	petites carottes nouvelles, coupées en deux dans le sens de la longueur	125 g
1 lb	haricots verts, coupés en deux sur la largeur	500 g
1/2 tasse	radis hachés	125 ml
1/2 tasse	oignon rouge haché	125 ml
1 c. à table	graines de sésame	15 ml

Sauce :

2 c. à table	jus de citron	25 ml
1 c. à table	huile d'olive	15 ml
1 c. à thé	moutarde de Dijon	5 ml
1 c. à thé	sucre	5 ml
1/4 c. à thé	cumin (facultatif)	1 ml
1/4 c. à thé	sel	1 ml
1	gousse d'ail, émincée	1

Dans une grande casserole d'eau bouillante, faites cuire les carottes pendant 4 minutes. Ajoutez les haricots verts et laissez cuire le tout pendant 4 minutes ou jusqu'à ce que les légumes soient tendres mais croquants. Égouttez les légumes, passez à l'eau froide et égouttez-les de nouveau. Mettez les légumes dans un saladier. Ajoutez les radis et l'oignon.

Sauce : dans un petit bol, mélangez le jus de citron, l'huile, la moutarde, le sucre, le cumin (s'il y a lieu), le sel et l'ail à l'aide d'un fouet ; versez la sauce sur la salade et mélangez bien. Couvrez et gardez au réfrigérateur jusqu'à 3 jours. Au moment de servir, parsemez la salade de graines de sésame et mélangez.

Donne 8 portions.

Le gras invisible

Les salades font partie de ces plats que nous croyons souvent meilleurs pour notre santé qu'ils ne le sont en réalité.

La laitue iceberg et le concombre ne débordent pas d'éléments nutritifs. Une cuillère à table (15 ml) de vinaigrette française classique peut renfermer plus de matières grasses qu'une portion de bœuf ou une quantité de matières grasses équivalente à une ou deux noix de beurre ou de margarine.

PAR PORTION		
Calories		52
g	matières grasses	2
g	gras saturés	traces
g	fibres	2
EXCELLENTE SOURCE DE :		
vitamine A		
g	protéines	1
g	glucides	7
mg	cholestérol	0
mg	sodium	87
mg	potassium	215

SALADE DE LENTILLES AUX PETITS LÉGUMES

Les lentilles étant petites, cette salade sera appétissante si vous coupez les légumes qui l'accompagnent en petits dés de 1/4 po (5 mm). Servez-la avec d'autres salades et garnissez l'assiette de tranches de tomates et de concombres, ou d'asperges et de haricots verts marinés. Disposée sur un lit de laitue, cette salade est idéale pour un buffet ou pour le lunch.

1/2 tasse	riz à grain long	125 ml
1/2 tasse	lentilles vertes sèches	125 ml
3 c. à table	huile végétale	45 ml
1/2 tasse	oignon rouge en dés	125 ml
1 tasse	céleri en dés	250 ml
1/2 tasse	carottes en dés	125 ml
1/2 tasse	poivron rouge en dés	125 ml
1/4 tasse	jus de citron	50 ml
2 c. à thé	basilic séché OU 3 c. à table (45 ml) de basilic frais haché	10 ml
1/2 c. à thé	sel	2 ml
1/2 tasse	mozzarella partiellement écrémée, en dés	125 ml
1/2 tasse	persil frais haché	125 ml
	Poivre	

Dans une casserole, portez à ébullition 2 tasses (500 ml) d'eau. Ajoutez le riz et les lentilles et faites cuire pendant 20 minutes ou jusqu'à ce que les lentilles soient tendres sans se défaire. Égouttez, rincez à l'eau froide et égouttez de nouveau ; placez le mélange dans un saladier.

Dans un poêlon, faites chauffer 1 c. à table (15 ml) d'huile à feu moyen ; ajoutez l'oignon et faites cuire pendant 3 minutes. Ajoutez le céleri et les carottes et faites cuire encore pendant 3 minutes. Ajoutez le poivron rouge et laissez cuire encore pendant 2 minutes. Incorporez les légumes aux lentilles dans le saladier.

Ajoutez le jus de citron, le basilic, le sel, le fromage, le persil et le reste de l'huile ; mélangez bien. Assaisonnez de poivre au goût. Couvrez et gardez au réfrigérateur jusqu'à 2 jours. Servez de préférence à la température ambiante.

Donne 8 portions d'environ 1/2 tasse (125 ml) chacune.

PAR PORTION		
Calories		**171**
g	matières grasses	**7**
g	gras saturés	**1**
g	fibres	**2**
BONNE SOURCE DE :		
vitamine A		
g	protéines	**7**
g	glucides	**20**
mg	cholestérol	**7**
mg	sodium	**224**
mg	potassium	**277**

Salade de chou minceur

Rendez votre salade plus appétissante encore en combinant du chou rouge avec du chou vert et en la parsemant de graines de carvi grillées ou encore de graines de sésame ordinaires ou noires.

2 tasses	chou émincé	500 ml
1/2 tasse	carottes râpées	125 ml
1/4 tasse	oignon rouge OU oignons verts hachés	50 ml
1/2 tasse	poivron rouge, jaune OU vert haché (facultatif)	125 ml

Sauce :

1	gousse d'ail, émincée	1
1/4 tasse	eau	50 ml
2 c. à table	jus de citron	25 ml
1 c. à table	sucre	15 ml
1 c. à table	huile d'olive	15 ml
1 c. à thé	moutarde de Dijon	5 ml
	Sel et poivre	

Dans un saladier, mélangez le chou, les carottes, les oignons et le poivron.

Sauce : dans un petit bol, mettez l'ail, l'eau, le jus de citron, le sucre, l'huile et la moutarde et mélangez bien jusqu'à ce que le sucre soit dissous. Assaisonnez de sel et de poivre au goût. Versez la sauce sur la salade, mélangez et servez.

Donne 4 portions.

PAR PORTION

Calories		**64**
g	matières grasses	**4**
g	gras saturés	**traces**
g	fibres	**1**

BONNE SOURCE DE :
vitamine C

EXCELLENTE SOURCE DE :
vitamine A

g	protéines	**1**
g	glucides	**8**
mg	cholestérol	**0**
mg	sodium	**30**
mg	potassium	**159**

Salade de riz et de haricots du Sud-Ouest

Cette succulente salade est parfaite pour vos pique-niques, vos lunchs d'après ski ou tout simplement pour un repas éclair, surtout si vous avez un reste de riz cuit (prévoyez alors 3 tasses/750 ml de riz). Cette salade est particulièrement nutritive : le mélange de riz et de haricots forme une protéine complète et est très riche en glucides complexes et en fibres.

1 c. à thé	huile végétale	5 ml
1 tasse	riz à grain long	250 ml
1	boîte (19 oz/540 ml) de haricots rouges	1
1	boîte (19 oz/540 ml) de haricots noirs OU pinto OU romains	1
1 1/2 tasse	petits pois surgelés (décongelés)	375 ml
1 tasse	céleri tranché	250 ml
1	boîte (4 oz/114 ml) de piments chili verts égouttés et hachés	1
1/2 tasse	oignon haché	125 ml
1/4 tasse	coriandre fraîche hachée OU persil	50 ml

Vinaigrette :

1/3 tasse	vinaigre de vin rouge	75 ml
1/4 tasse	huile végétale	50 ml
1/4 tasse	eau	50 ml
1 c. à thé	ail émincé	5 ml
1/2 c. à thé	sel	2 ml
1/4 c. à thé	poivre	1 ml

Dans une casserole, faites chauffer l'huile à feu moyen. Ajoutez le riz et remuez pour bien enrober d'huile. Ajoutez 2 tasses (500 ml) d'eau bouillante, couvrez et laissez mijoter pendant 20 minutes ou jusqu'à ce que l'eau soit absorbée et le riz tendre. Mettez le riz dans un saladier et laissez refroidir.

Égouttez et rincez les haricots rouges et noirs et ajoutez-les au riz dans le saladier. Ajoutez ensuite les petits pois, le céleri, les piments, l'oignon et la coriandre ; réservez.

Vinaigrette : dans le robot culinaire ou dans un bol, mélangez bien le vinaigre, l'huile, l'eau, l'ail, le sel et le poivre. Versez la vinaigrette sur la salade et mélangez. Couvrez et placez au réfrigérateur jusqu'à 2 jours.

Donne 12 portions d'environ 3/4 tasse (175 ml) chacune.

Pâtes et haricots en salade

Vous pouvez, dans cette recette, remplacer le riz par 3 tasses (750 ml) d'orzo cuit (pâte ressemblant à un gros grain de riz).

PAR PORTION		
Calories		**193**
g	matières grasses	**5**
g	gras saturés	**traces**
g	fibres	**6**
g	protéines	**7**
g	glucides	**30**
mg	cholestérol	**0**
mg	sodium	**433**
mg	potassium	**367**

Riz sauvage et boulghour citronnés

À un souper du club des gourmets, mon amie Susan Pacaud, chef hors pair, nous a fait goûter à sa création. Depuis, je sers fréquemment cette salade à des barbecues ou pour agrémenter mes buffets.
(Voir photo vis-à-vis de la page 186.)

3/4 tasse	boulghour	175 ml
1 1/2 tasse	bouillon de poulet	375 ml
3/4 tasse	riz sauvage, rincé et égoutté	175 ml
2	grosses tomates, en dés	2
1 tasse	persil frais haché	250 ml
1/4 tasse	oignons verts hachés finement	50 ml

Vinaigrette au citron :

1/4 tasse	jus de citron	50 ml
2	gousses d'ail, émincées	2
1/2 c. à thé	sel	2 ml
1/4 tasse	huile d'olive	50 ml
	Poivre	

Faites tremper le boulghour dans 6 tasses (1,5 L) d'eau chaude pendant 1 heure ; égouttez bien.

Pendant ce temps, portez à ébullition le bouillon de poulet et le riz. Couvrez, baissez le feu et laissez mijoter pendant 40 à 45 minutes ou jusqu'à ce que les grains de riz soient gonflés et tendres, sans être mous, et que le liquide soit presque entièrement absorbé. Égouttez le riz, au besoin et laissez-le refroidir.

Dans un saladier, mélangez le boulghour, le riz, les tomates, le persil et les oignons verts.

Vinaigrette au citron : dans un robot culinaire ou dans un bol, mettez le jus de citron, l'ail et le sel ; mélangez bien. Ajoutez l'huile et battre à l'aide d'un fouet. Assaisonnez de poivre au goût. Versez la vinaigrette sur la salade et mélangez bien. Couvrez et réfrigérez jusqu'au moment de servir ou jusqu'à 2 jours.

Donne 10 portions de 1/2 tasse (125 ml) chacune.

SOUPER DE LA FÊTE DU CANADA

Bifteck de flanc mariné aux agrumes et au poivre (p. 122)
Riz sauvage et boulghour citronnés
Asperges
Salade verte
Shortcake aux fraises au goût du cœur (p. 218)

Tomates farcies au riz sauvage et au boulghour citronnés

Coupez les tomates en deux, évidez-les et farcissez de riz sauvage et de boulghour citronnés. Vous pouvez servir ces tomates comme repas léger ou avec des salades variées.

PAR PORTION		
Calories		153
g	matières grasses	6
g	gras saturés	1
g	fibres	2
BONNE SOURCE DE :		
vitamine C		
g	protéines	4
g	glucides	22
mg	cholestérol	0
mg	sodium	246
mg	potassium	211

Quinoa et agrumes en salade

Vous pouvez vous procurer du quinoa, céréale d'origine sud-américaine, dans les magasins d'aliments naturels. Très riche en calcium, en vitamines, en protéines et en fibres, ses grains légèrement croquants se prêtent agréablement aux salades. (Voir photo vis-à-vis de la p. 122.)

1 tasse	quinoa	250 ml
1 tasse	concombre en dés (non pelé)	250 ml
1/2 tasse	figues en dés OU abricots séchés OU raisins secs	125 ml
1/2 tasse	quartiers de mandarines en boîte, coupés en deux	125 ml
1/4 tasse	graines de tournesol OU amandes grillées	50 ml
2	oignons verts, hachés	2
2 c. à table	coriandre fraîche hachée OU persil	25 ml

Sauce :

1 c. à thé	zeste de citron OU de lime	5 ml
3 c. à table	jus de citron OU de lime	45 ml
1 c. à table	huile de sésame	15 ml
1 c. à thé	sucre	5 ml
1/4 c. à thé	cumin moulu	1 ml
1/4 c. à thé	coriandre moulue	1 ml

Rincez le quinoa à l'eau froide et égouttez-le dans une casserole. Portez à ébullition 2 tasses (500 ml) d'eau et ajoutez le quinoa en remuant. Réduisez le feu, couvrez et laissez mijoter pendant 15 minutes ou jusqu'à ce que l'eau soit absorbée et le quinoa transparent. Égouttez et laissez refroidir.

Dans un saladier, mettez le quinoa, le concombre, les figues, les quartiers de mandarines, les graines de tournesol, les oignons verts et la coriandre.

Sauce : dans un petit bol, mélangez bien le zeste et le jus de citron, l'huile de sésame, le sucre, le cumin et la coriandre. Versez la sauce sur la salade et mélangez délicatement. Servez immédiatement ou couvrez et placez au réfrigérateur jusqu'à 3 jours.

Donne 8 portions d'environ 1/2 tasse (125 ml) chacune.

À cause de leur teneur élevée en matières grasses, les noix, les avocats, les miettes de bacon, les fromages gras, les olives, les croûtons beurrés ou huilés et, bien sûr, les sauces à salade très riches doivent être utilisées avec parcimonie dans vos salades.

PAR PORTION		
Calories		**182**
g	matières grasses	**5**
g	gras saturés	**traces**
g	fibres	**3**
g	protéines	**5**
g	glucides	**32**
mg	cholestérol	**0**
mg	sodium	**6**
mg	potassium	**183**

Si vous devez servir la salade immédiatement après y avoir ajouté la vinaigrette, prévoyez de faire blanchir les légumes verts à l'eau bouillante pendant 2 à 3 minutes, ou jusqu'à ce qu'ils soient tendres mais croquants, ce qui avivera leur couleur et leur donnera une texture agréable. Si vous désirez garder cette salade pendant quelques jours au réfrigérateur, ne faites pas blanchir les légumes tels les haricots, le brocoli ou les pois mange-tout, qui ont tendance à se décolorer ou à jaunir après huit heures environ.

PAR PORTION	
Calories	135
g matières grasses	4
g gras saturés	traces
g fibres	2
BONNE SOURCE DE :	
vitamine C	
EXCELLENTE SOURCE DE :	
vitamine A	
g protéines	4
g glucides	22
mg cholestérol	0
mg sodium	40
mg potassium	231

SALADE DE PÂTES JARDINIÈRE AU BASILIC

Comme plat principal ou pour accompagner des viandes grillées, les salades de pâtes se prêtent merveilleusement aux soupers d'été. Tous les légumes s'y marient bien. Pour certaines occasions spéciales, j'ajoute des artichauts, des crevettes et des câpres. Pour un plat principal, ajoutez à votre salade du poulet cuit, de la dinde, du bœuf, du poisson, des crevettes, des pignons ou des fromages maigres.

3/4 tasse	haricots verts OU jaunes hachés	175 ml
1/2 lb	pâtes (boucles, spirales ou plumes)	250 g
2 tasses	courgettes vertes OU jaunes tranchées mince	500 ml
2	carottes moyennes, tranchées en diagonale	2
1/2	poivron rouge, en lamelles	1/2
1	grosse tomate, hachée	1
1/4 tasse	oignons verts hachés fin OU ciboulette	50 ml
1/4 tasse	olives noires (à la grecque de préférence)	50 ml
2 c. à table	basilic frais haché OU 1 c. à thé (5 ml) de basilic séché	25 ml

Vinaigrette :

3 c. à table	vinaigre de vin OU vinaigre de cidre	45 ml
2 c. à table	huile végétale OU d'olive	25 ml
2 c. à table	eau	25 ml
2 c. à table	basilic frais haché OU 1/2 c. à thé (2 ml) de basilic séché	25 ml
1 c. à thé	moutarde de Dijon	5 ml
1 c. à thé	ail émincé	5 ml
	Une pincée de flocons de piment fort	

Faites blanchir les haricots pendant 3 minutes. Égouttez-les et passez-les sous l'eau froide. Faites cuire les pâtes jusqu'à ce qu'elles soient *al dente*. Égouttez-les et rincez-les bien sous l'eau froide. Égouttez les pâtes de nouveau, mettez-les dans un grand saladier et incorporez le mélange de légumes, les olives et le basilic.

Vinaigrette : dans un petit bol, mélangez le vinaigre, l'huile, l'eau, le basilic, la moutarde, l'ail et le piment et battez à l'aide d'un fouet. Versez la sauce sur la salade et mélangez délicatement.

Donne 10 portions d'environ 1 tasse (250 ml) chacune.

Salade de fenouil et d'oranges

Cette salade croustillante et juteuse accompagnera parfaitement un buffet ou un repas aux saveurs très relevées. *(Voir 3e page en couleurs après la page 122.)*

1	petit bulbe de fenouil (d'environ 3/4 lb/375 g)	1
4	oranges	4
2	oignons verts, hachés	2
2 c. à table	persil frais haché (italien de préférence)	25 ml
	Sel et poivre	
	Laitue Boston OU feuilles d'épinards OU endives	1

Vinaigrette à l'ail :

1 c. à table	jus de citron	15 ml
1/4 c. à thé	ail émincé	1 ml
1/4 c. à thé	moutarde de Dijon	1 ml
2 c. à table	huile d'olive	25 ml

Enlevez les feuilles extérieures du bulbe de fenouil et coupez-le en tranches de 1/4 po (5 mm) d'épaisseur.

Pelez à vif les oranges et tranchez-les. Dans un bol, mélangez le fenouil, les oranges, les oignons verts et le persil.

Vinaigrette à l'ail : dans un petit bol, mélangez le jus de citron, l'ail et la moutarde ; incorporez l'huile à l'aide d'un fouet. Versez sur la salade et mélangez bien. Assaisonnez de sel et de poivre au goût. La salade peut être couverte et gardée au réfrigérateur jusqu'à 6 heures. Servez sur un lit de laitue, d'épinards ou d'endives.

Donne 8 portions.

Que signifie « sans cholestérol » sur une étiquette ?

Indique que le produit ne contient aucun cholestérol alimentaire, ce qui ne veut pas dire que nous pouvons en manger à volonté sans modifier notre taux de cholestérol sanguin.

1) On ne trouve le cholestérol alimentaire que dans les produits d'origine animale. La mention « sans cholestérol » apparaît généralement sur les aliments d'origine végétale.

2) La preuve est faite que le gras des aliments est la cause première de l'augmentation du taux de cholestérol sanguin. De ce fait, manger trop d'aliments dont la teneur en matières grasses est très élevée, peut entraîner une élévation du taux de cholestérol.

PAR PORTION		
Calories		**74**
g	matières grasses	**4**
g	gras saturés	**traces**
g	fibres	**2**
BONNE SOURCE DE : vitamine A		
EXCELLENTE SOURCE DE : vitamine C		
g	protéines	**2**
g	glucides	**10**
mg	cholestérol	**0**
mg	sodium	**7**
mg	potassium	**305**

Salade express d'épinards et de germes de luzerne

J'y ajoute parfois quelques croûtons, de l'oignon rouge ou des oignons verts hachés, du céleri, des champignons, des morceaux de pamplemousse, de pomme ou d'orange, des tomates en quartiers ou des tomates cerises, des haricots rouges ou des pois chiches. J'aime aussi la Sauce veloutée à l'ail (variante de la sauce César, p. 80) avec cette salade.

1 lb	épinards	500 g
1/2 tasse	germes de luzerne	125 ml
1/4 tasse	fromage feta émietté OU mozzarella écrémée en cubes	50 ml
2 c. à table	graines de tournesol	25 ml
1/3 tasse	Ma vinaigrette de tous les jours (p. 79)	75 ml

Parez, lavez et essorez les épinards ; déchiquetez les feuilles pour obtenir environ 10 tasses (2,5 L) de feuilles compactes. Mettez les feuilles dans un saladier et ajoutez les germes de luzerne, le fromage et les graines de tournesol. Versez la vinaigrette sur la salade.

Donne 8 portions.

PAR PORTION		
Calories		68
g	matières grasses	6
g	gras saturés	1
g	fibres	2
EXCELLENTE SOURCE DE :		
vitamine A		
g	protéines	3
g	glucides	3
mg	cholestérol	4
mg	sodium	99
mg	potassium	318

Tomates au fromage de chèvre et au basilic

S'il vous est impossible de vous procurer du basilic frais, remplacez-le par du persil, de l'origan, de la coriandre ou de l'aneth.

3	grosses tomates (à la température ambiante)	3
3 c. à table	fromage de chèvre émietté OU feta	45 ml
2 c. à thé	vinaigre balsamique OU jus de citron	10 ml
	Poivre	
3 c. à table	basilic frais haché	45 ml
	Cresson (facultatif)	

Coupez les tomates en tranches épaisses et disposez-les sur des assiettes individuelles ou sur un plat de service. Parsemez-les de fromage et arrosez de vinaigre ou de jus de citon. Assaisonnez de poivre au goût. Au moment de servir, hachez le basilic et en parsemez les tomates. Garnissez de bouquets de cresson, si désiré.

Donne 6 portions.

S'il est haché trop longtemps à l'avance, le basilic a tendance à noircir. Il vaut donc mieux le couper au moment de servir.

PAR PORTION		
Calories		30
g	matières grasses	1
g	gras saturés	1
g	fibres	1
g	protéines	1
g	glucides	4
mg	cholestérol	4
mg	sodium	58
mg	potassium	203

MA VINAIGRETTE DE TOUS LES JOURS

Les sauces qui accompagnent les salades sont très faciles à faire sans compter qu'elles sont plus savoureuses et moins coûteuses que celles du commerce. Voici quelques variantes que j'apporte très souvent à ma vinaigrette, particulièrement avec les fines herbes.

2 c. à table	huile d'olive OU végétale	25 ml
2 c. à table	jus de citron OU vinaigre de riz OU vinaigre de cidre OU vinaigre balsamique	25 ml
2 c. à table	eau	25 ml
1	petite gousse d'ail, émincée	1
1 c. à thé	moutarde de Dijon	5 ml
	Une pincée de sel et de poivre	

Dans une tasse à mesurer, un petit bol ou un bocal, mettez l'huile, le jus de citron, l'eau, l'ail, la moutarde, le sel et le poivre ; mélangez très bien.

Variantes : ajoutez l'un des ingrédients suivants à la vinaigrette
1 c. à thé (5 ml) d'huile de sésame
1/4 c. à thé (1 ml) de cumin
1 c. à table (15 ml) de parmesan frais râpé

Vinaigrette aux fines herbes : ajoutez 2 c. à table (25 ml) de fines herbes fraîches hachées (basilic, aneth ou persil, ou un mélange).

Vinaigrette aux graines de pavot : éliminez la moutarde et l'ail et ajoutez 1 c. à table (15 ml) de graines de pavot et 1 c. à thé (5 ml) de sucre.

Vinaigrette au gingembre et à l'ail : utilisez 1 c. à table (15 ml) d'huile végétale et 1 c. à table (15 ml) d'huile de sésame ; ajoutez 1 c. à thé (5 ml) de gingembre frais haché fin et éliminez la moutarde.

Donne environ 6 c. à table (90 ml).

Cette vinaigrette contient moitié moins de matières grasses que la vinaigrette traditionnelle. Toutefois, si vous suivez un régime thérapeutique à faible teneur en matières grasses, vous pouvez ajouter à cette recette 2 ou 3 c. à table (25 à 45 ml) d'eau ou alors choisir l'une des autres sauces proposées dans ce livre.

PAR C. À TABLE (15 ML)		
Calories		42
g	matières grasses	5
g	gras saturés	1
g	fibres	0
g	protéines	traces
g	glucides	1
mg	cholestérol	0
mg	sodium	11
mg	potassium	9

Préparez vous-même vos sauces à salades. Elles contiennent ainsi moins de matières grasses et sont d'autant plus savoureuses. Vous trouverez dans ce chapitre de nombreuses recettes saines et faciles à préparer.

Si vous préférez les sauces vendues dans les supermarchés, il existe aujourd'hui une grande variété de sauces à faible teneur en matières grasses et même de vinaigrettes qui n'en contiennent pas du tout. Optez pour les sauces allégées à faible teneur en calories et en matières grasses et lisez attentivement les étiquettes.

Choisissez de préférence les sauces contenant au maximum 3 g de matières grasses et, si possible, moins de 200 mg de sodium par c. à table (15 ml).

PAR C. À TABLE (15 ML)		
Calories		**18**
g	matières grasses	**1**
g	gras saturés	**traces**
g	fibres	**traces**
g	protéines	**1**
g	glucides	**1**
mg	cholestérol	**2**
mg	sodium	**42**
mg	potassium	**38**

Sauce veloutée à l'ail

Cette sauce parfumée se prête aux salades de pâtes ou de pommes de terre et se marie bien avec les épinards ou la laitue. Elle rehausse aussi les restes de légumes cuits, rafraîchis.

1/2 tasse	yogourt à faible teneur en matières grasses	125 ml
1/4 tasse	persil frais haché	50 ml
2 c. à table	mayonnaise légère	25 ml
1 c. à thé	moutarde de Dijon	5 ml
1	gousse d'ail, émincée	1
	Sel et poivre	

Dans un petit bol, mélangez le yogourt, le persil, la mayonnaise, la moutarde et l'ail ; assaisonnez de sel et de poivre au goût.

Donne environ 2/3 tasse (150 ml).

Variantes : ajoutez à la sauce l'un des ingrédients suivants

Basilic : ajoutez 2 c. à table (25 ml) de basilic frais haché.

Aneth : ajoutez 3 c. à table (45 ml) d'aneth frais haché.

Cari : ajoutez 1 à 2 c. à thé (5 à 10 ml) de poudre de cari.

Cumin : ajoutez 2 c. à thé (10 ml) de cumin.

Estragon : ajoutez 1 c. à thé (5 ml) d'estragon séché ou 1 c. à table (15 ml) d'estragon frais.

Coriandre : ajoutez 2 c. à table (25 ml) de coriandre fraîche hachée.

César : ajoutez 1 à 2 c. à table (15 à 25 ml) de fromage parmesan frais râpé.

Fromage bleu : ajoutez 1 à 2 c. à table (15 à 25 ml) de fromage bleu râpé.

Concombre : ajoutez 1/2 tasse (125 ml) de concombre en dés et 1/2 c. à thé (2 ml) de brins d'aneth.

Babeurre au concombre parfumé au basilic

Cette sauce légère et veloutée agrémente admirablement les salades vertes. Elle sera plus savoureuse si vous la préparez la veille.

1	gousse d'ail	1
2/3 tasse	babeurre	150 ml
1/3 tasse	mayonnaise légère	75 ml
1/2	concombre anglais, en morceaux	1/2
2 c. à table	basilic frais haché OU 1/2 c. à thé (2 ml) de basilic séché	25 ml
1 c. à thé	moutarde de Dijon	5 ml
1/4 c. à thé	sauce au piment fort	1 ml
1/3 tasse	yogourt à faible teneur en matières grasses	75 ml
	Sel et poivre	

Mettez en marche le robot culinaire ou le mélangeur, jetez-y l'ail et ajoutez la babeurre, la mayonnaise, le concombre, le basilic, la moutarde et la sauce au piment fort. Laissez tourner jusqu'à ce que tous les ingrédients soient bien mélangés. Incorporez le yogourt. Assaisonnez de sel et de poivre au goût. Couvrez et placez au réfrigérateur jusqu'à une semaine.

Donne environ 2 1/2 tasses (625 ml) de babeurre.

PAR C. À TABLE (15 ML)		
Calories		10
g	matières grasses	1
g	gras saturés	traces
g	fibres	0
g	protéines	traces
g	glucides	1
mg	cholestérol	1
mg	sodium	25
mg	potassium	19

Comparaison entre certains ingrédients des sauces à salades

Pour 1 c. à table (15 ml)	M.G. (g)	Gras saturés (g)	Calories
Huile (de colza, d'olive, de tournesol, de maïs ou de carthame)	14	1 à 2	120
Mayonnaise	11	1	100
Mayonnaise légère	5	0,4	50
« Miracle Whip »	7	0,4	69
« Miracle Whip » légère	4	0,2	43
Crème sure (14 % de m.g.)	3	2	28
Crème sure légère	2	1,3	23
Fromage cottage (2 % de m.g.)	0,3	0,2	13
Yogourt (1,5 % de m.g.)	0,2	0,2	10
Babeurre (1 % de m.g.)	0,1	traces	6

Salade mixte parfumée à l'huile de noix

Les salades les plus simples sont souvent les meilleures, particulièrement si vous les rehaussez d'huile de noix (ou de noisette). Vous pouvez apprêter ainsi toutes les salades de saison.

1	laitue Boston OU en feuilles	1
1/2	pied de roquette (arugula) OU de scarole OU de cresson	1/2
1	petite salade trévise	1

Vinaigrette à l'huile de noix :

2 c. à table	huile de noix	25 ml
2 c. à table	jus de citron OU vinaigre de riz	25 ml
1 c. à table	eau	15 ml
	Sel et poivre	

Parez les feuilles des différentes laitues, lavez-les et essorez-les bien ; défaites-les en fragments dans un saladier.

Vinaigrette à l'huile de noix : mélangez bien, dans un petit bol, l'huile, le jus de citron, l'eau, le sel et le poivre (au goût) ; versez sur la salade et mélangez-la.

Donne 8 portions.

Idées menu

Comme elle est très simple, cette salade peut accompagner une grande variété de mets. Vous pouvez la présenter à un buffet ou la servir à des occasions spéciales. Lorsque j'organise un buffet, je choisis un plat principal que j'accompagne de divers mets plus simples.

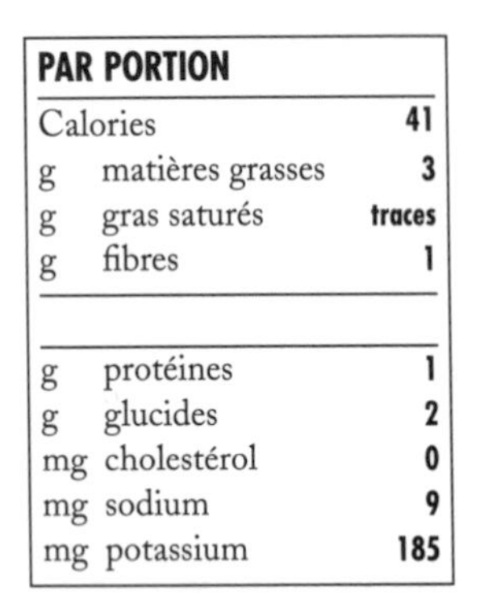

PAR PORTION		
Calories		**41**
g	matières grasses	**3**
g	gras saturés	**traces**
g	fibres	**1**
g	protéines	**1**
g	glucides	**2**
mg	cholestérol	**0**
mg	sodium	**9**
mg	potassium	**185**

VOLAILLES

MENU

Poitrines de poulet grillées à l'ail et au gingembre
Poivrons grillés
Pâtes au basilic frais et au parmesan

POITRINES DE POULET GRILLÉES À L'AIL ET AU GINGEMBRE

Voici une façon délicieuse et rapide d'apprêter le poulet. Pendant que le barbecue est chaud, faites griller des poivrons et servez avec des pâtes.

1 lb	poitrines de poulet désossées, sans peau	500 g
2 c. à table	jus de citron	25 ml
2 c. à thé	ail émincé	10 ml
2 c. à thé	gingembre frais, émincé	10 ml
2 c. à thé	huile d'olive	10 ml
1 c. à thé	cumin	5 ml
	Poivre	

Placez les poitrines de poulet entre deux feuilles de papier ciré et aplatissez-les à environ 1/2 po (1 cm) d'épaisseur.

Mélangez le jus de citron, l'ail, le gingembre, l'huile et le cumin et versez sur le poulet. Laissez mariner pendant 10 minutes à la température ambiante, ou couvrez et conservez au réfrigérateur jusqu'à 4 heures.

Faites cuire sur une grille légèrement huilée à 4 po (10 cm) de la source de chaleur, ou faites griller au four, pendant 2 à 3 minutes de chaque côté ou jusqu'à ce que la chair ait perdu sa teinte rosée à l'intérieur. Assaisonnez de poivre au goût.

Donne 4 portions.

PAR PORTION		
Calories		**163**
g	matières grasses	**5**
g	gras saturés	**1**
g	fibres	**traces**
EXCELLENTE SOURCE DE :		
niacine		
g	protéines	**26**
g	glucides	**1**
mg	cholestérol	**70**
mg	sodium	**62**
mg	potassium	**240**

SAUCE À L'ANANAS ET AUX RAISINS SECS

Les sauces aux fruits sont délicieuses avec le jambon, le porc ou la volaille. Vous pouvez remplacer les flocons de piment par des piments forts jalapeño.

1 1/2 tasse	ananas en dés (1/4 po/5 mm)	375 ml
1/2 tasse	poivron vert en dés	125 ml
1/3 tasse	oignon rouge haché	75 ml
1/3 tasse	raisins secs	75 ml
1 c. à table	vinaigre de vin OU vinaigre balsamique	15 ml
2 c. à thé	gingembre frais, émincé	10 ml
1/4 c. à thé	flocons de piment fort	1 ml

Mélangez l'ananas, le poivron vert, l'oignon, les raisins secs, le vinaigre, le gingembre et le piment. Versez dans un récipient en verre de 2 tasses (500 ml) ; couvrez et réfrigérez pendant 3 heures ou jusqu'à 4 jours.

Donne environ 2 tasses (500 ml) de sauce.

PAR PORTION DE 2 C. À TABLE (25 ML)		
Calories		**27**
g	matières grasses	**traces**
g	gras saturés	**0**
g	fibres	**traces**
g	protéines	**traces**
g	glucides	**7**
mg	cholestérol	**0**
mg	sodium	**1**
mg	potassium	**67**

Poulet à la moutarde et aux fines herbes au micro-ondes

Même si ce poulet est cuit sans la peau (dans laquelle se trouve presque la moitié du gras total du poulet), il est très juteux et savoureux grâce à son enrobage de moutarde et fines herbes. La cuisson au four micro-ondes, contrairement à la friture, permet de cuire le poulet sans ajouter de gras.

4	blancs de poulet (environ 2 lb/1 kg)	4
2 c. à table	moutarde de Dijon	25 ml
2 c. à table	yogourt à faible teneur en matières grasses	25 ml
1 c. à thé	origan séché OU 1 c. à table (15 ml) d'origan frais	5 ml
1/2 c. à thé	thym séché OU 1 c. à table (15 ml) de thym frais	2 ml
	Poivre	

Enlevez la peau du poulet. Dans un plat allant au four micro-ondes, disposez les poitrines en une seule couche, en prenant soin de placer les parties les plus épaisses vers l'extérieur.

Dans un petit bol, mélangez la moutarde, le yogourt, l'origan, le thym et du poivre au goût ; nappez le poulet du mélange.

Faites cuire au four micro-ondes, à découvert, à puissance maximale pendant 8 à 10 minutes ou jusqu'à ce que la chair ait perdu sa teinte rosée à l'intérieur ; tournez le plat après 4 minutes de cuisson.

Méthode au four : suivez la recette ci-dessus. Faites cuire au four, à découvert, à 350 °F (180 °C) pendant 45 à 50 minutes ou jusqu'à ce que la chair ait perdu sa teinte rosée.

Donne 4 portions.

Pour une seule portion, divisez la recette en quatre. Faites cuire au four micro-ondes, à découvert, à puissance maximale pendant 4 minutes.

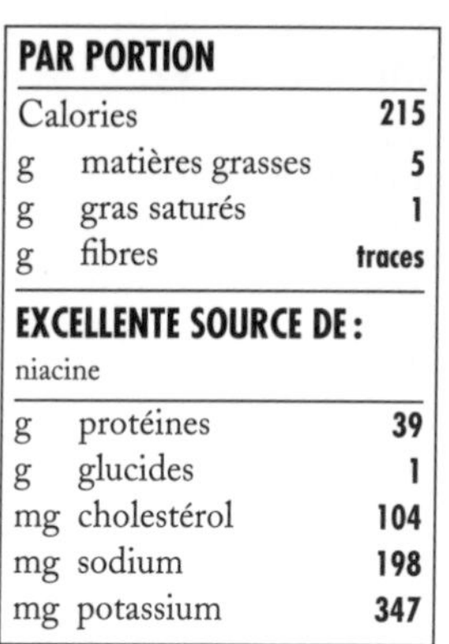

PAR PORTION		
Calories		**215**
g	matières grasses	**5**
g	gras saturés	**1**
g	fibres	**traces**
EXCELLENTE SOURCE DE :		
niacine		
g	protéines	**39**
g	glucides	**1**
mg	cholestérol	**104**
mg	sodium	**198**
mg	potassium	**347**

✓ À PRÉPARER À L'AVANCE

POULE AU POT

Voici l'une des façons les plus rapides et les plus simples de préparer un repas qui réunit poulet, pommes de terre et légumes dans une seule casserole. C'est aussi un bon moyen de faire découvrir à vos enfants de nouveaux légumes. Ce plat contient des patates douces et, ainsi apprêtées, elles n'ont pas un goût aussi prononcé ni une texture aussi sèche que lorsqu'elles sont cuites au four. Mes enfants en ont mangé sans s'en rendre compte et, à leur grande surprise, les ont aimées. Vous pouvez remplacer les patates douces par des carottes, des navets ou des courges en cubes.

3 lb	poulet en morceaux, sans peau	1,5 kg
4 tasses	eau	1 L
2	tranches de bacon, coupées en morceaux	2
3	poireaux OU oignons moyens	3
2	feuilles de laurier	2
1 c. à thé	thym séché	5 ml
5	pommes de terre rouges, coupées en deux	5
1	grosse patate douce (12 oz/375 g), pelée et coupée en morceaux	1
1/2	petit chou	1/2
1	gousse d'ail, émincée	1
1/4 tasse	persil frais haché	50 ml
	Sel et poivre	

Si vous utilisez un poulet entier, enlevez la peau avant de le couper.

Dans une grande casserole, mettez le poulet, l'eau et le bacon ; portez à ébullition et écumez.

Coupez les poireaux en deux dans le sens de la longueur et nettoyez-les sous le robinet ; coupez-les en morceaux de 2 po (5 cm) de long. Si vous utilisez des oignons, coupez-les en quartiers. Mettez les poireaux dans la casserole avec les feuilles de laurier, le thym, les pommes de terre rouges et la patate douce ; couvrez et laissez mijoter pendant 10 minutes.

Coupez le chou en pointes de 1 po (2,5 cm) de large et ajoutez à la casserole ; couvrez et laissez mijoter pendant 10 minutes ou jusqu'à ce que les légumes soient tendres.

À l'aide d'une écumoire, répartissez le poulet et les légumes dans six grands bols à soupe. Retirez les feuilles de laurier. Augmentez le feu à vif et faites bouillir le liquide pendant 3 à 5 minutes ou jusqu'à ce qu'il en reste environ 3 tasses (750 ml). Incorporez l'ail, le persil, du sel et du poivre au goût ; versez du bouillon sur chaque portion.

Donne 6 portions.

PAR PORTION		
Calories		**403**
g	matières grasses	**8**
g	gras saturés	**2**
g	fibres	**6**
BONNE SOURCE DE : riboflavine		
EXCELLENTE SOURCE DE : vitamines A et C, thiamine, niacine, fer		
g	protéines	**32**
g	glucides	**51**
mg	cholestérol	**80**
mg	sodium	**153**
mg	potassium	**1188**

Brochettes de poulet avec poivrons et courgettes

Les poivrons rouges et jaunes grillés sont superbes et conviennent très bien aux brochettes. Les tomates cerises et les gros champignons sont également très colorés et faciles à enfiler sur les brochettes, et ils cuisent relativement vite. Si vous utilisez des brochettes de bois, prenez soin de les faire tremper dans l'eau d'abord, pendant au moins 20 minutes pour éviter qu'elles brûlent.

1	poivron jaune	1
2	petits poivrons rouges	2
2	petites courgettes (7 po/18 cm)	2
1 lb	poulet désossé et sans peau, en cubes	500 g
2 c. à table	jus de citron	25 ml
1 c. à thé	huile d'olive	5 ml
2 c. à thé	romarin séché	10 ml
1/2 c. à thé	thym séché	2 ml
	Poivre	

Évidez les poivrons et coupez-les en morceaux de 1 po (2,5 cm). Coupez les courgettes en rondelles de 1/2 po (1 cm) d'épaisseur. Enfilez les légumes sur les brochettes en alternant avec le poulet. Mélangez le jus de citron et l'huile et badigeonnez-en les brochettes. Parsemez de romarin, de thym et de poivre au goût. Couvrez et conservez au réfrigérateur jusqu'à 24 heures.

Faites cuire les brochettes sur le gril à feu vif, en les retournant toutes les 5 minutes et en les badigeonnant avec le reste du mélange de jus de citron, pendant environ 20 minutes ou jusqu'à ce que les brochettes soient bien dorées et que le poulet ait perdu sa teinte rosée à l'intérieur.

Donne 4 portions.

Si vous pouvez vous procurer des fines herbes fraîches, remplacez les herbes séchées par 2 brins de thym et 2 brins de 2 po (5 cm) de romarin frais. Détachez les feuilles du romarin et hachez le thym, et insérez entre les légumes et le poulet.

PAR PORTION		
Calories		**169**
g	matières grasses	**4**
g	gras saturés	**1**
g	fibres	**2**
EXCELLENTE SOURCE DE :		
vitamine C, niacine		
g	protéines	**26**
g	glucides	**5**
mg	cholestérol	**70**
mg	sodium	**65**
mg	potassium	**465**

FONDUE AU POULET DANS UN BOUILLON AU GINGEMBRE

Voici une façon simple et élégante de régaler votre famille ou vos invités. En utilisant du bouillon de poulet plutôt que de l'huile pour la cuisson, et en accompagnant la fondue de légumes et de sauces à faible teneur en matières grasses, le gras et les calories sont réduits au minimum. Servez avec du riz.

Bouillon à fondue :

4 tasses	bouillon de poulet	1 L
2/3 tasse	vin blanc OU 1/4 tasse (50 ml) de cidre OU de vinaigre de riz	150 ml
2	tranches de citron	2
2	grosses gousses d'ail, émincées	2
2 c. à table	gingembre frais, émincé	25 ml
2 c. à thé	sucre	10 ml

Plateau de poulet et de légumes :

1 lb	poitrines de poulet désossées, sans peau	500 g
1/2	pied de brocoli	1/2
1	petite courge jaune d'été OU courgette	1
2 tasses	bette à carde OU laitue romaine déchiquetée	500 ml
1	poivron rouge OU vert	1
1/4 lb	champignons	125 g
	Sauce à l'ail (voir recette ci-après)	
	Sauce chili (voir recette ci-après)	

Bouillon à fondue : dans un plat à fondue, un poêlon ou un wok électrique, mettez le bouillon de poulet, le vin blanc, les tranches de citron, l'ail, le gingembre et le sucre. Faites frémir juste avant de servir.

Plateau de poulet et de légumes : coupez le poulet en morceaux de 3/4 po (2 cm) et disposez sur un plat de service. Coupez le brocoli, la courge d'été, la bette à carde et le poivron en bouchées ; disposez avec les champignons sur un autre plat.

À l'aide de fourchettes à fondue, piquez le poulet ou les légumes et trempez-les dans le bouillon à fondue. Faites cuire le poulet jusqu'à ce que la chair ait perdu sa teinte rosée à l'intérieur, et les légumes jusqu'à ce qu'ils soient tendres mais croquants. Accompagnez de sauce à l'ail et de sauce chili en guise de trempettes.

Donne 4 portions.

PAR PORTION
(sans sauce)

	Calories	179
g	matières grasses	3
g	gras saturés	1
g	fibres	38

BONNE SOURCE DE :
vitamine A, fer, riboflavine

EXCELLENTE SOURCE DE :
vitamine C, niacine

g	protéines	29
g	glucides	8
mg	cholestérol	70
mg	sodium	212
mg	potassium	668

SAUCE À L'AIL

Pour varier cette sauce, remplacez l'ail par de la coriandre ou du basilic frais haché, au goût, et réduisez la quantité de persil à 1 c. à table (15 ml).

PAR C. À TABLE (15 ML)		
Calories		14
g	matières grasses	1
g	gras saturés	traces
g	fibres	traces
g	protéines	1
g	glucides	1
mg	cholestérol	1
mg	sodium	6
mg	potassium	31

1/2 tasse	crème sure légère OU yogourt à faible teneur en matières grasses OU un mélange des deux	125 ml
2	gousses d'ail, émincées	2
1/4 tasse	persil frais haché	50 ml

Dans un petit bol, mélangez la crème sure, l'ail et le persil.

Donne environ 1/2 tasse (125 ml) de sauce.

SAUCE CHILI

Les enfants préféreront peut-être une version adoucie de cette sauce assez épicée ; d'autres, au contraire, voudront doubler la quantité de sauce au piment fort. Servez comme trempette.

PAR C. À TABLE (15 ML)		
Calories		15
g	matières grasses	traces
g	gras saturés	0
g	fibres	traces
g	protéines	traces
g	glucides	4
mg	cholestérol	0
mg	sodium	132
mg	potassium	10

1/4 tasse	vinaigre de riz	50 ml
2 c. à table	sucre	25 ml
2 c. à table	jus de citron OU de limette	25 ml
1 c. à table	sauce soja à faible teneur en sodium	25 ml
1/2 c. à thé	sauce au piment fort	2 ml

Dans un petit bol, mélangez le vinaigre de riz, le sucre, le jus de citron ou de limette, la sauce soja et la sauce au piment fort.

Donne environ 1/2 tasse (125 ml) de sauce.

Poulet grillé au citron et au romarin

Plus mes journées sont chargées, plus j'ai tendance à simplifier mes recettes. Maintenant que je cultive un plant de romarin dans mon jardin, voici comment j'apprête souvent le poulet. (Voir photo vis-à-vis de la page 90.)

4	blancs de poulet, sans peau (environ 1 lb/500 g)	4
1/4 tasse	jus de citron	50 ml
2	grosses tiges de romarin frais OU 1 c. à table (15 ml) de romarin séché	2
	Poivre	

Dans un plat peu profond, disposez les poitrines de poulet en une seule couche. Versez le jus de citron sur le poulet et retournez pour enrober les deux côtés. Séparez les feuilles des tiges du romarin et parsemez-en le poulet. Assaisonnez de poivre au goût.

Laissez reposer à la temparature ambiante pendant 20 minutes, ou couvrez et conservez au réfrigérateur jusqu'à 6 heures. Faites cuire le poulet sur une grille vaporisée d'un enduit végétal antiadhésif au-dessus d'une braise ardente, ou au gaz à feu moyen-vif, pendant 4 à 5 minutes de chaque côté ou jusqu'à ce que la chair ait perdu sa teinte rosée à l'intérieur.

Donne 4 portions.

PAR PORTION		
Calories		149
g	matières grasses	3
g	gras saturés	1
g	fibres	0
g	protéines	27
g	glucides	2
mg	cholestérol	73
mg	sodium	64
mg	potassium	247

Polenta aux fines herbes avec parmesan (p. 184), Poulet grillé au citron et au romarin (ci-dessus), Brocoli au sésame (p. 145).

Comment brider un poulet

Utilisez une ficelle de coton pour fixer les cuisses et les ailes au corps du poulet. Ceci empêche les cuisses et les ailes de brûler ou de cuire plus vite que le reste du poulet.

Farce au thym et au citron

Cette recette donne 9 tasses (2,25 L) de farce, soit suffisamment pour farcir 2 poulets à rôtir de 5 lb (2,5 kg) chacun. Enveloppez l'excédent de farce dans un papier d'aluminium et faites cuire au four pendant 20 minutes. Pour farcir un seul poulet, divisez la recette en deux.

PAR PORTION (de poulet)	
Calories	**235**
g matières grasses	**8**
g gras saturés	**2**
g fibres	**1**
EXCELLENTE SOURCE DE : niacine	
g protéines	**30**
g glucides	**9**
mg cholestérol	**88**
mg sodium	**132**
mg potassium	**344**

Poulet rôti au thym et au citron

Je ne suis généralement aucune recette lorsque je prépare une farce pour du poulet. Je réduis d'abord en miettes du pain de blé entier à l'aide du robot culinaire. J'y ajoute un oignon haché, des fines herbes et ce que j'ai d'autre sous la main, comme des pommes, du céleri ou des champignons. Voici l'une de mes farces préférées.

2	poulets de 5 lb (2,5 kg) chacun OU 1 chapon de 9 lb (4,5 kg)	2

Farce :

3 tasses	pain émietté	750 ml
3	pommes, évidées et hachées	3
2	oignons, hachés	2
3	branches de céleri avec les feuilles, hachées	3
3 c. à table	feuilles de thym frais OU 2 c. à thé (10 ml) de thym séché	45 ml
	Zeste râpé de 1 citron	
	Sel et poivre	

Rincez la cavité du poulet et asséchez l'intérieur et l'extérieur à l'aide d'un essuie-tout.

Dans un grand bol, mélangez bien le pain, les pommes, les oignons, le céleri, le thym et le citron. Assaisonnez de sel et de poivre au goût.

Remplissez la cavité du poulet de farce. Bridez le poulet avec de la ficelle et déposez-le sur la grille de la rôtissoire, la poitrine vers le haut. Faites rôtir au four à 325 °F (160 °C) pendant environ 35 minutes par livre (500 g), ou jusqu'à ce que le liquide qui s'écoule du poulet lorsqu'on le pique soit clair.

Donne 16 portions de 4 oz (125 g) chacune.

Truite saumonée grillée et sauce à la papaye et au concombre (p. 104).

MENU

Blancs de poulet au basilic frais
Céleri et champignons sautés à l'huile de sésame (p. 146)
Purée de pommes de terre et de carottes
Yogourt glacé aux framboises (p. 220)
Biscuits aux épices et à la compote de pommes (p. 206)

PAR PORTION	
Calories	**165**
g matières grasses	**3**
g gras saturés	**1**
g fibres	**traces**
EXCELLENTE SOURCE DE :	
niacine	
g protéines	**28**
g glucides	**4**
mg cholestérol	**74**
mg sodium	**99**
mg potassium	**286**

BLANCS DE POULET AU BASILIC FRAIS

Voici une recette idéale pour vos réceptions, car elle peut être préparée à l'avance. Il est essentiel d'utiliser du basilic frais pour rehausser le goût de ce plat savoureux et vite fait, que vous pouvez servir avec n'importe quel légume. Préparez vous-même votre pain émietté à l'aide du robot culinaire, car les préparations commerciales sont trop fines et trop sèches pour cette recette.

10	blancs de poulet, sans peau environ 2 1/2 lb (1,25 kg)	10
3/4 tasse	yogourt à faible teneur en matières grasses	175 ml
1/2 tasse	basilic frais haché	125 ml
2 c. à thé	fécule de maïs	10 ml
1 tasse	pain de blé entier émietté*	250 ml
	Sel et poivre	
2 c. à table	parmesan frais râpé (facultatif)	25 ml

Disposez les poitrines en une seule couche dans un plat allant au four. Dans un bol, combinez le yogourt, le basilic et la fécule de maïs ; mélangez bien et versez sur le poulet.

Assaisonnez le pain de sel et de poivre au goût et incorporez le parmesan (s'il y a lieu) ; parsemez le poulet du mélange. (Si vous préparez la recette à l'avance, couvrez et conservez au réfrigérateur jusqu'à 6 heures.)

Faites cuire le poulet au four à 375 °F (190 °C) pendant 30 minutes ou jusqu'à ce que la chair ait perdu sa teinte rosée à l'intérieur.

Donne 10 portions.

* Environ 2 tranches de pain. Si vous devez utiliser une préparation commerciale de chapelure, environ 3 c. à table (45 ml) suffiront.

La pâte de piments, tel le Sambal Oelek, donne une délicieuse touche de piquant à ce sauté. Cette sauce se conserve longtemps au réfrigérateur. Elle est excellente dans les sauces pour pâtes, les soupes et les mets à base de viande.

PAR PORTION		
Calories		**228**
g	matières grasses	**6**
g	gras saturés	**1**
g	fibres	**3**
BONNE SOURCE DE :		
magnésium		
EXCELLENTE SOURCE DE :		
vitamines A et B_6, niacine		
g	protéines	**28**
g	glucides	**16**
mg	cholestérol	**66**
mg	sodium	**242**
mg	potassium	**648**

Poulet sauté vite fait

Servez ce plat sauté sur un lit vite fait de riz ou de nouilles pour un repas facile à préparer. J'utilise ici des légumes que tout le monde peut trouver toute l'année. Ajoutez ou remplacez par tout autre légume que vous avez sous la main : champignons, oignons verts, poivrons, pois mange-tout ou tomates cerises. Vous pouvez acheter la sauce hoisin en bouteille au rayon des produits chinois de votre supermarché. Elle se conserve au réfrigérateur pendant des mois et constitue une façon rapide et simple de rehausser vos plats. Si vous n'en avez pas , utilisez du xérès ou de la sauce soja, au goût.

1 lb	poitrines de poulet désossées, sans peau	500 g
1 c. à table	huile végétale	15 ml
2 c. à table	gingembre frais, haché	25 ml
2	petites gousses d'ail, émincées	2
2	oignons, hachés grossièrement	2
2	carottes, tranchées mince en biais	2
2	branches de céleri, tranchées en biais	2
2 tasses	chou émincé OU bouquets de brocoli	500 ml
2 c. à table	sauce hoisin	25 ml
	Sauce au piment fort OU pâte de piments forts	

Coupez le poulet en cubes de 1 po (2,5 cm). Dans un grand poêlon à revêtement antiadhésif ou un wok, faites chauffer l'huile à feu vif. Faites sauter le gingembre, l'ail et le poulet pendant 3 minutes ou jusqu'à ce qu'ils brunissent légèrement. Ajoutez les oignons et faites sauter pendant encore 1 minute.

Incorporez les carottes, le céleri et le chou ou le brocoli. Faites sauter pendant 4 minutes ou jusqu'à ce que les légumes soient tendres mais croquants, en prenant soin d'ajouter une cuillerée d'eau au besoin pour empêcher les aliments de brûler. Incorporez la sauce hoisin et la sauce au piment fort.

Donne 4 portions.

Poulet aux pommes de terre croustillantes de Jane Freiman

Jane Freiman, critique gastronomique et auteur new-yorkais, a mis au point cette excellente recette dans le cadre du projet américain « LEAN ». Prenez soin de bien assécher les pommes de terre pour obtenir une garniture croustillante et dorée.

1 1/3 tasse	pommes de terre pelées et râpées (8 oz/250 g)	325 ml
3 c. à table	moutarde de Dijon	45 ml
1	grosse gousse d'ail, émincée	1
4	blancs de poulet (2 lb/1 kg), sans peau	4
1 1/2 c. à thé	huile d'olive	7 ml
	Poivre	
	Persil frais haché OU ciboulette OU coriandre	

Placez les pommes de terre dans un bol d'eau glacée et laissez reposer pendant 5 minutes.

Dans un petit bol, mélangez la moutarde et l'ail. Rincez le poulet et asséchez-le. Badigeonnez uniformément le côté charnu des poitrines de poulet du mélange de moutarde. Disposez, côté osseux vers le bas, sur une rôtissoire tapissée de papier d'aluminium.

Égouttez les pommes de terre et asséchez-les bien à l'aide d'essuie-tout. Dans un bol, mélangez bien les pommes de terre et l'huile. Couvrez uniformément chaque blanc de poulet d'environ 1/3 tasse (75 ml) de pommes de terre de façon à former une « pelure ». Poivrez légèrement.

Faites cuire au four à 425 °F (220 °C) pendant 35 à 40 minutes ou jusqu'à ce que la chair ait perdu sa teinte rosée à l'intérieur et que les pommes de terre soient dorées. (Si les pommes de terre ne brunissent pas, faites-les griller au four pendant environ 5 minutes ou jusqu'à ce qu'elles soient dorées, en surveillant de près.) Garnissez au goût de fines herbes hachées. Servez immédiatement.

Donne 4 portions.

PAR PORTION		
Calories		272
g	matières grasses	7
g	gras saturés	2
g	fibres	1
EXCELLENTE SOURCE DE :		
niacine		
g	protéines	39
g	glucides	12
mg	cholestérol	101
mg	sodium	244
mg	potassium	510

✓ À PRÉPARER À L'AVANCE

MENU DE BUFFET

(Voir photo après la page 122)

Poulet marocain avec couscous

Haricots verts ou asperges

Poireaux et poivrons grillés (p. 135)

Salade de fenouil et d'oranges (p. 77)

PAR PORTION (sans couscous)	
Calories	**239**
g matières grasses	**3**
g gras saturés	**1**
g fibres	**5**
BONNE SOURCE DE : fer	
EXCELLENTE SOURCE DE : vitamine A, niacine	
g protéines	**25**
g glucides	**27**
mg cholestérol	**56**
mg sodium	**88**
mg potassium	**573**

POULET MAROCAIN AVEC COUSCOUS

J'aime bien servir ce plat lorsque je sers un buffet à mes invités. D'un goût sublime, il se prépare à l'avance et se mange facilement avec une fourchette, sans couteau. Servez avec du couscous (p. 176) ou avec du riz brun ou blanc. Vous pouvez également ajouter du navet ou remplacer la patate douce par du navet. (Voir 2e page en couleurs après la page 122.)

1 1/4 lb	poulet désossé, sans peau, en cubes	625 g
3	oignons, tranchés mince	3
2 tasses	eau	500 ml
1 c. à table	gingembre frais, émincé	15 ml
1 c. à thé	curcuma	5 ml
1 c. à thé	cannelle	5 ml
1 c. à thé	sucre	5 ml
1/2 c. à thé	safran (facultatif)	2 ml
1	patate douce, pelée, en cubes	1
4	carottes, en gros morceaux	4
1 tasse	pois chiches en conserve OU cuits	250 ml
1/4 tasse	raisins de Corinthe	50 ml
1 c. à table	jus de citron	15 ml
1	petite courgette (6 oz/170 g), en gros morceaux	1
2 c. à table	persil frais haché OU coriandre	25 ml
	Sel et poivre	
1 1/2 tasse	couscous	375 ml

Dans un poêlon à revêtement antiadhésif ou une casserole, faites revenir le poulet à feu vif. Mettez-le dans une assiette et réservez. À feu moyen, ajoutez les oignons et faites cuire pendant 5 minutes, en remuant de temps en temps, ou jusqu'à ce qu'ils soient tendres.

Incorporez l'eau, le gingembre, le curcuma, la cannelle, le sucre et le safran (s'il y a lieu) et faites frémir. Ajoutez la patate douce et les carottes, couvrez et laissez mijoter pendant 20 minutes.

Ajoutez les pois chiches, les raisins de Corinthe et le jus de citron. (Vous pouvez interrompre la préparation ici ; laissez refroidir, couvrez et conservez au réfrigérateur jusqu'à 2 jours. Faites frémir avant de poursuivre.)

Ajoutez la courgette et le poulet ; couvrez et laissez mijoter pendant 10 minutes ou jusqu'à ce que la chair du poulet ait perdu sa teinte rosée à l'intérieur et que les légumes soient tendres. Garnissez de persil ; salez et poivrez au goût.

Cuisez le couscous selon la recette donnée en page 176.

Donne 6 portions.

✓ À PRÉPARER À L'AVANCE

Si vous n'avez pas de restes de dinde sous la main, vous pouvez pocher une poitrine de dinde pour faire cette recette.

Dans une grande casserole, portez à ébullition 6 tasses (1,5 L) d'eau. Ajoutez une poitrine de dinde non désossée de 1 1/2 lb (750 g) en plaçant le côté avec la peau vers le bas. Réduisez le feu à moyen ; couvrez et laissez mijoter pendant 20 à 25 minutes ou jusqu'à ce que la chair ait perdu sa teinte rosée à l'intérieur. Retirez de l'eau et laissez refroidir avant de trancher.

PAR PORTION		
Calories		**309**
g	matières grasses	**14**
g	gras saturés	**6**
g	fibres	**2**

BONNE SOURCE DE : vitamine A, thiamine, fer

EXCELLENTE SOURCE DE : vitamine C, niacine, riboflavine, calcium

g	protéines	**32**
g	glucides	**15**
mg	cholestérol	**71**
mg	sodium	**266**
mg	potassium	**526**

DINDE DIVAN

Voici une recette de Shannon Graham, amie et collaboratrice, qui m'a aidée à tester des recettes pour tous mes livres. C'est une très bonne façon d'utiliser vos restes de dinde ou de poulet. La sauce se prépare rapidement et facilement au four micro-ondes. Je préfère faire cuire le brocoli dans de l'eau bouillante plutôt qu'au four micro-ondes, car le temps de cuisson est le même et le brocoli est plus tendre et plus coloré.

1	pied de brocoli	1
2 c. à table	margarine molle	25 ml
1/4 tasse	farine tout usage	50 ml
2 tasses	lait	500 ml
3/4 tasse	mozzarella partiellement écrémée, râpée (environ 3 oz/90 g)	175 ml
2 c. à table	parmesan frais râpé	25 ml
	Poivre	
12 oz	dinde cuite, tranchée OU poulet (environ 3 tasses/750 ml)	375 g
	Paprika	

Coupez le brocoli en gros morceaux ; pelez les tiges et coupez-les en quatre sur la longueur. Coupez en morceaux de 3 po (8 cm). Dans une grande casserole d'eau bouillante, faites cuire le brocoli pendant 2 à 3 minutes ou jusqu'à ce qu'il soit tendre mais croquant, et égouttez bien. Disposez dans un plat non graissé de 12 po × 8 po (3 L) allant au four.

Dans une autre casserole, faites fondre la margarine à feu moyen-doux et incorporez la farine jusqu'à consistance lisse. Incorporez le lait à l'aide d'un fouet ; faites cuire en remuant fréquemment jusqu'à ce que le mélange épaississe. Ajoutez le fromage mozzarella et 1 c. à table (15 ml) de parmesan, et remuez jusqu'à ce qu'ils soient fondus. Poivrez au goût.

Disposez les tranches de dinde sur le brocoli et nappez de sauce au fromage en prenant soin de répartir la sauce uniformément. Parsemez du reste de parmesan et de paprika au goût. Faites cuire au four, à couvert, à 350 °F (180 °C) pendant 25 minutes. Découvrez et faites cuire pendant 5 minutes de plus, ou jusqu'à ce que le fromage bouillonne.

Méthode au four micro-ondes : dans un plat de 12 po × 8 po (3 L) allant au four micro-ondes, mettez le brocoli et 2 c. à table (25 ml) d'eau ; couvrez d'une pellicule de plastique en laissant un coin relevé et faites cuire au four micro-ondes à puissance maximale pendant 4 à 6 minutes ou jusqu'à ce que le brocoli soit *al dente*.

Égouttez et réservez.

Dans un bol de 4 tasses (1 L) allant au four micro-ondes, faites fondre la margarine au four micro-ondes à puissance maximale pendant environ 10 secondes. Retirez du four micro-ondes et incorporez la farine jusqu'à consistance lisse ; à l'aide d'un fouet, incorporez le lait jusqu'à consistance homogène. Faites cuire au four micro-ondes à puissance maximale pendant 5 à 7 minutes, ou jusqu'à ce que le mélange épaisisse, en battant à l'aide d'un fouet après 2 minutes, puis après chaque minute.

Incorporez le fromage mozzarella et 1 c. à table (15 ml) de parmesan et remuez jusqu'à ce qu'ils soient fondus. Poivrez au goût.

Disposez les tranches de dinde sur le brocoli ; nappez de sauce au fromage en prenant soin de répartir la sauce uniformément. Couvrez d'un papier ciré et faites cuire au four micro-ondes à puissance moyenne-maximale (70 %) pendant 5 à 8 minutes ou jusqu'à ce que le plat soit bien chaud. Laissez reposer pendant 2 à 3 minutes.

Donne 5 portions.

DINDE GRILLÉE À L'ORANGE ET À L'ESTRAGON

L'escalope de dinde est maigre et faible en calories, et elle se prépare rapidement. Si vous n'arrivez pas à en trouver au magasin, achetez des poitrines de poulet désossées, sans peau, et aplatissez-les entre deux feuilles de papier ciré. Vous pouvez également acheter une poitrine de dinde, couper la viande en tranches minces et faire congeler ce que vous n'utilisez pas.

MENU

Dinde grillée à l'orange et à l'estragon
Asperges
Quinoa et agrumes en salade (p. 75)
Petits gâteaux aux raisins secs glacés au citron (p. 202)

1 lb	escalopes de dinde OU de poulet	500 g
1/4 tasse	jus d'orange	50 ml
1 c. à thé	zeste d'orange	5 ml
1	gousse d'ail moyenne, émincée	1
1 c. à thé	estragon séché	5 ml
	Minces tranches d'orange	

Placez la dinde dans un plat peu profond. Mélangez le jus et le zeste d'orange, l'ail et l'estragon ; versez sur la dinde en la retournant pour enrober les deux côtés. Laissez reposer pendant 5 minutes à la température ambiante, ou couvrez et conservez au réfrigérateur jusqu'à 4 heures.

Vaporisez la grille d'un enduit végétal antiadhésif. Faites cuire la dinde sur le gril à feu vif ou faites griller au four pendant 2 minutes de chaque côté ou jusqu'à ce que la viande ait perdu sa teinte rosée à l'intérieur. Garnissez de tranches d'orange.

Donne 4 portions.

PAR PORTION		
Calories		130
g	matières grasses	1
g	gras saturés	traces
g	fibres	traces
EXCELLENTE SOURCE DE :		
niacine		
g	protéines	27
g	glucides	2
mg	cholestérol	74
mg	sodium	47
mg	potassium	307

Hachis de dinde et de pommes de terre

Servez-vous de cette savoureuse recette pour utiliser vos restes de dinde, de poulet, de jambon ou de rôti. Étant donné que le hachis n'est pas frit, il est essentiel d'avoir un grand poêlon à revêtement antiadhésif.

2	grosses pommes de terre, tranchées mince (environ 3 tasses/750 ml)	2
1 1/2 tasse	eau	375 ml
1	gros oignon, haché	1
1 1/2 tasse	dinde cuite en dés (6 oz/175 g)	375 ml
1 1/2 c. à thé	sauce Worcestershire	7 ml
1 c. à thé	ail émincé	5 ml
2	oignons verts, hachés	2
1 c. à thé	huile d'olive	5 ml
	Un filet de sauce au piment fort	
	Sel et poivre	

Dans un grand poêlon à revêtement antiadhésif, portez à ébullition les pommes de terre, l'eau et l'oignon. Couvrez et faites cuire à feu moyen pendant 10 minutes ou jusqu'à ce que les légumes soient tendres.

Ajoutez la dinde, la sauce Worcestershire, l'ail, les oignons verts, l'huile et la sauce au piment fort, et mélangez bien. Faites cuire à découvert à feu moyen pendant environ 5 minutes ou jusqu'à ce que le mélange commence à grésiller et que l'eau se soit évaporée.

À l'aide d'une spatule, détachez les particules croustillantes et incorporez-les au mélange. Faites cuire pendant 10 minutes de plus ou jusqu'à ce que le mélange soit légèrement doré, en remuant fréquemment et en détachant les particules collées au fond du poêlon. Assaisonnez de sel et de poivre au goût.

Donne 3 portions.

PAR PORTION

Calories		**281**
g	matières grasses	**5**
g	gras saturés	**1**
g	fibres	**3**

BONNE SOURCE DE : thiamine, fer

EXCELLENTE SOURCE DE : vitamine C, niacine

g	protéines	**24**
g	glucides	**34**
mg	cholestérol	**53**
mg	sodium	**86**
mg	potassium	**890**

Essayez ces autres recettes de volaille :

Brochettes de poulet à l'orientale (p. 36)
Poulet et crevettes au cari (p. 110)
Salade de poulet et de pâtes à l'orientale (p. 68)

Poissons

Sole aux champignons et au gingembre au four micro-ondes

Filets de morue au poivron rouge et à l'oignon

Filets de sébaste aux fines herbes

Darnes de flétan grillées au romarin et sauce tomate au basilic

Truite saumonée grillée et sauce à la papaye et au concombre

Sauce à la papaye et au concombre

Filets de poisson tériyaki à l'orange

Gratin de saumon et d'épinards

Pain de saumon léger à l'aneth

Marmite de poisson et de tomates

Poulet et crevettes au cari

Moules vapeur aux tomates et au fenouil

Rémoulade au yogourt

Marinade tériyaki

Sole aux champignons et au gingembre au four micro-ondes

Les saveurs séduisantes des assaisonnements orientaux se combinent délicieusement aux champignons et aux oignons verts pour rehausser le goût délicat des filets de sole. Ce plat se prépare en un tournemain, 10 minutes seulement du début à la fin. Remplacez la sole par n'importe quelle autre variété de poisson, en donnant la préférence au plus frais.

6	champignons moyens, tranchés	6
1	oignon vert, haché	1
2	filets de sole (environ 4 oz/125 g chacun)	2
1 c. à thé	gingembre frais, râpé	5 ml
1 c. à thé	huile de sésame	5 ml
1 c. à thé	xérès sec	5 ml
1 c. à thé	sauce soja à faible teneur en sodium	5 ml

Étalez les champigons et l'oignon vert dans un plat allant au four micro-ondes, suffisamment grand pour y disposer les filets en une seule couche. Couvrez et faites cuire au four micro-ondes à puissance maximale pendant 2 minutes ; retirez tout le liquide de cuisson.

Repoussez les champignons et l'oignon vert sur les côtés du plat et disposez les filets au centre, côte à côte.

Mélangez le gingembre, l'huile, le xérès et la sauce soja, et versez uniformément sur les filets. À l'aide d'une cuillère, mettez les champignons et l'oignon vert sur les filets. Couvrez et faites cuire au four micro-ondes à puissance maximale pendant 3 minutes. Laissez reposer à couvert pendant 1 à 2 minutes ou jusqu'à ce que la chair du poisson soit complètement opaque.

Donne 2 portions.

MENU

Sole aux champignons et au gingembre au four micro-ondes
Carottes et haricots verts cuits à la vapeur
Salade express d'épinards et de germes de luzerne (p. 78)

L'aiglefin, la dorade, la sole, la morue et le flétan sont tous des poissons très maigres. Cela ne signifie pas pour autant qu'on doive les faire frire dans du gras additionnel ou les servir accompagnés d'une riche sauce au beurre. Souvenez-vous que 4 oz (125 g) de sole, de dorade, de morue ou d'aiglefin contiennent 1 g ou moins de matières grasses, mais que 1 c. à table (15 ml) de beurre en renferme 11 g et 1 c. à table (15 ml) d'huile en contient 14 g.

PAR PORTION		
Calories		**111**
g	matières grasses	**3**
g	gras saturés	**traces**
g	fibres	**1**
EXCELLENTE SOURCE DE :		
niacine		
g	protéines	**17**
g	glucides	**3**
mg	cholestérol	**54**
mg	sodium	**237**
mg	potassium	**425**

MENU

Filets de morue au poivron rouge et à l'oignon
Courge ou haricots verts cuits à la vapeur
Riz sauvage et boulghour citronnés (p. 74)
Boulghour aux oignons verts parfumé au gingembre (p. 186)

PAR PORTION	
Calories	**133**
g matières grasses	**4**
g gras saturés	**traces**
g fibres	**1**
EXCELLENTE SOURCE DE :	
vitamine C, niacine	
g protéines	**20**
g glucides	**3**
mg cholestérol	**57**
mg sodium	**83**
mg potassium	**522**

Filets de morue au poivron rouge et à l'oignon

Des filets de morue cuits juste à point et garnis de lanières de poivron rouge et de rondelles d'oignon sautées forment un plat coloré et facile à préparer. Il plaira tant à votre famille qu'à vos invités.

1 c. à table	huile d'olive	15 ml
1	poivron rouge, en fines lanières	1
4	fines tranches d'oignon rouge	4
1 c. à thé	ail émincé	5 ml
1/2 c. à thé	origan séché OU 1 c. à table (15 ml) d'origan frais	2 ml
1 lb	filets de morue, coupés en 4 morceaux	500 g
2 c. à table	persil frais haché	25 ml
	Poivre	

Dans un poêlon à revêtement antiadhésif, faites chauffer l'huile à feu moyen. Ajoutez le poivron rouge et faites sauter pendant 3 minutes.

Défaites l'oignon en rondelles et mettez dans le poêlon avec l'ail et l'origan ; faites cuire pendant 1 minute. Repoussez les légumes sur les côtés du poêlon.

Ajoutez les filets de morue, couvrez et faites cuire pendant 3 minutes. Tournez le poisson, couvrez et faites cuire pendant 2 à 3 minutes de plus ou jusqu'à ce que la chair du poisson soit opaque. Parsemez de persil et poivrez au goût. À l'aide d'une cuillère, garnissez du mélange de légumes et servez.

Donne 4 portions.

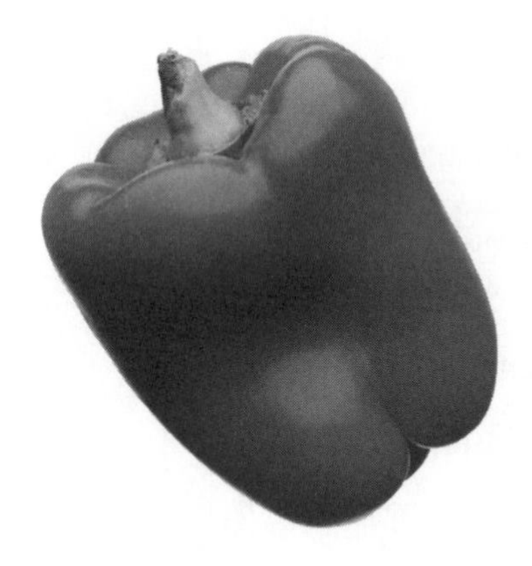

SOUPER MINUTE

Filets de sébaste aux fines herbes
Brocoli au sésame (p. 145)
Pomme de terre à l'ail au micro-ondes (p. 139)

Filets de sébaste aux fines herbes

Cette recette simple de poisson nappé d'une sauce crémeuse au citon et aux fines herbes convient également au flétan et aux filets de sole.

1 c. à table	margarine molle	15 ml
1 lb	filets de sébaste	500 g
1 c. à table	oignons verts hachés OU oignon	15 ml
1 c. à thé	zeste de citron	5 ml
1/2 tasse	yogourt à faible teneur en matières grasses	125 ml
2 c. à thé	farine tout usage	10 ml
2 c. à table	persil frais haché OU ciboulette	25 ml
1 c. à table	aneth, thym OU estragon frais haché OU 1/2 c. à thé (2 ml) d'aneth, de thym OU d'estragon séché	15 ml
	Sel et poivre	

Dans un poêlon à revêtement antiadhésif, faites fondre la margarine à feu moyen et faites cuire le poisson pendant 3 minutes de chaque côté ou jusqu'à ce que la chair soit presque opaque. Déposez dans un plat de service chaud (le poisson continuera à cuire).

Mettez les oignons verts et le zeste de citron dans le poêlon ; faites cuire pendant 1 minute ou jusqu'à ce que les oignons verts soient tendres. Mélangez le yogourt et la farine et incorporez dans le poêlon au mélange d'oignons verts. Ajoutez le persil et l'aneth ; faites frémir. Salez et poivrez au goût.

Remettez le poisson dans le poêlon pendant quelques instants pour le réchauffer et nappez de sauce.

Donne 4 portions.

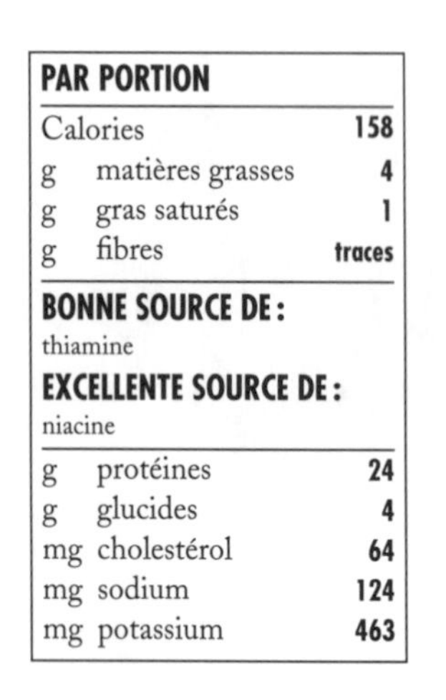

PAR PORTION		
Calories		**158**
g	matières grasses	**4**
g	gras saturés	**1**
g	fibres	**traces**
BONNE SOURCE DE :		
thiamine		
EXCELLENTE SOURCE DE :		
niacine		
g	protéines	**24**
g	glucides	**4**
mg	cholestérol	**64**
mg	sodium	**124**
mg	potassium	**463**

Darnes de flétan grillées au romarin et sauce tomate au basilic

La sauce ajoute beaucoup de couleur au poisson mais, si vous êtes à court de temps, vous pouvez très bien servir le flétan seul.

4	darnes de flétan (environ 6 oz/170 g chacune)	4
2 c. à table	jus de citron	25 ml
1 c. à table	huile d'olive	15 ml
1 c. à thé	romarin séché broyé	5 ml
	Sel et poivre	

Sauce tomate au basilic :

1/2 tasse	tomates mûres en dés	125 ml
1/4 tasse	basilic frais grossièrement haché	50 ml
2 c. à table	oignons verts finement hachés	25 ml
1 c. à table	vinaigre de vin rouge	15 ml
1 c. à table	huile d'olive	15 ml
1/2 c. à thé	zeste d'orange	2 ml
	Sel et poivre	

Déposez les darnes de flétan dans un grand plat peu profond. Mélangez le jus de citron, l'huile et le romarin ; salez et poivrez au goût.

Versez la marinade sur le flétan et retournez pour enrober les deux côtés. Couvrez et placez au réfrigérateur pendant au moins 30 minutes ou jusqu'à 4 heures.

Placez le poisson dans une rôtissoire ou sur une grille graissée, à 4 po (10 cm) de la source de chaleur ; faites cuire pendant environ 10 minutes par pouce (2,5 cm) d'épaisseur, en retournant une fois, ou jusqu'à ce que la chair soit complètement opaque. Nappez chaque darne de 2 c. à table (25 ml) de sauce tomate au basilic.

Sauce tomate au basilic : dans un petit bol et à l'aide d'un fouet, mélangez les tomates, le basilic, les oignons verts, le vinaigre, l'huile et le zeste d'orange. Assaisonnez de sel et de poivre au goût. (Donne 3/4 tasse/175 ml de sauce.)

Méthode au four micro-ondes : déposez les darnes marinées en une seule couche dans un plat allant au four micro-ondes ; couvrez d'une pellicule de plastique et faites cuire au four micro-ondes à puissance maximale pendant 4 à 5 minutes (pour des darnes de 3/4 po/1,5 cm d'épaisseur) ou jusqu'à ce que la chair soit opaque.

Donne 4 portions, avec 3/4 tasse (175 ml) de sauce.

Filets de saumon cuits sur le barbecue

Le filet, ou la darne, de saumon cuit sur le barbecue est rapide à préparer et tellement savoureux. Parfois même, le saumon, rehaussé du goût de fumée que procure la cuisson au barbecue, est à lui seul un délice. Je le fais souvent griller avec du jus de citron et du romarin (substituez le flétan au saumon dans la recette ci-contre et omettez la sauce tomate au basilic). Ou faites-le mariner dans de la marinade tériyaki (p.112) avec un peu de jus de citron.

PAR PORTION
2 c. à table (25 ml) de sauce

	Calories	24
g	matières grasses	2
g	gras saturés	traces
g	fibres	traces
g	protéines	traces
g	glucides	1
mg	cholestérol	0
mg	sodium	3
mg	potassium	52

PAR PORTION (sans sauce)

	Calories	186
g	matières grasses	4
g	gras saturés	traces
g	fibres	traces

BONNE SOURCE DE : vitamine A

EXCELLENTE SOURCE DE : niacine

g	protéines	36
g	glucides	traces
mg	cholestérol	85
mg	sodium	92
mg	potassium	770

MENU SOUPER SPÉCIAL

Rouleaux aux légumes à l'orientale (p. 24)
Truite saumonée grillée et sauce à la papaye et au concombre
Fèves germées et pois mange-tout sautés (p. 143)
Brocoli au sésame (p. 145)
Couscous citronné au basilic frais (p. 177)
Bavarois à l'orange de Chris Klugman (p. 223)
Carrés aux dattes et aux noix (p. 205)
Biscuits au gingembre (p. 208)

La truite saumonée est plus grasse que le saumon. Si vous utilisez du saumon, la teneur en matières grasses sera d'environ 9 g par portion.

PAR PORTION (avec la sauce à la papaye et au concombre)	
Calories	**255**
g matières grasses	**13**
g gras saturés	**1**
g fibres	**traces**
BONNE SOURCE DE : vitamine A, thiamine, riboflavine	
EXCELLENTE SOURCE DE : niacine, fer	
g protéines	**31**
g glucides	**2**
mg cholestérol	**28**
mg sodium	**80**
mg potassium	**401**

Truite saumonée grillée et sauce à la papaye et au concombre

Le poisson entier grillé se prête merveilleusement bien aux grandes occasions. D'apparence spectaculaire et facile à préparer, c'est un vrai régal. La truite saumonée farcie d'un mélange léger et savoureux d'oignons verts, de champignons, d'aneth et d'épinards se marie à merveille à la sauce à la papaye et au concombre, une sauce au goût frais qui remplace avantageusement l'habituelle sauce au beurre. Une truite de 3 lb (1,5 kg) pèsera environ 1 1/2 lb (750 g) après avoir été nettoyée et débarrassée de ses arêtes (laissez la tête en place pour une présentation plus attrayante). Afin de faciliter le service, demandez à votre poissonnier de retirer les arêtes tout en laissant le poisson entier. (Voir photo vis-à-vis de la page 91.)

2	truites saumonées (environ 3 lb/1,5 kg chacune) OU saumons, nettoyés et débarrassés de leurs arêtes	2
2 tasses	champignons tranchés	500 ml
1/3 tasse	échalotes hachées fin	75 ml
1 c. à thé	huile d'olive	5 ml
2 tasses	épinards frais hachés et bien tassés	500 ml
1/4 tasse	aneth frais haché	50 ml
	Sel et poivre	
1	citron, tranché mince	1
8	brins d'aneth frais	8
	Sauce à la papaye et au concombre (recette à la page suivante)	

Lavez le poisson, asséchez-le délicatement et disposez-le dans un plat graissé allant au four.

Dans un plat allant au four micro-ondes, mettez les champignons et les échalotes ; arrosez d'huile. Faites cuire à puissance maximale pendant 2 minutes ou jusqu'à ce que les légumes soient tendres (ou faites cuire dans un poêlon à revêtement antiadhésif à feu moyen).

Combinez le mélange de légumes cuits, les épinards et l'aneth ; salez et poivrez au goût. Farcissez les poissons de façon à ce que la farce reste en place sans avoir à les coudre. Garnissez le poisson d'une rangée de tranches de citron et de brins d'aneth.

Faites cuire le poisson au four à 400 °F (200 °C) pendant 25 minutes ou jusqu'à ce que la chair soit opaque (vérifiez en faisant une petite incision dans la partie la plus charnue du poisson). À l'aide de spatules, placez le poisson dans un grand plat de service. Garnissez le plat de la sauce à la papaye et au concombre. Au moment de servir, retirez et jetez la peau.

Donne 8 portions.

Sauce à la papaye et au concombre

Si vous ne pouvez vous procurer de papaye, utilisez des pommes rouges non pelées, de la mangue ou du melon coupés en dés.

2 tasses	concombre anglais non pelé en petits dés	500 ml
2 tasses	papaye pelée en dés	500 ml
2 c. à table	vinaigre de vin blanc OU jus de limette	25 ml
2 c. à table	aneth frais haché	25 ml
	Poivre	

Dans un bol, mélangez le concombre, la papaye, le vinaigre ou le jus de limette et l'aneth. Poivrez au goût. (Cette sauce peut être préparée la veille ; égouttez le liquide avant de servir.)

Donne 4 tasses (1 L).

PAR PORTION

Calories		18
g	matières grasses	traces
g	gras saturés	0
g	fibres	1

BONNE SOURCE DE :
vitamine C

g	protéines	traces
g	glucides	4
mg	cholestérol	0
mg	sodium	2
mg	potassium	134

Filets de poisson tériyaki à l'orange

Essayez cette délicieuse recette de poisson faible en calories et en matières grasses, et facile à préparer. *(Voir photo vis-à-vis de la page 122.)*

1 lb	filets de poisson (perche, sole, aiglefin)	500 g
1 c. à thé	zeste d'orange	5 ml
1/2 tasse	jus d'orange	125 ml
1 c. à table	oignon émincé	15 ml
1 c. à table	sauce soja à faible teneur en sodium	15 ml
1 c. à thé	gingembre frais râpé	5 ml
1/2 c. à thé	sucre	2 ml
1 c. à table	eau	15 ml
1 c. à thé	fécule de maïs	5 ml

Dans un grand poêlon, disposez les filets de poisson en une seule couche. Dans un petit bol, mélangez le zeste et le jus d'orange, l'oignon, la sauce soja, le gingembre et le sucre ; versez ce mélange sur le poisson. Portez à ébullition, baissez le feu et laissez mijoter à couvert pendant 3 à 5 minutes ou jusqu'à ce que la chair du poisson soit opaque et se détache facilement à la fourchette.

Placez le poisson dans un plat de service en prenant soin de laisser le mélange à l'orange dans le poêlon. Incorporez l'eau à la fécule de maïs jusqu'à consistance lisse. Versez dans le poêlon et portez à ébullition en remuant. Versez la sauce à l'orange sur le poisson.

Donne environ 4 portions.

PAR PORTION		
Calories		112
g	matières grasses	traces
g	gras saturés	0
g	fibres	traces
EXCELLENTE SOURCE DE :		
niacine		
g	protéines	21
g	glucides	5
mg	cholestérol	68
mg	sodium	191
mg	potassium	417

Gratin de saumon et d'épinards

Servez-vous de saumon en conserve ou d'un reste de saumon cuit pour préparer ce gratin. Servez-le au brunch, au dîner ou au souper, accompagné de nouilles ou de riz et d'une salade verte. Ce plat peut être préparé quelques heures à l'avance, couvert et réfrigéré ; prévoyez alors quelques minutes de cuisson supplémentaires.

Le saumon est une bonne source d'acides gras « omega-3 » dont la consommation semble entraîner, selon certaines études, une baisse de la pression artérielle et une réduction des risques de formation de caillots sanguins.

1	paquet (10 oz/284 g) d'épinards frais	1
2 c. à table	margarine molle	25 ml
1 tasse	champignons tranchés	250 ml
2 c. à table	farine tout usage	25 ml
1 tasse	lait à 2 % m.g., chaud	250 ml
2 c. à table	oignons verts hachés	25 ml
	Poivre	
1	boîte (7,5 oz/213 g) de saumon, égoutté	1

Garniture :

2 c. à table	pain de blé entier émietté	25 ml
2 c. à table	parmesan frais râpé	25 ml
1 c. à table	persil frais haché	15 ml

Retirez les tiges des épinards. Dans une casserole d'eau bouillante, faites cuire les épinards pendant 3 à 5 minutes ou jusqu'à ce qu'ils s'affaissent ; égouttez complètement. Hachez les épinards grossièrement et étalez-les dans un plat à gratin ou un plat peu profond (8 po/20 cm) allant au four micro-ondes. Réservez.

Dans un petit poêlon à revêtement antiadhésif, faites fondre 1 c. à thé (5 ml) de margarine à feu moyen-vif et faites-y cuire les champignons, en remuant fréquemment, jusqu'à ce qu'ils soient légèrement brunis. Étalez les champignons sur les épinards.

Dans une petite casserole, faites fondre le reste de la margarine à feu moyen ; incorporez la farine et faites cuire en remuant pendant 1 minute. Incorporez le lait chaud au fouet et faites cuire pendant 2 minutes, en continuant de fouetter ou jusqu'à ce que le mélange frémisse et soit épais et lisse. Ajouter les oignons verts et poivrez au goût. Émiettez le saumon et broyez les os ; incorporez délicatement à la sauce. Versez le tout sur les champignons.

Garniture : mélangez le pain émietté, le parmesan et le persil, et parsemez-en le mélange de saumon. Faites cuire au four à 400 °F (200 °C) pendant 5 minutes ou faites cuire au four micro-ondes à découvert à puissance maximale pendant 3 minutes ou jusqu'à ce que le plat soit cuit uniformément. Faites dorer sous le gril pendant 2 minutes si désiré.

Donne 3 portions.

PAR PORTION		
Calories		**270**
g	matières grasses	**15**
g	gras saturés	**5**
g	fibres	**2**
EXCELLENTE SOURCE DE : vitamine A, riboflavine, niacine, calcium, fer		
g	protéines	**22**
g	glucides	**13**
mg	cholestérol	**34**
mg	sodium	**506**
mg	potassium	**811**

Pain de saumon léger à l'aneth

L'aneth frais donne un goût exquis à ce pain moelleux. Si vous ne pouvez en trouver, remplacez-le par du persil frais et 1 c. à thé (5 ml) d'aneth séché. Servez avec la rémoulade au yogourt (p. 112).

1 c. à table	margarine molle	15 ml
1	oignon moyen, haché	1
1 tasse	champignons tranchés	250 ml
1 tasse	céleri en dés	250 ml
2	œufs*	2
1	boîte (7,5 oz/213 g) de saumon	1
1 tasse	pain frais émietté	250 ml
2/3 tasse	lait	150 ml
1/4 tasse	aneth frais haché	50 ml
	Poivre	

Dans un poêlon, faites fondre la margarine à feu moyen ; ajoutez l'oignon, les champignons et le céleri et faites cuire en remuant pendant environ 5 minutes ou jusqu'à ce que les légumes soient tendres mais croquants.

Dans un bol, battez légèrement les œufs et incorporez au mélange de légumes. Égouttez le saumon en conserve et réservez le liquide. Incorporez le liquide du saumon au mélange de légumes. Émiettez le saumon, broyez les os et incorporez délicatement avec le pain émietté, le lait et l'aneth au mélange de légumes. Poivrez.

Versez la préparation dans un moule à pain de 8 1/2 po × 4 1/2 po (1,5 L) légèrement graissé. Placez le moule dans un plat plus grand dans lequel vous verserez de l'eau chaude jusqu'à 1 po (2,5 cm) du bord du moule à pain. Faites cuire au four, à découvert, à 350 °F (180 °C) pendant 45 à 55 minutes ou jusqu'à ce que le pain soit ferme au toucher. Égouttez (s'il y a lieu).

Méthode au four micro-ondes : couvrez et faites cuire le pain au four micro-ondes à puissance maximale pendant 7 minutes ; laissez reposer pendant 5 minutes.

Donne 4 portions.

Variante : suivez la recette ci-dessus en remplaçant les champignons et le céleri par 1 1/2 tasse (375 ml) de courgettes non pelées et coupées en dés. Remplacez l'aneth par 1/2 tasse (125 ml) de persil frais grossièrement haché.

* Si vous suivez un régime visant à réduire votre taux de cholestérol, utilisez 1 œuf entier et 1 blanc d'œuf.

PAR PORTION	
Calories	**201**
g matières grasses	**10**
g gras saturés	**3**
g fibres	**1**
BONNE SOURCE DE : riboflavine, calcium	
EXCELLENTE SOURCE DE : niacine	
g protéines	**17**
g glucides	**11**
mg cholestérol	**130**
mg sodium	**354**
mg potassium	**487**

Marmite de poisson et de tomates

Servez ce mets dans des bols peu profonds avec du pain ou sur un lit de pâtes, de couscous, de riz ou de pommes de terre bouillies. Le fenouil rehausse à merveille le goût du poisson : utilisez les graines ou 1/4 tasse (50 ml) de feuilles fraîches hachées, ou encore une pincée d'anis ou 1 à 2 c. à table (15 à 25 ml) de Pernod. Le vin est facultatif, mais donne du goût.

2 c. à thé	huile d'olive	10 ml
1	oignon OU poireau moyen, haché	1
1 1/2 c. à thé	ail émincé	7 ml
1	grosse branche de céleri, hachée	1
1/4 c. à thé	graines de fenouil	1 ml
1	pincée de flocons de piment fort	1
1	boîte (28 oz/796 ml) de tomates, non égouttées et hachées	1
1/4 tasse	vin blanc (facultatif)	50 ml
1 lb	filets de poisson frais ou surgelés (sole, flétan, morue)	500 g
1/4 tasse	persil frais haché OU coriandre	50 ml
	Sel et poivre	

Dans une casserole à surface antiadhésive, faites chauffer l'huile à feu moyen et faites-y revenir l'oignon et l'ail jusqu'à ce qu'ils soient tendres, soit pendant environ 5 minutes.

Ajoutez le céleri, les graines de fenouil, les flocons de piment fort, les tomates et le vin (s'il y a lieu) ; portez à ébullition. Réduisez le feu et laissez mijoter pendant 5 minutes.

Ajoutez alors le poisson et faites-le cuire jusqu'à ce que la chair soit opaque, soit pendant 5 minutes pour le poisson frais et 10 minutes pour le poisson surgelé. Ajoutez le persil ; salez et poivrez au goût. La plupart des poissons se défont lorsqu'on ajoute le sel et le poivre en remuant ; sinon coupez-le avant de servir.

Donne 4 portions.

Marmite de poisson avec pétoncles, crevettes et moules :
Suivez la recette de Marmite de poisson et de tomates en ajoutant les ingrédients suivants. Au moment d'incorporer le poisson frais ou surgelé, ajoutez 1 lb (500 g) de moules dans leur coquille (rincées et sans barbes) ; couvrez et laissez mijoter pendant 3 minutes, et ajoutez 1/4 lb (125 g) de pétoncles et 1/4 lb (125 g) de crevettes, petites ou moyennes, décortiquées, fraîches ou cuites. Couvrez et laissez mijoter pendant 3 minutes de plus ou jusquà ce que les moules s'ouvrent. Ajoutez le persil et poursuivez la recette comme ci-dessus. Jetez les moules qui ne se sont pas ouvertes.

✓ À PRÉPARER À L'AVANCE

Si vous prenez soin de toujours garder les ingrédients de cette recette dans votre congélateur et garde-manger, vous pourrez préparer un savoureux repas en quelques minutes, même si votre réfrigérateur est vide. Si vous utilisez du poisson surgelé, je vous recommande les filets surgelés individuellement plutôt qu'en bloc ; si possible, faites-les décongeler au préalable. (Toutefois, si vous utilisez des filets surgelés en bloc, prolongez le temps de cuisson d'environ 20 minutes ou jusqu'à de que la chair soit opaque.) Pour les occasions spéciales, ou si des visiteurs arrivent è l'improviste, donnez à ce mets un air de fête en y ajoutant des palourdes, des crevettes, du crabe ou des moules.

PAR PORTION		
Calories		160
g	matières grasses	3
g	gras saturés	traces
g	fibres	3
BONNE SOURCE DE : vitamine A		
EXCELLENTE SOURCE DE : vitamine C, niacine		
g	protéines	22
g	glucides	11
mg	cholestérol	57
mg	sodium	417
mg	potassium	974

✓ À PRÉPARER À L'AVANCE

SOUPER INDIEN

Chapati ou pains indiens
Poulet et crevettes au cari
Chutney, yogourt, raisins secs
Riz
Salade Raita aux concombres
Assiette de fruits frais

En général, vous pouvez vous procurer les hors-d'œuvre et les pains indiens dans un restaurant qui vend aussi des mets à emporter. Couvrez-les d'un papier d'aluminium et mettez-les au four à 300 °F (150 °C) pendant 20 minutes.

Accompagnez ce mets de riz chaud et d'une salade Raita : mélangez des concombres hachés ou des tomates avec du yogourt et assaisonnez de sel et de poivre, de cumin, d'ail et de persil.

Comme dessert, servez des fruits frais.

PAR PORTION		
	Calories	**355**
g	matières grasses	**6**
g	gras saturés	**1**
g	fibres	**2**
BONNE SOURCE DE : fer		
EXCELLENTE SOURCE DE : niacine		
g	protéines	**30**
g	glucides	**44**
mg	cholestérol	**106**
mg	sodium	**122**
mg	potassium	**340**

POULET ET CREVETTES AU CARI

Voici une façon simple et délicieuse de recevoir sans se casser la tête. Pour gagner du temps, achetez des crevettes décortiquées et du poulet désossé. Offrez à vos invités un choix d'amandes effilées rôties, d'oignons verts hachés, de coriandre fraîche hachée, de raisins secs et de chutney pour garnir leur assiette.

1 c. à table	huile végétale	15 ml
1 lb	poulet désossé, sans peau, en cubes	500 g
3	gousses d'ail, émincées	3
2 tasses	oignon espagnol haché	500 ml
2 c. à table	gingembre frais, émincé	25 ml
2 c. à table	poudre de cari*	25 ml
2	tomates, hachées (environ 2 tasses/500 ml)	2
1 lb	grosses crevettes décortiquées (fraîches ou cuites)	500 g
7 tasses	riz cuit, chaud	1,75 L

Dans une grande casserole à surface antiadhésive, faites chauffer l'huile à feu moyen et faites revenir le poulet, en remuant souvent, pendant 5 minutes ou jusqu'à ce que la chair perde sa teinte rosée à l'intérieur. Retirez le poulet du feu et réservez.

Mettez l'ail, l'oignon et le gingembre dans la casserole et faites cuire, en remuant de temps en temps, pendant 4 minutes ou jusqu'à ce qu'ils soient tendres. Incorporez la poudre de cari et faites cuire pendant 30 secondes.

Ajoutez les tomates et faites cuire pendant environ 3 minutes à feu vif ou jusqu'à ce que le mélange épaississe. (Vous pouvez interrompre ici la préparation ; incorporez le poulet au mélange de tomates, couvrez et conservez au réfrigérateur jusqu'à une journée. Réchauffez avant de poursuivre.)

Baissez le feu à moyen-doux. Ajoutez les crevettes et le poulet, couvrez et laissez mijoter pendant 5 minutes ou jusqu'à ce que les crevettes soient roses et le poulet bien chaud. Servez sur un lit de riz.

Donne 8 portions.

* La poudre de çari est employée dans cette recette par souci de commodité. Si vous avez le temps de préparer votre propre assaisonnement, utilisez 2 c. à thé (10 ml) de cardamome moulue, 2 c. à thé (10 ml) de coriandre moulue, 1 c. à thé (5 ml) de cannelle, 1 c. à thé (5 ml) de cumin, et 1/2 c. à thé (2 ml) de piment de Cayenne et 1/2 c. à thé (2 ml) de curcuma.

MOULES VAPEUR AUX TOMATES ET AU FENOUIL

Les moules de culture requièrent peu de préparation et sont offertes dans un grand nombre de supermarchés. Vous préparerez en un tournemain ce plat idéal pour un souper entre amis. La sauce aux tomates peut être préparée à l'avance, mais les moules ne doivent être cuites qu'au moment de servir.

4 lb	moules	2 kg
1 c. à table	huile d'olive	15 ml
1	oignon haché	1
4	gousses d'ail, hachées finement	4
1	boîte (28 oz/796 ml) de tomates italiennes, égouttées et hachées	1
1 c. à thé	graines de fenouil	5 ml
3 c. à table	persil frais haché	45 ml
	Sel et poivre	
1 tasse	vin blanc sec	250 ml
1	échalote émincée (facultatif)	1
2 c. à table	oignons verts hachés	25 ml

Rincez les moules et enlevez les barbes. Rejetez toutes les moules qui ne se referment pas lorsqu'on les frappe légèrement ou celles qui sont fissurées. Déposez dans une grande casserole et réservez.

Dans un grand poêlon, faites chauffer l'huile à feu moyen et faites-y revenir l'oignon et la moitié de l'ail, en remuant de temps en temps, jusqu'à ce qu'ils soient tendres. Ajoutez les tomates et les graines de fenouil et faites cuire pendant 5 minutes. Ajoutez le persil, salez et poivrez au goût et mélangez bien.

Entre-temps, dans un bol, mélangez le vin, l'échalotte (s'il y a lieu) et le reste de l'ail ; versez sur les moules. Couvrez et portez à ébullition ; baissez le feu et laissez mijoter pendant 5 minutes ou jusqu'à ce que les moules s'ouvrent. Jetez les moules non ouvertes. Ajoutez la préparation aux tomates. Garnissez d'oignons verts et servez dans de grands bols à soupe.

Donne 4 portions.

Essayez aussi ces recettes à base de poisson et de fruits de mer :
Chaudrée onctueuse aux huîtres (p. 52)
Salade de saumon et de riz au cari (p. 64)
Sauce tomate aux palourdes (p. 148)
Linguine aux pétoncles et aux épinards (p. 151
Pâtes avec sauce crémeuse au thon (p. 152)
Pâtes aux crevettes, aux courgettes et aux champignons (p. 153)

SOUPER DU VENDREDI SOIR POUR QUATRE PERSONNES

Moules vapeur aux tomates et au fenouil
Pain croûté
Salade verte et Ma vinaigrette de tous les jours (p. 79)
Tarte croustillante aux pommes (p. 225)

Le sodium contenu dans ce plat provient en grande partie de l'eau salée qui s'échappe des moules à la cuisson. Si vous suivez un régime faible en sodium, prenez moins de bouillon.

PAR PORTION		
Calories		254
g	matières grasses	7
g	gras saturés	traces
g	fibres	3
BONNE SOURCE DE : vitamine A		
EXCELLENTE SOURCE DE : vitamine C, thiamine, riboflavine, niacine, calcium, fer		
g	protéines	25
g	glucides	20
mg	cholestérol	116
mg	sodium	1005
mg	potassium	1304

Rémoulade au yogourt

Cette sauce à faible teneur en calories et facile à préparer accompagne agréablement le pain de saumon (p.108) ou le poisson grillé, poché ou cuit au four.

1/2 tasse	yogourt à faible teneur en matières grasses	125 ml
2 c. à table	crème sure légère	25 ml
2 c. à table	cornichons à l'aneth émincés	25 ml
1 c. à table	persil frais haché mince	15 ml
1 c. à thé	moutarde de Dijon	5 ml
1/4 c. à thé	estragon séché	1 ml

Dans un petit bol, mettez le yogourt, la crème sure, les cornichons, le persil, la moutarde et l'estragon ; mélangez bien. Servez la sauce séparément.

Donne environ 2/3 tasse (150 ml) de sauce.

PAR PORTION		
Calories		11
g	matières grasses	traces
g	gras saturés	traces
g	fibres	0
g	protéines	1
g	glucides	1
mg	cholestérol	1
mg	sodium	39
mg	potassium	33

Marinade tériyaki

Utilisez cette marinade pour les darnes ou les filets de poisson, les ailes de poulet, le bifteck de flanc, le gigot d'agneau ou le filet de porc.

2 c. à table	sauce soja à faible teneur en sodium	25 ml
2 c. à table	xérès	25 ml
2 c. à table	eau	25 ml
1 c. à table	huile végétale	15 ml
1 c. à table	gingembre frais, râpé	15 ml
1 c. à thé	sucre (facultatif)	5 ml

Dans un petit bol, mettez la sauce soja, le xérès, l'eau, l'huile, le gingembre et le sucre (s'il y a lieu) ; mélangez bien.

Donne environ 1/2 tasse (125 ml) de marinade, soit une quantité suffisante pour faire mariner 1 lb (500 g) de viande, de poisson ou de volaille désossée.

PAR PORTION (ajoutez à la valeur nutritive d'une portion de viande, de volaille ou de poisson mariné)		
Calories		22
g	matières grasses	2
g	gras saturés	traces
g	fibres	0
g	protéines	traces
g	glucides	1
mg	cholestérol	0
mg	sodium	121
mg	potassium	13

VIANDES

Chili au bœuf et aux légumes

Hamburgers avec sauce à la coriandre et au yogourt

Bœuf haché et nouilles poêlés

Bœuf et poivrons sautés à la chinoise

Chow Mein épicé au bœuf

Pot-au-feu de bœuf et de légumes

Rôti braisé aux oignons sans façon

Bifteck de flanc mariné aux agrumes et au poivre

Porc citronné au gingembre et salsa à la mangue

Salsa à la mangue

Sauté de porc et de brocoli

Filet de porc à l'orange et au gingembre

Jambon au four glacé à la marmelade et à la moutarde

Côtelettes d'agneau à la dijonnaise

Pilaf pour une personne

Ragoût de jarrets d'agneau aux petits légumes

Côtelettes de veau à l'estragon

Marinade au romarin et au citron

Marinade de tous les jours

✓ À PRÉPARER À L'AVANCE

CHILI AU BŒUF ET AUX LÉGUMES

Si vous cuisinez pour une famille, voici un repas simple et rapide, surtout si vous mangez à des heures différentes. Il est facile à réchauffer et s'emporte très bien dans la boîte à lunch. J'y ajoute souvent une boîte de fèves au lard, des haricots cuits (pintos, noirs, romains) ou des pois chiches.

1 lb	bœuf haché maigre	500 g
2	oignons moyens, hachés	2
1	grosse gousse d'ail, émincée	1
1 tasse	carottes hachées	250 ml
1 tasse	céleri haché	250 ml
1 tasse	poivrons verts hachés (facultatif)	250 ml
1	boîte (28 oz/796 ml) de tomates entières OU broyées (sans purée ajoutée)	1
2	boîtes (19 oz/540 ml chacune) de haricots rouges, égouttés	2
2 c. à table	assaisonnement au chili	25 ml
1 c. à table	jus de citron	15 ml
1 c. à thé	cumin	5 ml
1/4 c. à thé	flocons de piment fort	1 ml
1 tasse	eau (facultatif)	250 ml

Dans une grande casserole ou un grand poêlon à revêtement antiadhésif, faites revenir le bœuf à feu moyen-vif en le défaisant à la fourchette jusqu'à ce qu'il soit bruni, soit pendant environ 5 minutes. Jetez le gras. Ajoutez les oignons, l'ail, les carottes, le céleri et les poivrons verts (s'il y a lieu) ; faites cuire pendant 3 à 5 minutes ou jusqu'à ce que les oignons soient tendres.

Ajoutez les tomates, les haricots rouges, l'assaisonnement au chili, le jus de citron, le cumin et les flocons de piment fort. Couvrez et laissez mijoter pendant 10 minutes ou jusqu'à ce que les légumes soient tendres. Ajoutez de l'eau si le mélange est trop épais. Goûtez et rectifiez l'assaisonnement en ajoutant des flocons de piment fort au goût.

Méthode au four micro-ondes : dans un bol de 12 tasses (3 L) allant au micro-ondes, mettez le bœuf, l'oignon, l'ail, les carottes, le céleri et les poivrons verts (s'il y a lieu), l'assaisonnement au chili, le cumin et les flocons de piment fort ; mélangez bien en défaisant le bœuf.

Faites cuire au four micro-ondes à puissance maximale pendant 7 à 9 minutes, ou jusqu'à ce que la viande perde sa teinte rosée, en remuant une fois. Incorporez les tomates, les haricots rouges et le jus de citron.

Couvrez d'un papier ciré (et non d'une pellicule de plastique) et faites cuire au four micro-ondes à puissance maximale pendant 5 minutes ; remuez bien. Remettez au micro-ondes à puissance moyenne-maximale (70 %) pendant environ 20 minutes ou jusqu'à consistance désirée. Goûtez et rectifiez l'assaisonnement en ajoutant des flocons de piment fort au goût.

Donne 6 portions.

Variantes : substituez du boulghour, du blé concassé ou du riz cuit à la viande pour obtenir de la texture sans ajouter de gras. Les haricots rouges servis avec du blé concassé ou du riz constituent une source de protéines complètes et une excellente source de fibres alimentaires.

Omettez le bœuf. Versez environ 2 tasses (500 ml) d'eau bouillante sur 3/4 tasse (175 ml) de blé concassé ou de boulghour ; laissez reposer pendant 15 minutes et égouttez. Dans un grande casserole, faites chauffer 2 c. à table (25 ml) d'huile végétale ; ajoutez l'oignon, l'ail, les carottes, le céleri et les poivrons verts (ne les oubliez pas). Suivez le mode de préparation de la recette ci-dessus en ajoutant 1 1/2 tasse (375 ml) de blé concassé ou de boulghour déjà cuit et prêt en même temps que les haricots.

PAR PORTION		
	Calories	**314**
g	matières grasses	**9**
g	gras saturés	**3**
g	fibres	**11**
BONNE SOURCE DE :	vitamine C, thiamine, riboflavine	
EXCELLENTE SOURCE DE :	vitamine A, niacine, fer	
g	protéines	**24**
g	glucides	**35**
mg	cholestérol	**37**
mg	sodium	**645**
mg	potassium	**1059**

HAMBURGERS AVEC SAUCE À LA CORIANDRE ET AU YOGOURT

Utilisez du bœuf haché maigre, de l'agneau, du porc, du poulet ou de la dinde pour les pâtés et servez sur des petits pains de blé entier ou sur d'épaisses tranches de pain croûté grillé, ou encore dans un pain pita avec de la laitue coupée en lanières et des tomates. On peut se procurer la coriandre fraîche (que l'on nomme également persil chinois) dans beaucoup de supermarchés et dans la plupart des magasins orientaux de fruits et de légumes. Si vous ne pouvez en trouver, utilisez de l'aneth, du basilic ou du persil frais.

Les hamburgers, particulièrement ceux au poulet ou à la dinde, sont plus juteux et plus savoureux si on les cuit sur le gril plutôt que dans un poêlon à revêtement antiadhésif ou au four.

1 lb	volaille OU viande hachée maigre ou mi-maigre	500 g
1	petit oignon, haché fin	1
1	blanc d'œuf	1
2 c. à table	pain émietté	25 ml
1 c. à table	coriandre fraîche hachée OU 1/4 tasse (50 ml) de persil frais haché	15 ml
1/2 c. à thé	sauce Worcestershire	2 ml
1	filet de sauce au piment	1

Sauce à la coriandre et au yogourt :

1/2 tasse	yogourt nature à faible teneur en matières grasses	125 ml
2 c. à table	tomates en dés	25 ml
1 c. à table	oignons verts hachés	15 ml
1 c. à table	coriandre fraîche hachée	15 ml
1/2 c. à thé	raifort	2 ml
1/2 c. à thé	moutarde de Dijon	2 ml

Dans un bol, mettez la viande hachée, l'oignon, le blanc d'œuf, le pain, la coriandre, la sauce Worcestershire et la sauce au piment fort ; mélangez bien. Formez 5 pâtés.

Sauce à la coriandre et au yogourt : dans un petit bol, mettez le yogourt, les tomates, les oignons verts, la coriandre, le raifort et la moutarde et mélangez bien.

Faites griller les pâtés au four ou sur le gril ou faites-les cuire dans un poêlon à revêtement antiadhésif à feu moyen pendant 4 minutes de chaque côté ou jusqu'à ce que l'intérieur ne soit plus rosé. Nappez d'une cuillerée de sauce.

Donne 5 portions.

PAR PORTION (avec de la dinde)	
Calories	144
g matières grasses	4
g gras saturés	1
g fibres	traces
EXCELLENTE SOURCE DE : niacine	
g protéines	22
g glucides	4
mg cholestérol	53
mg sodium	99
mg potassium	292

✓ À PRÉPARER À L'AVANCE

Bœuf haché et nouilles poêlés

Ce plat maison est aussi rapide à préparer que ceux vendus dans le commerce, mais il est beaucoup plus savoureux, moins salé et plus riche en fibres. Lorsque les tomates fraîches ne sont pas de saison, utilisez une boîte de 14 oz (398 ml) de sauce tomate ou de tomates. Vous pouvez également remplacer les courgettes ou les poivrons par du céleri haché et des légumes surgelés comme des petits pois ou du maïs.

3 tasses	nouilles aux œufs OU 1 tasse (250 ml) de petites pâtes (environ 1/4 lb/125 g)	750 ml
1 lb	bœuf haché	500 g
1	oignon, haché	1
1	petite courgette, en fines lanières de 2 po (5 cm) de longueur	1
1	poivron vert OU rouge en cubes	1
1 1/4 tasse	champignons tranchés (environ 1/4 lb/125 g) (facultatif)	300 ml
4	tomates, en cubes	4
1/2 tasse	sauce tomate	125 ml
1/4 tasse	persil frais haché	50 ml
1 c. à thé	basilic séché	5 ml
1/2 c. à thé	origan séché	2 ml
	Sel et poivre	

Dans une grande casserole d'eau bouillante, faites cuire les pâtes jusqu'à ce qu'elles soient *al dente* ; égouttez.

Entre-temps, dans un grand poêlon ou un faitout, faites revenir le bœuf à feu moyen, en le remuant pour le séparer, pendant environ 5 minutes ou jusqu'à ce qu'il soit bruni ; jetez le gras. Ajoutez l'oignon et faites cuire pendant environ 4 minutes ou jusqu'à ce qu'il soit tendre. Ajoutez la courgette, le poivron et les champignons (s'il y a lieu) et faites cuire en remuant à feu moyen-vif pendant environ 5 minutes ou jusqu'à ce que les légumes soient tendres mais croquants.

Ajoutez les tomates, la sauce tomate, le persil, le basilic et l'origan ; laissez mijoter pendant 5 minutes. Incorporez les nouilles. Assaisonnez de sel et de poivre au goût.

Donne 5 portions.

PAR PORTION	
Calories	274
g matières grasses	11
g gras saturés	4
g fibres	3
BONNE SOURCE DE : vitamine A, riboflavine, fer	
EXCELLENTE SOURCE DE : vitamine C, niacine	
g protéines	21
g glucides	23
mg cholestérol	63
mg sodium	207
mg potassium	660

Bœuf et poivrons sautés à la chinoise

Choisissez des poivrons rouges, jaunes ou verts lorsqu'ils sont en saison, sinon utilisez du brocoli, du chou-fleur, des oignons ou des carottes. Servez avec des pâtes chaudes ou du riz relevés de quelques gouttes de sauce au piment fort.

1 c. à table	huile végétale	15 ml
1 lb	bœuf maigre désossé*, en fines lanières de 2 po (5 cm) de longueur	500 g
2	gousses d'ail, émincées	2
2 c. à table	gingembre frais, émincé	25 ml
2	poivrons (1 jaune, 1 vert OU rouge), en lanières	2
2 tasses	fèves germées	500 ml
2 c. à table	eau (facultatif)	25 ml
2 c. à table	sauce soja à faible teneur en sodium OU sauce aux huîtres	25 ml

Marinade :

1 c. à table	fécule de maïs	15 ml
1 c. à table	xérès	15 ml
2 c. à thé	sauce soja à faible teneur en sodium	10 ml

Marinade : dans un bol, mélangez la fécule de maïs, le xérès et la sauce soya jusqu'à consistance lisse ; ajoutez le bœuf et enrobez bien la viande. Laissez mariner à la température ambiante pendant 10 minutes.

Dans un poêlon à revêtement antiadhésif ou un wok, faites chauffer l'huile à feu vif ; faites sauter le bœuf, l'ail et le gingembre pendant 3 minutes ou jusqu'à ce que le bœuf soit bruni. Mettez dans une assiette et réservez.

Mettez les poivrons dans le poêlon et faites sauter pendant 3 minutes. Ajoutez les fèves germées et faites cuire pendant 1 minute ou jusqu'à ce que les légumes soient tendres mais croquants, en ajoutant de l'eau au besoin pour empêcher le mélange de brûler. Incorporez la sauce soja. Remettez le bœuf dans le poêlon, mélangez délicatement et réchauffez.

Donne 4 portions.

* Coupes de bœuf maigres : flanc, ronde, surlonge, pointe de surlonge (tout gras visible enlevé).

PAR PORTION	
Calories	**258**
g matières grasses	**12**
g gras saturés	**4**
g fibres	**1**
BONNE SOURCE DE : riboflavine, niacine, fer	
EXCELLENTE SOURCE DE : vitamine C	
g protéines	**28**
g glucides	**8**
mg cholestérol	**48**
mg sodium	**612**
mg potassium	**510**

Chow mein épicé au bœuf

Cette recette délicieuse et économique n'est que légèrement épicée. Si vous aimez les mets très relevés, je vous suggère d'utiliser au moins deux fois plus de flocons de piment fort que la quantité recommandée. Utilisez des nouilles à chow mein fraîches, si vous en trouvez, ou 4 tasses (1 L) de n'importe quel genre de nouilles fines cuites.

2	sachets (3 oz/85 g chacun) de nouilles instantanées pour soupe à l'orientale	2
1/4 tasse	eau	50 ml
1 c. à table	sauce soja à faible teneur en sodium	15 ml
1 c. à table	ketchup	15 ml
1 c. à table	sauce Worcestershire	15 ml
1 c. à thé	sucre	5 ml
2 c. à thé	huile de sésame	10 ml
2 c. à thé	ail émincé	10 ml
1/8 c. à thé	flocons de piment fort	0,5 ml
1/2 lb	bœuf maigre, en fines lanières de 1/4 po (0,5 cm) de largeur	250 g
3	oignons verts, coupés dans le sens de la longueur, et en biais en morceaux de 2 po (5 cm)	3
1 tasse	carottes grossièrement râpées	250 ml
4 tasses	chou tranché mince	1 L

Dans une grande casserole d'eau bouilante, faites cuire les nouilles pendant 3 minutes ou jusqu'à ce qu'elles soient tendres (sans utiliser le sachet d'assaisonnement, s'il y en a un) ; égouttez et rincez.

Entre-temps, dans un bol, mélangez l'eau, la sauce soja, le ketchup, la sauce Worcestershire, le sucre et l'huile de sésame ; réservez.

Dans un grand poêlon ou un wok vaporisé d'enduit végétal antiadhésif, faites revenir l'ail et le piment fort à feu moyen-vif pendant 10 secondes. Ajoutez le bœuf et faites sauter pendant 1 minute. Incorporez les oignons verts, les carottes et le chou et faites sauter pendant 3 minutes. Ajoutez les nouilles et la sauce réservée et faites chauffer pendant environ 1 minute tout en remuant délicatement pour bien enrober tous les ingrédients.

Donne 4 portions.

Variante : remplacez le bœuf par du porc ou du poulet désossé.

PAR PORTION	
Calories	**286**
g matières grasses	**4**
g gras saturés	**1**
g fibres	**4**

BONNE SOURCE DE :
vitamines C et B_6

EXCELLENTE SOURCE DE :
vitamines A et B_{12}, niacine, zinc

g protéines	**16**
g glucides	**15**
mg cholestérol	**25**
mg sodium	**336**
mg potassium	**540**

✓ À PRÉPARER À L'AVANCE

POT-AU-FEU DE BŒUF ET DE LÉGUMES

Une abondance de légumes et une petite quantité de bœuf maigre suffisent pour ce pot-au-feu à faible teneur en matières grasses. Tout aussi délicieux le jour suivant, ce plat se prépare très bien à l'avance. Pour un goût frais bien particulier, ajoutez quelques cuillerées à table de romarin, de thym ou d'origan frais, haché, au moment de servir.

1 lb	bœuf maigre à ragoût	500 g
2 tasses	eau	500 ml
3	oignons moyens, coupés en deux	3
1	feuille de laurier	1
1 c. à thé	thym séché, broyé	5 ml
1/2 c. à thé	origan séché, broyé	2 ml
1/2 c. à thé	zeste d'orange râpé	2 ml
	Une pincée de poivre	
2	panais, pelés	2
1/2	petit navet, pelé (1/2 lb/250 g)	1/2
4	carottes moyennes, pelées	4
4	pommes de terre moyennes, pelées	4
2	branches de céleri, en morceaux de 1 po (2,5 cm)	2
2 c. à table	farine tout usage	25 ml
1/2 tasse	eau froide	125 ml
1 tasse	petits pois surgelés	250 ml
1/2 tasse	persil frais grossièrement haché	125 ml

Enlevez le gras et coupez le bœuf en cubes de 1 po (2,5 cm).

Vaporisez un faitout ou une grande casserole à fond épais d'enduit végétal antiadhésif. Faites chauffer à feu moyen-vif et faites cuire le bœuf en remuant jusqu'à ce que tous les côtés soient brunis. Versez l'eau et portez à ébullition, en détachant toutes les particules brunes du fond de la casserole.

Ajoutez l'oignon, la feuille de laurier, le thym, l'origan, le zeste d'orange et le poivre ; couvrez et laissez mijoter pendant 1 heure.

Coupez les panais, le navet et les carottes en cubes de 3/4 po (2 cm) ; mettez dans la casserole et laissez mijoter pendant 10 minutes. Coupez les pommes de terre en cubes de 1 po (2,5 cm) et mettez dans la casserole ; ajoutez le céleri, couvrez et laissez mijoter pendant 20 minutes ou jusqu'à ce que les légumes soient tendres.

Ajoutez la farine à l'eau froide et délayez bien. Incorporez au pot-au-feu. Ajoutez les petits pois et le persil et faites cuire jusqu'à épaississement. Retirez la feuille de laurier.

Donne environ 5 portions.

PAR PORTION		
Calories		**341**
g	matières grasses	**6**
g	gras saturés	**2**
g	fibres	**8**

BONNE SOURCE DE :
riboflavine

EXCELLENTE SOURCE DE :
vitamines A et C, niacine, thiamine, fer

g	protéines	**24**
g	glucides	**50**
mg	cholestérol	**44**
mg	sodium	**131**
mg	potassium	**1112**

SOUPER DES DIMANCHES D'HIVER

Rôti braisé aux oignons vite fait
Purée de pommes de terre et de navets
Céleri et champignons sautés à l'huile de sésame (p. 146)
Mousse aux pruneaux (p. 224)
(Faites cuire un peu plus de légumes afin de les faire réchauffer au four micro-ondes pendant la semaine.)

Rôti braisé aux oignons sans façon

Une façon fort populaire d'apprêter le rôti braisé consiste à le parsemer d'un mélange de soupe à l'oignon et à le faire cuire dans un papier d'aluminium. Pour un plat plus savoureux et moins salé, faites vous-même votre mélange en utilisant des oignons tranchés.

3 tasses	oignons tranchés mince	750 ml
3	gousses d'ail, émincées	3
1	rôti maigre de haut de côtes, désossé (environ 3 lb/1,5 kg)	1
	Poivre	
1/4 tasse	eau	50 ml
1 c. à table	fécule de maïs	15 ml
1 c. à table	eau froide	15 ml

Dans une lèchefrite ou un faitout, étalez la moitié des oignons et de l'ail et placez le rôti par-dessus. Couvrez avec le reste des oignons et de l'ail. Poivrez au goût.

Versez dans la lèchefrite 1/4 tasse (50 ml) d'eau. Couvrez et faites cuire au four à 325 °F (160 °C) pendant 2 1/2 à 3 heures ou jusqu'à ce que la viande soit tendre. Placez le rôti et les oignons sur un plat de service et couvrez d'un papier d'aluminium. Laissez reposer pendant 15 minutes pour faciliter le découpage.

Entre-temps, ajoutez de l'eau au jus de cuisson dans la lèchefrite, si nécessaire, de façon à obtenir 1 tasse (250 ml) de liquide. Dégraissez à l'aide d'une cuillère. Faites dissoudre la fécule de maïs dans 1 c. à table (15 ml) d'eau et incorporez au jus de cuisson. Faites cuire à feu moyen-vif en remuant pendant 2 à 3 minutes ou jusqu'à ce que la sauce bouillonne et épaississe ; passez au chinois si désiré. Découpez le rôti en tranches minces et servez avec la sauce.

Donne 8 portions.

PAR PORTION		
Calories		202
g	matières grasses	11
g	gras saturés	5
g	fibres	1
EXCELLENTE SOURCE DE :		
niacine		
g	protéines	21
g	glucides	4
mg	cholestérol	51
mg	sodium	43
mg	potassium	266

Bifteck de flanc mariné aux agrumes et au poivre

À la maison, nous mangeons rarement un autre genre de bifteck que le bifteck de flanc ; c'est une coupe maigre, savoureuse et économique. Lorsqu'il est mariné et qu'il n'est pas trop cuit, le bifteck de flanc est très tendre. Succulent comme plat principal, on peut aussi le manger froid en sandwich ou en salade.

1/4 tasse	jus d'orange	50 ml
2	gousses d'ail, émincées	2
2 c. à table	jus de citron	25 ml
	Zeste râpé de 1 citron OU de 1 orange	
1 c. à thé	huile végétale	5 ml
1/4 c. à thé	poivre grossièrement moulu	1 ml
1 lb	bifteck de flanc	500 g

Dans une tasse à mesurer, mettez le jus d'orange, l'ail, le jus et le zeste de citron, l'huile et le poivre ; mélangez bien. Placez le bifteck dans un sac en plastique ou un plat peu profond et arrosez de la marinade. Couvrez et réfrigérez pendant 1 heure ou jusqu'à 24 heures, en prenant soin de tourner le bifteck une fois ou deux.

Retirez le bifteck de la marinade et faites griller au four ou sur le barbecue pendant 4 à 5 minutes de chaque côté ou jusqu'au degré de cuisson désiré. Découpez en biais, dans le sens contraire des fibres, en tranches minces. Servez chaud ou froid.

Donne 4 portions.

BARBECUE D'ÉTÉ

Bifteck de flanc mariné aux agrumes et au poivre
Salade Parmentier parfumée à l'estragon (p. 66)
Tomates au fromage de chèvre et au basilic (p. 78)
Pouding au pain et aux petits fruits (p. 217) ou Pavlova aux fraises à la crème citronnée (p. 214)

PAR PORTION		
Calories		211
g	matières grasses	10
g	gras saturés	4
g	fibres	traces
EXCELLENTE SOURCE DE :		
niacine		
g	protéines	26
g	glucides	3
mg	cholestérol	47
mg	sodium	56
mg	potassium	405

Julienne de carottes et de céleri au basilic (p. 136)
Quinoa et agrumes en salade (p. 75)
Filets de poisson tériyaki à l'orange (p. 106).

PORC CITRONNÉ AU GINGEMBRE ET SALSA À LA MANGUE

Cette marinade au goût relevé donne au porc une saveur exceptionnelle. La salsa à la mangue, au goût frais et léger, l'accompagne à merveille. (Voir photo ci-contre.)

4 lb	rôti de longe de porc désossé (coupe du milieu OU filet), sans gras visible	2 kg

Marinade :

1/4 tasse	marmelade au citron	50 ml
2 c. à table	xérès	25 ml
2 c. à table	gingembre frais, haché	25 ml
2 c. à thé	ail émincé	10 ml
2 c. à thé	moutarde de Dijon	10 ml
2 c. à thé	sauce soja à faible teneur en sodium	10 ml
2 c. à thé	huile de sésame	10 ml
1 c. à thé	zeste de citron râpé	5 ml
	Salsa à la mangue (p. 124)	

Marinade : dans un petit bol, mélangez la marmelade, le xérès, le gingembre, l'ail, la moutarde, la sauce soja, l'huile de sésame et le zeste de citron.

Placez le rôti dans un grand sac en plastique et arrosez de la marinade ; fermez le sac et réfrigérez pendant au moins 4 heures ou jusqu'à 24 heures, en retournant le sac de temps en temps.

Retirez le rôti du sac, en prenant soin de laisser autant de marinade que possible sur le rôti. Placez-le sur la grille de la rôtissoire.

Faites rôtir au four, à découvert, à 350 °F (180 °C) pendant 2 à 2 1/2 heures ou jusqu'à ce que le thermomètre à viande indique 160 °F (70 °C) et que le jus de cuisson qui s'écoule du rôti lorsqu'on le pique soit clair. Laissez reposer pendant 15 minutes avant de découper en tranches minces. Servez avec la salsa à la mangue.

Donne 12 portions.

PAR PORTION (sans sauce à la mangue)		
Calories		**200**
g	matières grasses	**7**
g	gras saturés	**3**
g	fibres	**traces**
BONNE SOURCE DE : riboflavine, vitamine B_6, zinc		
EXCELLENTE SOURCE DE : thiamine, niacine, vitamine B_{12}		
g	protéines	**29**
g	glucides	**3**
mg	cholestérol	**80**
mg	sodium	**91**
mg	potassium	**376**

Salade de fenouil et d'oranges (p. 77), Poireaux et poivrons grillés (p. 135), Poulet marocain avec couscous (p. 95)

Porc citronné au gingembre et salsa à la mangue (ci-dessus), Fèves germées et pois mange-tout sautés (p. 143)

Salsa à la mangue

J'adore le goût de ce condiment à la mangue fraîche. Je le sers pour accompagner le poulet rôti, la dinde ou le porc, car il est beaucoup plus simple et rapide à préparer qu'une sauce, et meilleur pour la santé. Vous pouvez remplacer la mangue par de la papaye. Pelez le concombre si sa pelure est rugueuse ou enduite de cire.

1	mangue, pelée, en petits dés	1
1/2 tasse	oignon rouge en petits dés	125 ml
1/2 tasse	concombre en petits dés	125 ml
2 c. à table	jus de limette	25 ml
1/2 c. à thé	zeste de limette râpé	2 ml
1/4 c. à thé	cumin	1 ml

Dans un petit bol, mélangez la mangue, l'oignon, le concombre, le jus et le zeste de limette, et le cumin. Couvrez et laissez reposer pendant au moins 1 heure ou jusqu'à 4 heures.

Donne environ 1 1/2 tasse (375 ml) de salsa.

PAR PORTION DE 2 C. À TABLE (25 ml)		
Calories		15
g	matières grasses	traces
g	gras saturés	0
g	fibres	traces
g	protéines	traces
g	glucides	4
mg	cholestérol	0
mg	sodium	1
mg	potassium	47

SAUTÉ DE PORC ET DE BROCOLI

Le filet de porc est rapide et facile à trancher, mais vous pouvez utiliser n'importe quelle coupe de porc maigre. Je garde toujours une bouteille de sauce hoisin au réfrigérateur et je l'utilise pour rehausser la saveur des plats sautés à la chinoise. Cependant, je vous conseille de ne pas l'employer si vous suivez un régime à teneur réduite en sodium. Servez sur des pâtes chaudes ou du riz.

3/4 lb	porc* maigre désossé	375 g
1 c. à table	fécule de maïs	15 ml
1 c. à table	sauce soja à faible teneur en sodium	15 ml
1 c. à table	xérès	15 ml
1	pied de brocoli	1
2 c. à table	huile végétale	25 ml
2	gousses d'ail, émincées	2
2 c. à table	gingembre frais, émincé	25 ml
1/4 tasse	eau	50 ml
2 c. à table	sauce hoisin (facultatif)	25 ml

Découpez le porc en tranches minces dans le sens contraire des fibres. Dans un bol, mélangez la fécule de maïs, la sauce soja et le xérès ; ajoutez le porc et remuez pour bien enrober la viande.

Séparez le brocoli en bouquets ; parez les tiges et coupez en morceaux de 1 1/2 po (4 cm).

Dans un wok ou un grand poêlon à revêtement antiadhésif, faites chauffer l'huile à feu vif. Ajoutez le mélange de porc et faites sauter pendant 2 minutes ou jusqu'à ce que la viande soit légèrement brunie. Incorporez l'ail, le gingembre et le brocoli ; faites sauter pendant 2 minutes.

Ajoutez l'eau, couvrez et laissez cuire à la vapeur pendant 2 minutes ou jusqu'à ce que le brocoli soit tendre mais croquant. Incorporez la sauce hoisin (s'il y a lieu).

Donne 4 portions.

Variante : remplacez le porc par 3/4 lb (375 g) de dinde ou de poulet désossé, tranché.

* Coupes maigres de porc : le filet de porc est la coupe la plus maigre. Les autres coupes maigres proviennent de la cuisse, du bas d'épaule (picnic) et de la longe (filet ou milieu de longe).

PAR PORTION		
Calories		**220**
g	matières grasses	**10**
g	gras saturés	**2**
g	fibres	**3**
BONNE SOURCE DE :		
vitamine A, fer		
EXCELLENTE SOURCE DE :		
vitamine C, thiamine, riboflavine, niacine		
g	protéines	**23**
g	glucides	**9**
mg	cholestérol	**46**
mg	sodium	**180**
mg	potassium	**575**

SOUPER DU SAMEDI SOIR

Potage à la citrouille parfumé au cari (p. 55)
Filet de porc à l'orange et au gingembre
Poireaux au four (p.134)
Demi-tomates grillées
Polenta aux fines herbes avec parmesan (p. 184)
Sauce marmelade aux fruits (p. 215)
Pain au citron (p. 192)

FILET DE PORC À L'ORANGE ET AU GINGEMBRE

Le filet est l'une des coupes les plus maigres et les plus tendres du porc. Il est également très facile à cuire ; prenez garde toutefois de ne pas le faire trop cuire car il deviendrait sec.

1 lb	filet de porc	500 g
1	carotte moyenne, pelée	1
4	oignons verts OU 1 poireau	4
1/4 tasse	eau	50 ml
1 c. à thé	gingembre frais, râpé	5 ml
1/2 c. à thé	ail émincé	2 ml
1 tasse	jus d'orange	250 ml
1/2 c. à thé	zeste d'orange râpé	2 ml
1 c. à table	fécule de maïs	15 ml
	Une pincée de flocons de piment fort	
	Sel et poivre	

Dans une rôtissoire, faites rôtir le porc au four à 350 °F (180 °C) pendant 50 minutes ou jusqu'à ce que le thermomètre à viande indique 160-170 °F (71-75 °C) et que la viande perde sa teinte rosée à l'intérieur.

Entre-temps, coupez les carottes et les oignons verts ou le poireau en lanières de 2 po (5 cm) de longueur.

Environ 15 minutes avant de servir, préparez la sauce : dans une casserole à fond épais, faites frémir les carottes et l'eau ; couvrez et faites cuire pendant 5 minutes de plus. Ajoutez les oignons verts ou le poireau, le gingembre et l'ail ; couvrez et laissez mijoter pendant 1 minute.

Dans un bol, mettez le jus et le zeste d'orange, la fécule de maïs et les flocons de piment fort ; mélangez bien. Versez sur le mélange de légumes et portez à ébullition en remuant constamment. Faites cuire en remuant pendant encore 2 minutes. Salez et poivrez au goût.

Découpez le porc en minces rondelles et disposez sur un plat de service ; nappez de sauce.

Donne 4 portions.

PAR PORTION	
Calories	196
g matières grasses	4
g gras saturés	1
g fibres	1
BONNE SOURCE DE : riboflavine	
EXCELLENTE SOURCE DE : vitamines A et C, thiamine, niacine	
g protéines	27
g glucides	11
mg cholestérol	62
mg sodium	73
mg potassium	680

BUFFET DE FÊTE FAMILIALE

Jambon au four glacé à la marmelade et à la moutarde
Riz frit à l'indonésienne (p. 181)
ou Gratin dauphinois de ma mère (p. 138)
Julienne de carottes et de céleri au basilic (p. 136)
ou Céleri et champignons sautés à l'huile de sésame (p. 146)
Tarte croustillante aux pommes (p. 225)
ou Pavés à la rhubarbe et aux fraises (p. 229)

Dans la mesure où vous enlevez tout le gras, le jambon est une coupe de viande maigre. Toutefois, sa teneur en sodium est élevée. Les personnes qui suivent un régime à teneur réduite en sodium ne devraient en consommer qu'en très petite quantité. Lorsque vous mangez du jambon, prenez soin de limiter l'apport en sel des autres aliments que vous consommez ce jour-là.

PAR PORTION		
Calories		205
g	matières grasses	6
g	gras saturés	2
g	fibres	traces
BONNE SOURCE DE :		
riboflavine		
EXCELLENTE SOURCE DE :		
thiacine, niacine, vitamines B_6 et B_{12}, zinc		
g	protéines	28
g	glucides	6
mg	cholestérol	61
mg	sodium	1516
mg	potassium	380

Jambon au four glacé à la marmelade et à la moutarde

J'aime faire cuire le jambon dans un liquide (vin, porto, sauce madère, bouillon, jus d'orange ou de pomme, ou un mélange de ces liquides), car j'obtiens un jambon plus savoureux et plus juteux. Pour un jambon entier, utilisez la même quantité de liquide mais doublez la recette de glace. Servez avec la Sauce à l'ananas et aux raisins secs (voir recette, p. 84).

8 lb	jambon semi-désossé (jambonneau OU croupe)	4 kg
2 tasses	jus d'orange	500 ml
1 tasse	madère ou porto	250 ml

Glace :

1/4 tasse	cassonade tassée	50 ml
1/4 tasse	marmelade d'oranges	50 ml
2 c. à table	moutarde de Dijon ou moutarde à l'ancienne	25 ml
1 c. à thé	sauce soja à faible teneur en sodium	5 ml

Glace : dans un petit bol, mélangez la cassonade, la marmelade, la moutarde et la sauce soja ; réservez.

Enlevez la peau et presque tout le gras (ne laissez que 1/4 po/ 5 mm de gras sur le jambon). Faites de petites incisions en forme de losanges sur le côté gras du jambon et placez, côté gras vers le haut, dans la rôtissoire. Dans une casserole, faites frémir le jus d'orange et le madère et versez sur le jambon.

Faites cuire au four à 325 °F (160 °C), en arrosant de temps en temps, pendant 1 heure et 45 minutes pour un jambon prêt-à-manger, ou pendant 2 heures et 15 minutes pour un jambon à cuire.

À l'aide d'un pinceau, badigeonnez le jambon du tiers de la glace. Faites cuire pendant 45 minutes de plus, en badigeonnant le jambon avec le reste de la glace toutes les 15 minutes, ou jusqu'à ce que le thermomètre à viande indique 130 °F (55 °C) pour un jambon prêt-à-manger ou 160 °F (70 °C) pour un jambon à cuire.

Retirez du four et laissez reposer pendant 10 minutes avant de trancher. Servez chaud ou froid.

Donne 16 portions.

CÔTELETTES D'AGNEAU À LA DIJONNAISE

Voici un façon rapide et succulente d'apprêter les côtelettes d'agneau.

12	côtelettes de longe d'agneau (2 1/2 lb/1,25 kg)	12
2 c. à table	moutarde de Dijon	25 ml
1 c. à thé	romarin séché	5 ml
1/4 c. à thé	grains de poivre noir, broyés	1 ml

Enlevez l'excédent de gras des côtelettes et disposez-les en une seule couche dans la rôtissoire. Dans un petit bol, mélangez la moutarde, le romarin et les grains de poivre. Étendez ce mélange sur les côtelettes.

Faites griller au four ou faites cuire sur le gril à 4 po (10 cm) de la source de chaleur pendant 5 minutes ; retournez et faites cuire pendant 4 à 6 minutes de plus pour une viande à point-saignante ou jusqu'au degré de cuisson désiré.

Donne 6 portions.

SOUPER PRINTANIER OU ESTIVAL EN 15 MINUTES

Côtelettes d'agneau à la dijonnaise
Asperges
Petites pommes de terre nouvelles à l'aneth frais
Tomates cerises
Framboises fraîches

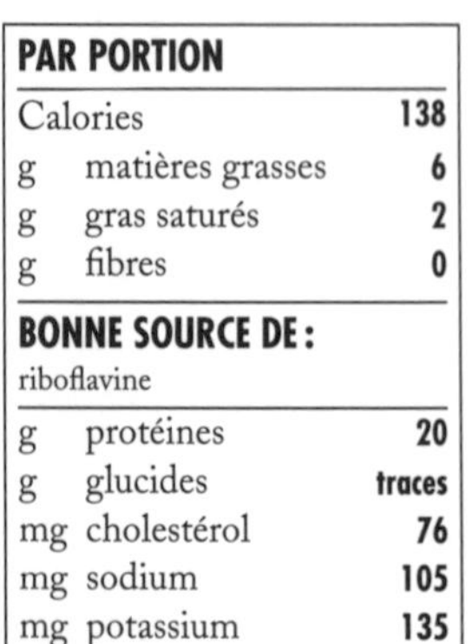

PAR PORTION		
Calories		**138**
g	matières grasses	**6**
g	gras saturés	**2**
g	fibres	**0**
BONNE SOURCE DE :		
riboflavine		
g	protéines	**20**
g	glucides	**traces**
mg	cholestérol	**76**
mg	sodium	**105**
mg	potassium	**135**

PILAF POUR UNE PERSONNE

J'aime utiliser l'agneau pour préparer ce plat à cause de la saveur qu'il donne au riz, mais vous pouvez également le remplacer par du porc, du bœuf ou du poulet, cuits ou crus. Achetez n'importe quel petit morceau d'agneau et faites congeler le reste. Doublez la recette pour obtenir deux portions.

1/2	oignon moyen haché fin	1/2
2 oz	agneau tendre, désossé OU porc OU bœuf en cubes de 1/2 po (1 cm) OU 1/4 tasse (50 ml) cubes de viande cuite	60 g
1/4 tasse	riz à grain long	50 ml
1/4 tasse	céleri en petits dés OU carottes	50 ml
1 c. à table	raisins secs OU raisins de Corinthe	15 ml
	Une pincée de piment de la Jamaïque	
1	petite feuille de laurier	1
1/2 tasse	eau bouillante	125 ml
1/2 tasse	petits pois surgelés, décongelés	125 ml
1	petite tomate, grossièrement hachée	1
	Sel et poivre	

Vaporisez une casserole à surface antiadhésive ou un petit poêlon d'enduit végétal antiadhésif. Ajoutez l'oignon et l'agneau ; faites cuire à feu moyen, en remuant souvent, jusqu'à ce que la viande soit brunie et que l'oignon soit tendre, soit pendant environ 5 minutes.

Ajoutez le riz, le céleri, les raisins, le piment de la Jamaïque et la feuille de laurier ; mélangez bien. Versez l'eau bouillante ; couvrez et laissez mijoter pendant 15 minutes. Incorporez les petits pois, la tomate, du sel et du poivre au goût ; faites cuire pendant 1 minute ou jusqu'à ce que les petits pois soient chauds et le riz tendre. Retirez la feuille de laurier.

Donne 1 portion.

PAR PORTION

Calories		**357**
g	matières grasses	**4**
g	gras saturés	**2**
g	fibres	**7**

BONNE SOURCE DE :
vitamines A et C, riboflavine, niacine, fer

EXCELLENTE SOURCE DE :
thiamine

g	protéines	**20**
g	glucides	**60**
mg	cholestérol	**47**
mg	sodium	**121**
mg	potassium	**661**

✓ À PRÉPARER À L'AVANCE

SOUPER APRÈS-SKI

Crudités avec trempette aux oignons verts *(p. 33)*

Ragoût de jarrets d'agneau aux petits légumes

Petits pains croûtés de blé entier

Croustade aux pommes et à la rhubarbe *(p. 230)*

ou Tarte croustillante aux pommes *(p. 225)*

Bien que la quantité d'agneau puisse sembler minime, une portion de ce ragoût est nourrissante et très savoureuse. Les jarrets d'agneau sont très gras, il est donc préférable d'en consommer une petite portion.

PAR PORTION		
	Calories	**187**
g	matières grasses	**2**
g	gras saturés	**1**
g	fibres	**5**
BONNE SOURCE DE : thiamine, fer		
EXCELLENTE SOURCE DE : vitamines A et C, niacine		
g	protéines	**11**
g	glucides	**31**
mg	cholestérol	**28**
mg	sodium	**282**
mg	potassium	**814**

Ragoût de jarrets d'agneau aux petits légumes

Les jarrets d'agneau sont très abordables et donnent une saveur exquise à ce ragoût simple à préparer. Si c'est possible, préparez-le la veille et gardez-le couvert au réfrigérateur. Le lendemain, enlevez tout le gras à la surface. Cette façon de procéder permet non seulement d'enlever l'excès de gras, mais aussi de donner plus de saveur au ragoût et d'éviter d'avoir à l'épaissir.

1 1/4 lb	jarrets d'agneau	625 g
6	petits oignons	6
6	petites pommes de terre, en morceaux (1 lb/500 g)	6
1/2	petit navet, pelé, en cubes	1/2
3	grosses carottes, en morceaux	3
3	gousses d'ail, émincées	3
4 tasses	eau	1 L
1	boîte (7 1/2 oz/213 ml) de sauce tomate	1
1 c. à thé	thym séché	5 ml
1 c. à thé	romarin séché	5 ml
1/4 c. à thé	poivre	1 ml
1	feuille de laurier	1
1 c. à thé	zeste d'orange râpé	5 ml
2 c. à table	farine tout usage (facultatif)	25 ml

Enlevez et jetez tout le gras visible de l'agneau. Dans une grande lèche-frite ou un faitout, mettez les jarrets d'agneau, les oignons, les pommes de terre, le navet, les carottes, l'ail, l'eau, la sauce tomate, le thym, le romarin, le poivre, la feuille de laurier et le zeste d'orange ; mélangez bien.

Faites cuire au four, à couvert, à 325 °F (160 °C) pendant 3 heures, en remuant de temps en temps. Retirez la feuille de laurier. Retirez l'agneau du ragoût, désossez la viande et remettez-la dans le ragoût.

Si vous désirez épaissir le ragoût, ajoutez la farine à 1/3 tasse (75 ml) d'eau froide et mélangez jusqu'à consistance lisse ; incorporez au ragoût à l'aide d'un fouet et remuez jusqu'à ce que la ragoût épaississe, soit pendant environ 1 minute.

Donne 6 portions.

CÔTELETTES DE VEAU À L'ESTRAGON

Servez cette recette rapide et simple à votre famille ou à vos invités. Étant donné qu'elle n'exige qu'une très petite quantité de gras, il est indispensable que vous utilisez un poêlon à revêtement antiadhésif. Préparez-la avec des côtelettes minces ou des escalopes de veau.

1 c. à thé	huile végétale	5 ml
1 lb	côtelettes de veau	500 g
1/2 tasse	vin blanc sec OU bouillon de poulet OU bouillon de veau	125 ml
1/2 c. à thé	estragon séché OU 1 c. à table (15 ml) d'estragon frais haché	2 ml
1 c. à thé	farine tout usage	5 ml
1/4 tasse	yougourt à faible teneur en matières grasses	50 ml
	Sel et poivre	

Dans un grand poêlon à revêtement antiadhésif, faites chauffer l'huile à feu vif; ajoutez le veau et faites brunir des deux côtés, soit pendant environ 2 minutes de chaque côté. Prenez garde de ne pas faire cuire le veau trop longtemps, car il durcit lorsqu'il est trop cuit. Retirez du feu et réservez.

Ajoutez le vin ou le bouillon et l'estragon en remuant pour détacher les particules du fond du poêlon. Poursuivez la cuisson jusqu'à ce que le liquide ait réduit de moitié, soit pendant environ 2 minutes. Retirez du feu.

Mélangez la farine et le yogourt; ajoutez au jus de cuisson et mélangez bien. Remettez le veau dans le poêlon et remuez pour bien l'enrober de sauce. Salez et poivrez au goût.

Donne 4 portions.

Poitrines de poulet à l'estragon

Placez les poitrines de poulet entre deux feuilles de papier ciré et aplatissez-les jusqu'à 1/4 po (5 mm) d'épaisseur.

Dans un grand poêlon antiadhésif, faites chauffer l'huile à feu vif; faites cuire le poulet pendant environ 5 minutes ou jusqu'à ce qu'il soit bien doré.

Ajoutez le vin ou le bouillon et l'estragon au poulet dans le poêlon; réduisez le feu à moyen et faites cuire, à découvert, pendant environ 5 minutes ou jusqu'à ce que le poulet perde sa teinte rosée à l'intérieur et que le jus de cuisson ait réduit de moitié.

Retirez le poulet et réservez. Incorporez la farine au yogourt; ajoutez le mélange au jus de cuisson et mélangez bien. Remettez le poulet dans le poêlon et enrobez-le de sauce. Salez et poivrez.

PAR PORTION		
	Calories	**167**
g	matières grasses	**6**
g	gras saturés	**traces**
g	fibres	**0**
g	protéines	**22**
g	glucides	**2**
mg	cholestérol	**87**
mg	sodium	**56**
mg	potassium	**265**

Essayez aussi ces recettes à base de viande :

Soupe aux lentilles et à la saucisse fumée (p. 46)
Minestrone aux haricots et au bœuf (p. 53)
Pâtes à la saucisse italienne (p. 155)
Lasagne classique (p. 160)
Pâtes au jambon et à la tomate pour moi (p. 163)
Spaghettis favoris (p. 164)
Nouilles chinoises au porc et aux champignons (p. 166)

Marinade au romarin et au citron

Cette marinade convient au porc, au poulet, à l'agneau ou au poisson. La recette suivante vous permet de faire mariner 1 à 2 lb (500 g à 1 kg) de côtelettes, de brochettes ou de filets.

4	tiges de romarin frais OU 2 c. à thé (10 ml) de romarin séché	4
1	petit oignon, tranché	1
1 c. à thé	ail émincé	5 ml
2 c. à table	jus de citron	25 ml
1 c. à table	huile d'olive	15 ml
1 c. à table	eau	15 ml

Détachez les feuilles des tiges de romarin. Dans un petit bol, mélangez les feuilles de romarin, l'oignon, l'ail, le jus de citron, l'huile et l'eau.

Versez sur la viande ou mélangez à la viande dans un sac en plastique ; couvrez et réfrigérez pendant 1 heure ou toute la nuit.

Donne environ 1/4 tasse (50 ml) de marinade.

PAR PORTION
(ajouter à la valeur nutritive d'une portion de viande marinée, de volaille ou de poisson)

Calories		20
g	matières grasses	2
g	gras saturés	traces
g	fibres	traces
g	protéines	traces
g	glucides	1
mg	cholestérol	0
mg	sodium	0
mg	potassium	23

Marinade de tous les jours

Versez cette marinade sur du bœuf, des brochettes de porc ou d'agneau, du bifteck, des rôtis ou des côtelettes ; couvrez et réfrigérez pendant 1 heure ou jusqu'à 24 heures, en retournant la viande de temps en temps.

2	gousses d'ail, émincées	2
1	oignon moyen, haché	1
1/4 tasse	vinaigre de vin	50 ml
1 c. à table	huile végétale	15 ml
1 c. à table	sauce soja à faible teneur en sodium	15 ml
1/2 c. à thé	moutarde sèche OU poudre de cari	2 ml

Dans un petit bol, mettez l'ail, l'oignon, le vinaigre, l'huile, la sauce soja et la moutarde ; mélangez bien.

Donne environ 1/2 tasse (125 ml) de marinade, soit une quantité suffisante pour faire mariner 2 lb (1 kg) de viande.

Marinade au gingembre
Ajoutez 2 c. à table (25 ml) de gingembre frais émincé, à la Marinade de tous les jours.

PAR PORTION
(ajouter à la valeur nutritive d'une portion de viande marinée, de volaille ou de poisson)

Calories		23
g	matières grasses	2
g	gras saturés	traces
g	fibres	traces
g	protéines	traces
g	glucides	2
mg	cholestérol	0
mg	sodium	61
mg	potassium	36

LÉGUMES

Poireaux au four

Poireaux et poivrons grillés

Julienne de carottes et de céleri au basilic

Carottes braisées au fenouil

Gratin dauphinois de ma mère

Pommes de terre à l'ail au micro-ondes

Pommes de terre farcies aux champignons

Asperges au four de Rose Murray

Gratin de tomates et d'aubergines

Fèves germées et pois mange-tout sautés

Aubergines grillées à l'ail et au romarin

Brocoli au sésame

Céleri et champignons sautés à l'huile de sésame

Poireaux au four

Ce plat de poireaux, l'un de mes légumes favoris, peut être préparé à l'avance et réchauffé au four ordinaire ou au four micro-ondes. Faites-le cuire au four en même temps que d'autres mets en augmentant le temps de cuisson de 10 minutes si la température du four n'est pas assez élevée ou en diminuant le temps de cuisson si le four est plus chaud que requis. Comptez un gros poireau ou deux petits par portion.

10	poireaux (gros ou moyens)	10
1 c. à table	margarine molle	15 ml
	Poivre au goût	
2 c. à table	parmesan frais râpé	25 ml

Coupez le pied des poireaux et retirez les feuilles extérieures pour ne conserver que les feuilles tendres et la partie blanche. Coupez les poireaux jusqu'aux trois quarts dans le sens de la longueur, en commençant par le haut ; laissez couler l'eau froide sur les poireaux en écartant bien les feuilles.

Dans une grande casserole d'eau bouillante, faites cuire les poireaux à couvert pendant 10 minutes ou jusqu'à ce qu'ils soient tendres lorsqu'on y insère un couteau ; égouttez et disposez en une seule couche dans un plat allant au four. Badigeonnez de margarine et poivrez au goût, puis saupoudrez de parmesan. Couvrez le plat de papier d'aluminium. (Les poireaux cuits se conservent à la température ambiante pendant quelques heures ou au réfrigérateur pendant 24 heures.) Faites cuire au four à 350 °F (180 °C) pendant 25 minutes.

Donne 10 portions.

PAR PORTION		
Calories		53
g	matières grasses	2
g	gras saturés	traces
g	fibres	2
g	protéines	1
g	glucides	9
mg	cholestérol	1
mg	sodium	41
mg	potassium	109

Poireaux et poivrons grillés

Un mélange de poivrons, de poireaux et de courgettes jaunes et vertes constitue un plat succulent et coloré. Lorsque vous recevez, vous pouvez faire griller les légumes à l'avance et les réchauffer au four à 375 °F (190 °C) pendant 15 minutes juste avant de servir. *(Voir 2e et 3e page en couleurs après la page 122.)*

12	petits poireaux	12
2	petites courgettes vertes	2
2	petites courgettes jaunes	2
6	poivrons (rouges, jaunes, verts)	6
4	brins de romarin frais OU 1 c. à table (15 ml) de romarin séché	4
2 c. à table	huile d'olive	25 ml
	Sel et poivre	

Coupez la tête des poireaux en ne conservant que 1 po (2,5 cm) de la partie verte ; lavez sous le robinet à l'eau froide. Dans une casserole d'eau bouillante, faites cuire les poireaux pendant 5 à 10 minutes ou jusqu'à ce qu'ils soient tendres ; égouttez.

Tranchez les courgettes en diagonale, en rondelles de 1/2 po (1 cm). Épépinez les poivrons et tranchez-les en quartiers ou en lamelles. Retirez les feuilles du romarin. Badigeonnez les courgettes et les poivrons d'huile, assaisonnez de romarin et mélangez.

Faites griller les poivrons et les courgettes à feu moyen sur le charbon de bois ou le gaz pendant 15 à 20 minutes ou jusqu'à ce qu'ils soient tendres. Faites griller les poireaux pendant 5 minutes ou jusqu'à ce qu'ils soient chauds. Salez et poivrez au goût. Disposez sur un grand plat de service.

Donne 12 portions.

PAR PORTION

Calories		**79**
g	matières grasses	**3**
g	gras saturés	**traces**
g	fibres	**3**

BONNE SOURCE DE :
fer

EXCELLENTE SOURCE DE :
vitamine C

g	protéines	**2**
g	glucides	**14**
mg	cholestérol	**0**
mg	sodium	**15**
mg	potassium	**301**

Julienne de carottes et de céleri au basilic

Le céleri est un légume bien connu et apprécié, mais qu'on a tendance à oublier. À défaut de basilic frais, vous pouvez utiliser d'autres fines herbes fraîches comme le persil, l'aneth, la coriandre ou le thym ; si vous utilisez de l'estragon, 2 c. à table (25 ml) suffisent. Hachez le basilic au moment de l'utiliser seulement, car il a tendance à noircir si on le prépare à l'avance. (Voir 2e page en couleurs, en haut, après la page 122.)

1 lb	carottes, pelées (6 moyennes)	500 g
1	pied de céleri	1
1 tasse	bouillon de poulet ou eau	250 ml
1/4 tasse	basilic frais haché	50 ml
1 c. à table	margarine molle	15 ml
	Sel et poivre	

Coupez les carottes et le céleri en julienne (minces bâtonnets d'environ 2 po/5 cm de long).

Dans une casserole, portez le bouillon à ébullition ; ajoutez les carottes, couvrez et faites bouillir pendant 5 minutes. Ajoutez le céleri, couvrez et laissez mijoter pendant 5 minutes de plus ou jusqu'à ce que les légumes soient tendres mais croquants. Égouttez et ajoutez le basilic et la margarine ; salez et poivrez au goût et mélangez délicatement. Servez chaud.

Donne 6 portions.

Salade de carottes et de céleri

Pour apprêter les restes de julienne en salade, laissez refroidir les légumes et ajoutez-y un peu de mayonnaise légère et de yogourt.

PAR PORTION		
Calories		**57**
g	matières grasses	**2**
g	gras saturés	**1**
g	fibres	**2**
EXCELLENTE SOURCE DE :		
vitamine A		
g	protéines	**2**
g	glucides	**8**
mg	cholestérol	**0**
mg	sodium	**218**
mg	potassium	**360**

Carottes braisées au fenouil

Les carottes nouvelles, très tendres, se marient bien avec le fenouil, une plante aromatique au fin goût d'anis.

1	bulbe de fenouil (environ 3/4 lb/375 g)	1
1 tasse	bouillon de poulet	250 ml
2 tasses	petites carottes tranchées fines	500 ml
2 c. à table	oignon vert haché OU oignon	25 ml
1/4 tasse	persil frais haché	50 ml
	Poivre	

Enlevez les tiges du bulbe de fenouil ; hachez quelques feuilles et réservez.

Coupez les racines du bulbe de fenouil et en retirez les couches extérieures si elles sont décolorées ou abîmées. Coupez en morceaux de 1/4 po (5 mm) d'épaisseur et d'environ 1 po (2,5 cm) de long.

Dans une casserole, portez le bouillon de poulet à ébullition ; ajoutez les carottes, l'oignon vert ou l'oignon et le fenouil. Couvrez et laissez mijoter pendant 15 minutes ou jusqu'à ce que les légumes soient tendres ; retirez le couvercle et laissez bouillir jusqu'à ce que le liquide soit presque entièrement évaporé. Incorporez le persil et les feuilles de fenouil réservées. Poivrez au goût et servez chaud.

Donne 4 portions.

PAR PORTION

	Calories	**74**
g	matières grasses	**1**
g	gras saturés	**traces**
g	fibres	**2**

BONNE SOURCE DE :
fer

EXCELLENTE SOURCE DE :
vitamines A et C

g	protéines	**5**
g	glucides	**14**
mg	cholestérol	**0**
mg	sodium	**255**
mg	potassium	**604**

GRATIN DAUPHINOIS DE MA MÈRE

Au moment de baptiser certaines des recettes de cet ouvrage en compagnie de mon amie Elizabeth Baird, nous avons remarqué que nos mères préparaient le gratin dauphinois de cette façon, d'où le titre. Ce mets réconfortant a toujours été l'un de mes préférés. Je le sers comme plat principal, accompagné d'une salade verte et d'un légume ou d'une petite quantité de viande. Pour gagner du temps, je tranche les pommes de terre et je hache les oignons au robot culinaire, et je fais réchauffer le lait au four micro-ondes.

8	pommes de terre* moyennes, tranchées mince	8
1	gros oignon, haché	1
2 c. à table	farine tout usage	25 ml
	Sel et poivre au goût	
2 tasses	lait chaud	500 ml
1 tasse	cheddar partiellement écrémé, râpé	250 ml

Vaporisez d'enduit végétal antiadhésif un plat allant au four de 13 po par 9 po (3 L).

Disposez le tiers des pommes de terre au fond du plat ; parsemez de la moitié de l'oignon haché et saupoudrez de la moitié de la farine. Salez et poivrez au goût et répétez. Disposez le reste des pommes de terre sur le dessus. Arrosez de lait chaud et parsemez de fromage.

Faites cuire au four à découvert à 350 °F (180 °C) pendant 1 heure ou jusqu'à ce que les pommes de terre soient tendres.

Donne 8 portions.

* Utilisez des pommes de terre à cuire ou des Yukon Gold (pas de pommes de terre nouvelles).

PAR PORTION	
Calories	**192**
g matières grasses	**4**
g gras saturés	**2**
g fibres	**3**
BONNE SOURCE DE : niacine, calcium	
g protéines	**8**
g glucides	**32**
mg cholestérol	**13**
mg sodium	**106**
mg potassium	**608**

Pommes de terre à l'ail au micro-ondes

Voici ma recette de pommes de terre rapide préférée, en été et à l'automne, lorsque les petites pommes de terre rouges sont faciles à trouver. On peut les servir chaudes ou à la température ambiante ; vous n'aurez donc pas à vous casser la tête pour synchroniser leur cuisson à celle des viandes grillées. Les pommes de terre peuvent également être dans un four ordinaire ou bouillies ; vous pouvez les remplacer par des pommes de terre de grosseur moyenne, coupées en deux.

2 lb	petites pommes de terre rouges (non pelées)	1 kg
2 c. à table	huile d'olive	25 ml
1 c. à thé	ail émincé	5 ml
1/3 tasse	aneth, basilic ou persil frais haché	75 ml
	Sel et poivre	

Lavez les pommes de terre et piquez-les avec une fourchette. Disposez en une seule couche dans un plat allant au four micro-ondes. Faites cuire à découvert à puissance maximale pendant 10 à 13 minutes ou jusqu'à ce qu'elles soient tendres lorsqu'on les pique à la fourchette (retournez les pommes de terre une fois).

Entre-temps, mélangez l'huile et l'ail ; laissez reposer pendant au moins 15 minutes ou jusqu'à 30 minutes. Versez sur les pommes de terre cuites, chaudes. Parsemez d'aneth et remuez ; salez et poivrez au goût.

Donne 6 portions.

PAR PORTION	
Calories	**172**
g matières grasses	**5**
g gras saturés	**1**
g fibres	**2**
BONNE SOURCE DE :	
vitamine C	
g protéines	**3**
g glucides	**30**
mg cholestérol	**0**
mg sodium	**9**
mg potassium	**597**

Pommes de terre farcies aux champignons

Cette recette de la Fondation des maladies du cœur de l'Île du Prince-Édouard est tirée d'une brochure du Potato Marketing Commission Board *de cette province.*

4	pommes de terre à cuire au four (environ 8 oz/250 g chacune)	4

Farce :

1 c. à table	margarine molle	15 ml
2 tasses	champignons frais hachés	500 ml
1/2 tasse	oignon haché fin	125 ml
1/4 tasse	céleri haché fin	50 ml
2 c. à table	poivron rouge ou vert haché fin	25 ml
1/4 tasse	persil frais haché fin	50 ml
1/4 tasse	lait	50 ml
	Poivre	
1/2 tasse	cheddar partiellement écrémé, râpé	125 ml

Lavez les pommes de terre et piquez-les avec une fourchette. Faites cuire au four à 400 °F (200 °C) pendant 50 à 60 minutes ou jusqu'à ce qu'elles soient tendres.

Farce : dans une casserole, faites fondre la margarine à feu moyen ; ajoutez les champignons, l'oignon, le céleri et le poivron et faites cuire en remuant constamment jusqu'à ce que les légumes soient tendres.

Coupez une tranche sur le dessus de chaque pomme de terre ; retirez la pulpe à la cuillère et déposez dans un bol. Réservez les pelures. Réduisez la pulpe en purée jusqu'à consistance homogène. Incorporez-y les légumes, le persil et le lait ; poivrez au goût. Ajoutez un peu de lait au goût. Farcissez les pelures de ce mélange à l'aide d'une cuillère et lissez le dessus. (On peut préparer les pommes de terre à l'avance jusqu'à cette étape, les laisser refroidir, les emballer et les conserver au congélateur*.) Parsemez de fromage. Faites cuire au four à 400 °F (200 °C) pendant 10 minutes ou jusqu'à ce que la farce soit chaude et le fromage fondu.

Cuisson au four micro-ondes : lavez les pommes de terre et piquez-les avec une fourchette. Faites cuire à puissance maximale pendant 12 à 16 minutes ou jusqu'à ce que les pommes de terre soient presque cuites. Couvrez et laissez reposer jusqu'à ce qu'elles soient tendres.

Farce : dans un bol allant au four micro-ondes, faites fondre la margarine à puissance maximale (pendant environ 20 secondes). Ajoutez les champignons, l'oignon, le céleri et le poivron rouge ou vert ; faites cuire à puissance maximale pendant 2 minutes. Remuez et faites cuire à puissance maximale pendant encore 1 minute. Préparez les pommes de terre farcies comme ci-dessus.

Disposez les pommes de terre farcies en rond dans le four micro-ondes ; couvrez de papier ciré. Faites cuire à puissance maximale, en comptant 1 minute par pomme de terre. (Si les pommes de terre ont été réfrigérées avant la cuisson, comptez 1 minute de cuisson additionnelle par pomme de terre). Parsemez de fromage et faites cuire de 1 à 2 minutes jusqu'à ce que le fromage soit fondu.

Faites cuire les pommes de terre farcies congelées au four micro-ondes à puissance maximale : 1 pomme de terre : 3 à 5 minutes ; 2 pommes de terre : 5 à 7 minutes ; 3 pommes de terre : 7 à 9 minutes ; 4 pommes de terre : 9 à 11 minutes.

Parsemez de fromage et faites cuire de 1 à 2 minutes ou jusqu'à ce que le fromage soit fondu.

Donne 4 portions.

* On peut conserver les pommes de terre farcies au congélateur jusqu'à un mois. Au moment de les utiliser, placez-les congelées dans un four à 400 °F (200 °C) et laissez-les cuire pendant 50 à 60 minutes ou jusqu'à ce qu'elles soient complètement réchauffées. Garnissez de fromage et remettez au four pendant environ 2 minutes.

PAR PORTION		
Calories		**285**
g	matières grasses	**6**
g	gras saturés	**2**
g	fibres	**5**
BONNE SOURCE DE : thiamine, fer		
EXCELLENTE SOURCE DE : niacine, vitamine C		
g	protéines	**9**
g	glucides	**50**
mg	cholestérol	**10**
mg	sodium	**123**
mg	potassium	**965**

ASPERGES AU FOUR DE ROSE MURRAY

Mon amie Rose Murray, auteur d'un livre de recettes, m'a fait découvrir cette méthode de cuisson des asperges. Leur saveur et leur texture diffèrent légèrement de celles des asperges bouillies, mais elles sont tout à fait savoureuses. Le temps de cuisson peut varier selon la grosseur des tiges. Pour rehausser leur saveur, parsemez les asperges de parmesan et de chapelure avant de les mettre au four.

1 lb	asperges	500 g
2 c. à thé	margarine molle fondue OU huile d'olive	10 ml
1/4 c. à thé	sel	1 ml

Vaporisez une plaque de cuisson d'enduit végétal antiadhésif. Cassez les bouts de tiges très dures des asperges. Disposez les asperges en une seule couche sur la plaque de cuisson et badigeonnez de margarine fondue ou d'huile ; salez et faites cuire au four à 500 °F (260 °C) pendant environ 8 minutes ou jusqu'à ce qu'elles soient tendres.

Donne 4 portions.

PAR PORTION		
Calories		**31**
g	matières grasses	**2**
g	gras saturés	**traces**
g	fibres	**1**
g	protéines	**1**
g	glucides	**2**
mg	cholestérol	**0**
mg	sodium	**151**
mg	potassium	**174**

✓ À PRÉPARER À L'AVANCE

Voici une recette pratique de sauce tomate « passe-partout » que vous pouvez servir avec des pâtes, sur la polenta, avec la lasagne ou comme garniture à pizza. Lorsque j'ai des fines herbes fraîches à portée de la main, comme du basilic, du thym, de l'aneth ou du persil, j'en ajoute pour rehausser le goût.

PAR PORTION		
Calories		**141**
g	matières grasses	**4**
g	gras saturés	**2**
g	fibres	**6**
BONNE SOURCE DE : vitamines A et C, thiamine, niacine, calcium, fer		
g	protéines	**9**
g	glucides	**20**
mg	cholestérol	**13**
mg	sodium	**353**
mg	potassium	**826**

GRATIN DE TOMATES ET D'AUBERGINES

Servez ce mets délicieux comme plat principal ou comme légume d'accompagnement. Pendant des années, les seules recettes d'aubergine que j'avais exigeaient une friture dans d'énormes quantités d'huile. Depuis, j'ai appris qu'en Italie, on fait bouillir l'aubergine ou on la cuit au four ou à la vapeur avant de l'apprêter de diverses façons.

2	aubergines (1 lb/500 g chacune)	2
1 tasse	mozzarella partiellement écrémée, râpée	250 ml
2 c. à table	parmesan frais râpé	25 ml

Sauce tomate :

1	boîte (28 oz/796 ml) de tomates entières (non égouttées)	1
1/4 tasse	pâte de tomates	50 ml
1	oignon, haché fin	1
2	gousses d'ail, émincées	2
1	grande feuille de laurier	1
1 c. à table	basilic séché	15 ml
1 c. à thé	origan séché	5 ml
	Poivre	

Coupez les aubergines en deux dans le sens de la longueur et piquez-les avec une fourchette. Placez-les sur une plaque de cuisson légèrement graissée, le côté coupé à plat. Faites cuire au four à 450 °F (230 °C) pendant 20 minutes ou jusqu'à ce qu'elles soient tendres. Laissez refroidir les aubergines, et coupez-les en tranches de 1/2 po (1 cm) dans le sens de la longueur.

Sauce tomate : entre-temps, réduisez les tomates en purée au robot culinaire et versez dans une grande casserole. Ajoutez la pâte de tomates, l'oignon, l'ail, la feuille de laurier, le basilic et l'origan. Faites mijoter, à découvert, pendant 20 à 30 minutes ou jusqu'à ce que la sauce épaississe et que l'oignon soit tendre (vous devriez obtenir environ 3 tasses/750 ml de sauce). Poivrez au goût et retirez la feuille de laurier.

Dans un moule carré de 8 pouces (2 L), étendez une mince couche de sauce ; recouvrez d'une couche d'aubergines. Répétez et terminez avec un couche de sauce. Parsemez de mozzarella et de parmesan. Faites cuire au four à 400 °F (200 °C) pendant 25 à 30 minutes ou jusqu'à ce que le mélange bouillonne.

Donne 6 portions (plat principal).

FÈVES GERMÉES ET POIS MANGE-TOUT SAUTÉS

Mon amie Stevie Cameron est un remarquable cordon-bleu. J'ai élaboré cette recette après l'avoir dégustée à un dîner de fête chez elle. *(Voir photo vis-à-vis de la page 123.)*

4 tasses	pois mange-tout (8 oz/250 g)	1 L
2 c. à thé	huile végétale	10 ml
2 c. à thé	ail émincé	10 ml
2 c. à table	gingembre frais émincé	25 ml
2 tasses	fèves germées (4 oz/125 g)	500 ml
3 c. à table	eau (facultatif)	45 ml
2 c. à thé	sauce soja à faible teneur en sodium	10 ml

Retirez la queue et les fils des pois mange-tout. Dans un grand poêlon à revêtement antiadhésif ou dans un wok, faites chauffer l'huile à feu vif. Ajoutez l'ail, le gingembre et les pois mange-tout ; faites sauter pendant 1 minute.

Ajoutez les fèves germées et faites sauter pendant encore 1 minute ou jusqu'à ce que les légumes soient tendres mais croquants ; au besoin, ajoutez de l'eau pour les empêcher de brûler. Incorporez la sauce soja.

Donne 4 portions.

PAR PORTION		
Calories		**54**
g	matières grasses	**2**
g	gras saturés	**traces**
g	fibres	**3**
BONNE SOURCE DE :		
vitamine C		
g	protéines	**2**
g	glucides	**6**
mg	cholestérol	**0**
mg	sodium	**85**
mg	potassium	**178**

Salade d'aubergines, de tomates et de mozzarella

Dans un bol, disposez en alternance des tranches d'aubergines grillées à l'ail et au romarin, d'épaisses tranches de tomates et de minces tranches de mozzarella. Arrosez de Ma vinaigrette de tous les jours (p.79).

Aubergines, tomates et fromage

Dans un plat peu profond allant au four, disposez (en les faisant se chevaucher) en alternance des tranches d'aubergines grillées à l'ail et au romarin, des tranches de tomates et de minces tranches de mozzarella partiellement écrémée. Faites cuire au four à 350 °F (180 °C) pendant 25 minutes ou jusqu'à ce que les légumes soient bien réchauffés et le fromage fondu. Servez chaud.

PAR PORTION	
Calories	**61**
g matières grasses	**5**
g gras saturés	**1**
g fibres	**2**
g protéines	**1**
g glucides	**5**
mg cholestérol	**0**
mg sodium	**2**
mg potassium	**182**

AUBERGINES GRILLÉES À L'AIL ET AU ROMARIN

Les aubergines grillées au barbecue ont une riche saveur fumée. Assurez-vous de les couper en tranches de 1/2 po (1 cm) d'épaisseur, les tranches plus épaisses ayant tendance à brûler avant d'être tendres à l'intérieur. Servez avec d'autres légumes grillés (voir à la page 135) ou des tomates grillées au four.

1	aubergine (environ 1 lb/500 g)	1
2 c. à table	huile d'olive OU huile végétale	25 ml
1 c. à table	eau	15 ml
1	petite gousse d'ail, émincée	1
2 c. à thé	romarin séché OU 1 c. à table (15 ml) de romarin frais	10 ml

Coupez l'aubergine en tranches de 1/2 po (1 cm) d'épaisseur. Mélangez l'huile, l'eau et l'ail et badigeonnez de ce mélange les tranches d'aubergine des deux côtés.

Faites cuire sur le gril graissé à feu moyen-élevé à environ 6 po (15 cm) de la source de chaleur ou, pour un gril au gaz, à feu moyen pendant 8 à 10 minutes (avec couvercle) ; tournez les tranches d'aubergine et parsemez-les de romarin. Faites cuire encore de 8 à 10 minutes ou jusqu'à ce qu'elles soient dorées à l'extérieur et tendres à l'intérieur. (Vous pouvez également les faire griller au four sur une plaque de cuisson, de 4 à 6 minutes de chaque côté.) Servez chaud ou tiède.

Donne 6 portions.

La famille des cruciféracées

Certaines études semblent indiquer que la consommation de ces légumes pourrait réduire les risques de cancer, particulièrement le cancer de l'intestin et du côlon.

Les légumes de cette famille comprennent le chou, le brocoli, le chou-fleur, le navet, le rutabaga, le chou frisé, le chou-rave, le bok choy et les choux de Bruxelles.

Si vous désirez préparer la recette à l'avance, faites cuire le brocoli, et plongez-le dans l'eau glacée ; faites ensuite griller les graines de sésame et mélangez les assaisonnements. Au moment de servir, blanchissez le brocoli à l'eau bouillante, égouttez-le et assaisonnez selon le mode de préparation ci-contre.

PAR PORTION		
Calories		**56**
g	matières grasses	**3**
g	gras saturés	**traces**
g	fibres	**2**
EXCELLENTE SOURCE DE :		
vitamine C		
g	protéines	**3**
g	glucides	**6**
mg	cholestérol	**0**
mg	sodium	**74**
mg	potassium	**171**

Brocoli au sésame

Les assaisonnements à l'orientale confèrent au brocoli une saveur incomparable. (Voir photo vis-à-vis de la page 90.)

1 c. à table	graines de sésame	15 ml
1	pied de brocoli (1 lb/500 g)	1
2 c. à table	jus d'orange	25 ml
2 c. à thé	huile de sésame	10 ml
2 c. à thé	sauce soja à faible teneur en sodium	10 ml
1 c. à thé	gingembre frais râpé	5 ml

Dans un petit poêlon, faites cuire les graines de sésame à feu moyen pendant 3 minutes, en agitant le poêlon de temps à autre ; réservez.

Coupez le brocoli en bouquets ; pelez les tiges et tranchez-les en diagonale. Faites bouillir le brocoli pendant 5 à 6 minutes ou faites-le cuire à la vapeur jusqu'à ce qu'il soit tendre mais croquant ; égouttez et placez dans un plat de service.

Mélangez le jus d'orange, l'huile de sésame, la sauce soja et le gingembre ; incorporez le brocoli au mélange. Parsemez de graines de sésame.

Donne 5 portions.

Céleri et champignons sautés à l'huile de sésame

Un soupçon d'huile de sésame suffit pour donner à ce plat de légumes un goût extraordinaire ! Servez avec de la viande ou de la volaille.

1 c. à thé	huile d'olive	5 ml
1	petit oignon, tranché mince	1
4 tasses	céleri tranché en diagonale	1 L
3 tasses	champignons tranchés épais (8 oz/250 g)	750 ml
1 c. à thé	sauce soja à faible teneur en sodium	5 ml
1 c. à thé	huile de sésame	5 ml
1 c. à thé	eau	5 ml
	Poivre ou sauce piquante aux piments	

Dans un poêlon antiadhésif, faites fondre la margarine à feu moyen-élevé ; ajoutez l'oignon et faites sauter pendant 1 minute. Ajoutez le céleri et les champignons et faites sauter pendant 6 à 8 minutes ou jusqu'à ce qu'ils soient tendres mais croquants.

Dans un petit bol, mélangez la sauce soya, l'huile de sésame et l'eau ; versez sur les légumes. Assaisonnez de poivre ou de sauce piquante aux piments. Mélangez bien et servez chaud.

Donne 6 portions.

L'huile de sésame

L'huile de sésame rehausse à merveille la saveur des légumes sautés et des vinaigrettes. Certaines marques d'huile de sésame ont un goût plus prononcé que d'autres. Ce sont celles que je préfère, car je peux réduire le gras au minimum en utilisant juste une petite quantité d'huile.

Utilisez de préférence l'huile aux graines de sésame rôties et évitez l'huile vierge. Généralement, l'huile de sésame foncée est plus relevée que les autres. Conservez-la au réfrigérateur afin d'éviter qu'elle ne rancisse.

PAR PORTION		
Calories		33
g	matières grasses	2
g	gras saturés	traces
g	fibres	2
g	protéines	1
g	glucides	4
mg	cholestérol	0
mg	sodium	81
mg	potassium	361

Pâtes

Sauce tomate aux palourdes

Pâtes et légumineuses aux fines herbes

Linguine aux asperges et au poivron rouge

Linguine aux pétoncles et aux épinards

Pâtes avec sauce crémeuse au thon

Pâtes aux crevettes, aux courgettes et aux champignons

Pâtes aux tomates, aux olives noires et au fromage feta

Pâtes à la saucisse italienne

Nouilles thaïlandaises aux petits légumes (Pad Thai)

Lasagne aux poivrons et aux champignons

Lasagne classique

Pâtes aux poivrons, au fromage et au basilic

Macaronis au fromage jardinière pour petits gourmands

Pâtes au jambon et à la tomate pour moi

Spaghettis favoris

Fettuccine Alfredo au goût du cœur

Nouilles chinoises au porc et aux champignons

La cuisson des pâtes
Faites cuire les pâtes dans une grande quantité d'eau bouillante pour les empêcher de coller les unes aux autres. Les temps de cuisson varient en fonction du type de pâtes et selon qu'elles sont fraîches ou sèches (des fettuccine frais cuisent en 3 à 4 minutes, tandis que les secs demandent 10 minutes).

Pendant la cuisson, retirez une pâte de temps à autre afin de vérifier si les pâtes sont cuites.

Égouttez les pâtes. Rincez-les à l'eau froide si vous les apprêtez en salade ou si vous les faites cuire à l'avance afin de les empêcher de coller.

Vous pouvez faire cuire les pâtes quelques heures à l'avance : égouttez, rincez à l'eau froide et laissez dans l'eau froide à couvert. Au moment de servir, réchauffez les pâtes à l'eau bouillante et ajoutez la sauce.

PAR PORTION (sauce seulement)	
Calories	**79**
g matières grasses	**3**
g gras saturés	**traces**
g fibres	**2**
BONNE SOURCE DE : vitamine C, fer	
g protéines	**4**
g glucides	**12**
mg cholestérol	**8**
mg sodium	**501**
mg potassium	**456**

SAUCE TOMATE AUX PALOURDES

Cette sauce, savoureuse et vite faite, se marie bien à tous les types de pâtes. Vous gagnerez du temps et votre sauce sera plus épaisse si vous utilisez des tomates broyées : sinon, prenez 2 boîtes de 19 oz (540 ml) de tomates entières et réduisez en purée au robot culinaire. Faites alors cuire un peu plus longtemps pour épaissir la sauce.

1 c. à table	huile d'olive	15 ml
1	oignon moyen, haché	1
1	gousse d'ail, émincée	1
1	boîte (28oz/796 ml) de tomates broyées	1
1	feuille de laurier	1
1 c. à table	basilic séché	15 ml
1 c. à thé	origan séché	5 ml
1	boîte (5 oz/142 g) de palourdes, non égouttées	1
1/2 c. à thé	sucre (facultatif)	2 ml
1/2 tasse	persil frais haché	125 ml

Dans une casserole, faites chauffer l'huile à feu moyen et faites-y revenir l'oignon, en remuant souvent, jusqu'à ce qu'il soit tendre.

Ajoutez l'ail, le tomates, la feuille de laurier, le basilic, l'origan et les palourdes. Laissez mijoter à découvert pendant 5 minutes ou jusqu'à ce que les saveurs soient mariées. Goûtez et ajoutez le sucre (s'il y a lieu). Incorporez le persil.

Donne environ 4 tasses (1 L), soit la quantité de sauce nécessaire pour 1 1/2 lb (750 g) de pâtes (6 portions comme plat principal).

✓ À PRÉPARER À L'AVANCE

Préparez vos pâtes à l'avance

Vous n'aimez pas cuisiner à la dernière minute lorsque vous recevez, mais vous désirez servir des pâtes ? Je vous confie un secret de chef. Ils préparent généralement les pâtes, sans trop les cuire, quelques heures avant de les servir, les égouttent et les conservent dans l'eau froide. Ils les réchauffent ensuite 1 minute à l'eau bouillante.

Vous pouvez également préparer votre sauce à l'avance et la réchauffer. Toutefois, si cela vous est impossible, hachez et mesurez tous les ingrédients nécessaires à la préparation de la sauce de sorte qu'il ne vous reste plus qu'à les faire cuire au dernier moment.

PAR PORTION		
Calories		**367**
g	matières grasses	**5**
g	gras saturés	**1**
g	fibres	**13**
BONNE SOURCE DE : niacine, thiamine		
EXCELLENTE SOURCE DE : vitamines A et C, fer		
g	protéines	**16**
g	glucides	**67**
mg	cholestérol	**1**
mg	sodium	**673**
mg	potassium	**889**

PÂTES ET LÉGUMINEUSES AUX FINES HERBES

Cette combinaison nourrissante de pâtes et de haricots nous fait voir à quel point un repas sain peut être économique. Pour économiser encore plus, si vous avez le temps, faites cuire des haricots et des pois chiches secs plutôt que de les acheter en conserve : vous réduirez du même coup la quantité de sodium et rehausserez la saveur du plat. Utilisez alors 2 tasses (500 ml) de haricots rouges cuits et la même quantité de pois chiches.

2 tasses	petites pâtes OU nouilles coupées (6 oz/175 g)	500 ml
1 c. à table	huile d'olive	15 ml
1	gros oignon, haché	1
2	carottes moyennes, hachées	2
2 c. à thé	ail émincé	10 ml
1/4 c. à thé	flocons de piment fort	1 ml
1 c. à thé	basilic séché	5 ml
1 c. à thé	romarin séché	5 ml
1 c. à thé	origan séché	5 ml
1	boîte (28 oz/796 ml) de tomates entières, non égouttées, hachées	1
1	boîte (19 oz/540 ml) de haricots rouges, égouttés et rincés	1
1	boîte (19 oz/540 ml) de pois chiches, égouttés et rincés	1
	Sel et poivre	
2 c. à table	parmesan frais râpé	25 ml
1/2 tasse	persil frais haché	125 ml

Dans une grande casserole d'eau bouillante, faites cuire les pâtes jusqu'à ce qu'elles soient *al dente* : égouttez. Pendant ce temps, dans une grande casserole, faites chauffer l'huile à feu moyen et faites-y revenir l'oignon, les carottes, l'ail et les flocons de piment jusqu'à ce que les légumes soient tendres. Ajoutez le basilic, le romarin, l'origan et les tomates et portez à ébullition. Incorporez délicatement les haricots, les pois chiches et les pâtes cuites et laissez mijoter pendant 2 minutes.

Assaisonnez de sel et de poivre au goût. Servez dans des bols à soupe et parsemez de parmesan. Garnissez de persil.

Donne 6 portions d'environ 1 1/4 tasse (300 ml) chacune.

Linguine au brocoli et aux carottes
Pour faire cette recette, remplacez les asperges par 1 lb (500 g) de brocoli et le poivron rouge par 3 carottes moyennes. Faites cuire les légumes à la vapeur jusqu'à ce qu'ils soient tendres mais croquants.

PAR PORTION		
Calories		447
g	matières grasses	9
g	gras saturés	2
g	fibres	5
BONNE SOURCE DE : niacine, calcium, fer		
EXCELLENTE SOURCE DE : vitamine C		
g	protéines	17
g	glucides	74
mg	cholestérol	6
mg	sodium	176
mg	potassium	490

LINGUINE AUX ASPERGES ET AU POIVRON ROUGE

Nous mangeons des pâtes au moins une fois par semaine et ma façon de les apprêter varie selon ce que j'ai au réfrigérateur. La grande casserole dans laquelle je fais habituellement cuire mes pâtes est pourvue d'un panier pour la cuisson à la vapeur me permettant de faire cuire des légumes, tels des asperges, du brocoli ou des poivrons, en même temps que les pâtes. Après la cuisson, je mélange le tout avec un soupçon d'huile d'olive et je parsème de fromage parmesan ou feta.

1 lb	linguine OU autre variété de pâtes plates	500 g
1 lb	asperges, coupées en morceaux de 2 po (5 cm)	500 g
1	gros poivron rouge, en lamelles	1
2 c. à table	huile d'olive	25 ml
2 c. à table	bouillon de poulet OU eau	25 ml
3	gousses d'ail, émincées	3
1/2 tasse	parmesan frais râpé	125 ml
1/2 tasse	persil frais haché	125 ml
1 c. à thé	basilic séché OU 1/4 tasse (50 ml) de basilic frais haché	5 ml

Dans une grande casserole d'eau bouillante, faites cuire les pâtes jusqu'à ce qu'elles soient *al dente*. Dans la partie supérieure de la casserole ou dans une marguerite, faites cuire à la vapeur les asperges et le poivron rouge pendant 3 minutes ou jusqu'à ce qu'ils soient tendres mais croquants ; égouttez.

Entre-temps, dans une petite casserole ou dans un plat allant au four micro-ondes, mélangez l'huile, le bouillon et l'ail. Faites cuire à feu moyen pendant 1 minute, ou au four micro-ondes à puissance maximale pendant 20 secondes, jusqu'à ce que l'ail soit tendre.

Égouttez les pâtes et remettez-les dans la casserole. Incorporez les asperges et le poivron cuits, l'huile parfumée à l'ail, le fromage, le persil et le basilic. Servez immédiatement.

Donne 5 portions.

Linguine aux pétoncles et aux épinards

Cette recette rapide, savoureuse et colorée, contient relativement peu de matières grasses : elle est riche en glucides complexes et constitue une bonne source de fer et de vitamine A.

1/2 lb	linguine	250 g
1/2 tasse	bouillon de poulet OU vin blanc	125 ml
1	oignon, émincé	1
1/2 lb	petits pétoncles	250 g
1/3 tasse	fromage à la crème à faible teneur en matières grasses	75 ml
2 c. à table	aneth frais haché OU 1 c. à thé (5 ml) de basilic séché	25 ml
1 c. à thé	zeste de citron râpé	5 ml
2 tasses	épinards hachés	500 ml
	Sel et poivre	
2 c. à table	parmesan frais râpé	25 ml

Dans une grande casserole d'eau bouillante, faites cuire les linguine jusqu'à ce qu'ils soient *al dente* : égouttez-les et remettez-les dans la casserole.

Pendant ce temps, dans une petite casserole, portez le bouillon de poulet à ébullition et ajoutez l'oignon et les pétoncles. Laissez mijoter pendant 4 minutes ou jusqu'à ce que les pétoncles soient complètement opaques (le temps de cuisson varie selon la taille des pétoncles, les plus petits pouvant cuire en 2 minutes). Retirez les pétoncles à l'aide d'une écumoire et mettez-les dans un bol. Gardez-les au chaud.

Incorporez le fromage à la crème, l'aneth et le zeste de citron au jus de cuisson chaud et laissez chauffer à feu moyen, en remuant, jusqu'à ce que la sauce soit veloutée. Versez sur les pâtes et mélangez bien. Incorporez les épinards et les pétoncles et assaisonnez de sel et de poivre au goût. Parsemez chaque portion de parmesan râpé.

Donne 3 portions.

MENU GOURMAND DU VENDREDI SOIR

Salade César (p. 62)
Linguine aux pétoncles et aux épinards
Carottes braisées au fenouil (p. 137)
Croustade aux pommes et à la rhubarbe (p. 230)

Si vous suivez un régime faible en calories ou visant à diminuer votre taux de cholestérol, vous pouvez remplacer le fromage à la crème à faible teneur en matières grasses par du fromage cottage à 1 ou 2 % m.g. Réduisez le fromage cottage en purée au mélangeur ou au robot culinaire, ou passez-le au chinois et incorporez-le au jus de cuisson avec l'aneth et le zeste de citron.

PAR PORTION		
Calories		**420**
g	matières grasses	**9**
g	gras saturés	**4**
g	fibres	**4**
BONNE SOURCE DE : vitamine A, fer		
EXCELLENTE SOURCE DE : niacine		
g	protéines	**23**
g	glucides	**62**
mg	cholestérol	**42**
mg	sodium	**424**
mg	potassium	**552**

PÂTES AVEC SAUCE CRÉMEUSE AU THON

Cette sauce simple et vite faite accompagne délicieusement les plumes ou les boucles. Pour décongeler légèrement les petits pois, passez-les à l'eau chaude pendant quelques instants.

8 oz	penne, gros macaronis OU autres pâtes creuses	250 g
2 c. à table	margarine molle	25 ml
2 c. à table	oignon émincé	25 ml
2 c. à table	farine tout usage	25 ml
1 2/3 tasse	lait	400 ml
1 tasse	petits pois surgelés, décongelés	250 ml
1	boîte (6 1/2 oz/184 g) de thon en conserve dans l'eau, égoutté	1
1/3 tasse	persil frais haché OU aneth OU basilic	75 ml
1/3 tasse	oignons verts hachés	75 ml
1/4 tasse	parmesan frais râpé	50 ml
	Sauce au piment fort	

Dans une grande casserole d'eau bouillante, faites cuire les pâtes jusqu'à ce qu'elles soient *al dente* : égouttez-les et remettez-les dans la casserole.

Entre-temps, dans une casserole, faites fondre la margarine à feu moyen et faites-y revenir l'oignon jusqu'à ce qu'il soit tendre. Incorporez la farine et laissez cuire pendant quelques secondes. Incorporez le lait graduellement à l'aide d'un fouet et laissez mijoter, en remuant constamment, jusqu'à ce que la sauce épaississe.

Ajoutez les petits pois, le thon (défait en morceaux), le persil, les oignons verts, le fromage et la sauce au piment fort. Versez sur les pâtes et mélangez délicatement. Servez immédiatement.

Méthode au four micro-ondes : faites cuire les pâtes selon le mode ci-dessus. Dans un bol de 4 tasses (1 L) allant au micro-ondes, mettez la margarine et l'oignon et faites cuire à puissance moyenne-forte (70 %) pendant 1 minute ou jusqu'à ce que l'oignon soit tendre. Incorporez la farine : ajoutez le lait graduellement à l'aide d'un fouet. Faites cuire au four micro-ondes à puissance maximale pendant 3 à 5 minutes, en mélangeant à l'aide d'un fouet après chaque minute ou jusqu'à ce que la sauce commence à bouillir et qu'elle épaississe. Ajoutez le reste des ingrédients à la sauce, versez sur les pâtes et mélangez bien.

Donne 4 portions d'environ 1 1/2 tasse (375 ml) chacune.

Pâtes avec sauce crémeuse au saumon

Suivez la recette de pâtes avec sauce crémeuse au thon et remplacez le thon par 1 tasse (250 ml) de saumon cuit ou 1 boîte (7 1/2 oz/213 g) de saumon en conserve. Si vous utilisez du saumon en conserve, réduisez la quantité de lait à 1 1/3 tasse (325 ml) et ajoutez le liquide du saumon en conserve.

PAR PORTION		
Calories		439
g	matières grasses	10
g	gras saturés	4
g	fibres	4
BONNE SOURCE DE : vitamine A, thiamine, riboflavine, calcium, fer		
EXCELLENTE SOURCE DE : niacine		
g	protéines	28
g	glucides	56
mg	cholestérol	41
mg	sodium	257
mg	potassium	509

PÂTES AUX CREVETTES, AUX COURGETTES ET AUX CHAMPIGNONS

Dans ce plat léger et succulent, les pâtes rehaussent la saveur délicate des crevettes. Tous les types de pâtes se prêtent bien à cette recette à laquelle j'aime ajouter des fines herbes, comme du basilic ou de l'aneth. (Voir photo vis-à-vis de la page 154).

1 lb	pâtes (penne OU rigatoni)	500 g
3 c. à table	huile d'olive OU margarine molle	45 ml
4	petites courgettes (de 7 po/18 cm), en julienne	4
1/2 lb	champignons, tranchés	250 g
2 lb	grosses crevettes crues, décortiquées et déveinées	1 kg
3	gousses d'ail, émincées	3
1	grosse tomate, en dés	1
1/2 tasse	persil frais haché	125 ml
1/4 tasse	parmesan frais râpé	50 ml
2 c. à table	jus de citron	25 ml
	Sel et poivre	

Dans une grande casserole d'eau bouillante, faites cuire les pâtes jusqu'à ce qu'elles soient *al dente* : égouttez-les et remettez-les dans la casserole.

Pendant ce temps, dans un grand poêlon à revêtement antiadhésif, faites chauffer 1 c. à table (15 ml) d'huile à feu vif, faites-y revenir les courgettes et les champignons pendant 3 minutes ou jusqu'à ce qu'ils soient tendres mais croquants. Mettez-les dans un bol.

Dans le poêlon, faites chauffer le reste de l'huile, toujours à feu vif, et faites-y cuire les crevettes et l'ail pendant 3 minutes, en remuant, ou jusqu'à ce que les crevettes soient opaques. Ajoutez la tomate et laissez cuire encore pendant 1 minute.

Versez les crevettes et le mélange de courgettes (avec le jus de cuisson) dans la casserole contenant les pâtes. Incorporez le persil, le fromage et le jus de citron. Assaisonnez de sel et de poivre au goût.

Donne 8 portions.

Lorsque vous recevez, vous pouvez faire cuire les pâtes quelques heures à l'avance : égouttez, rincez à l'eau froide et laissez reposer dans l'eau froide à couvert. Au moment de servir, réchauffez les pâtes à l'eau bouillante pendant 1 ou 2 minutes et ajoutez la sauce.

Pour réaliser des mets succulents, achetez de grosses crevettes crues, ou des moyennes, non décortiquées. Faites-les cuire à l'eau frémissante jusqu'à ce qu'elles aient une belle teinte rosée, laissez-les refroidir et décortiquez. Vos crevettes seront d'autant plus savoureuses si elles ne sont pas décortiquées avant d'être cuites.

PAR PORTION		
Calories		**376**
g	matières grasses	**9**
g	gras saturés	**2**
g	fibres	**4**
BONNE SOURCE DE :		
niacine, fer		
g	protéines	**25**
g	glucides	**50**
mg	cholestérol	**90**
mg	sodium	**195**
mg	potassium	**445**

PÂTES AUX TOMATES, AUX OLIVES NOIRES ET AU FROMAGE FETA

Cette recette de pâtes est l'une de mes préférées, lorsque les tomates fraîches sont au summum de leur saveur. (Voir photo ci-contre.)

1 lb	penne OU spirales OU autres pâtes courtes	500 g
1 c. à table	huile d'olive	15 ml
1 c. à thé	ail émincé	5 ml
4	grosses tomates, en quartiers	4
1/3 tasse	olives noires coupées en deux	75 ml
1/2 tasse	fromage feta émietté	125 ml
1/2 tasse	persil frais haché	125 ml
2 c. à table	basilic frais haché OU 2 c. à thé (10 ml) de basilic séché	25 ml
1/4 tasse	parmesan frais râpé	50 ml

Dans une grande casserole d'eau bouillante, faites cuire les pâtes jusqu'à ce qu'elles soient *al dente*. Égouttez et remettez au chaud dans la casserole.

Entre-temps, dans un grand poêlon à revêtement antiadhésif, faites-y chauffer l'huile à feu moyen et faites-y revenir l'ail. Ajoutez les tomates et laissez cuire pendant 3 minutes en remuant ou jusqu'à ce que le mélange soit chaud.

Versez sur les pâtes. Ajoutez les olives, le fromage feta, le persil et le basilic et mélangez délicatement.

Parsemez chaque portion de parmesan râpé.

Donne 4 portions (plat principal).

PAR PORTION	
Calories	609
g matières grasses	15
g gras saturés	6
g fibres	7

BONNE SOURCE DE :
thiamine

EXCELLENTE SOURCE DE :
vitamines A et C, riboflavine, niacine, calcium, fer

g protéines	23
g glucides	96
mg cholestérol	32
mg sodium	561
mg potassium	698

Pâtes aux tomates, aux olives noires et au fromage feta *(illustr. : rotini)* (en haut, ci-contre), Pâtes aux crevettes, aux courgettes et aux champignons *(illustr. : penne)* (p. 153), Pâtes à la saucisse italienne *(illustr. : spaghetti)* (p. 155)

PÂTES À LA SAUCISSE ITALIENNE

Cette recette me vient souvent à l'esprit lorsque je passe à l'épicerie à 18h et que je me demande quoi préparer pour le souper. J'aime bien la saucisse italienne forte ou encore la saucisse macédonienne. Si vous préférez les types moins épicés, utilisez de la saucisse italienne douce ou combinez les deux variétés. Je me sers généralement du robot culinaire pour hacher les oignons et l'ail et, pendant qu'ils cuisent, les tomates. (Voir photo vis-à-vis de la page 154.)

1 lb	saucisses italiennes fortes	500 g
1 lb	penne OU spirales	500 g
1 c. à thé	huile végétale	5 ml
1	gros oignon, haché	1
3	gousses d'ail, émincées	3
1	boîte (28 oz/796 ml) de tomates, non égouttées, grossièrement hachées	1
2 c. à thé	basilic séché	10 ml
1 c. à thé	origan séché	5 ml
1/2 tasse	persil frais haché	125 ml
	Poivre	
2 c. à table	parmesan frais râpé (facultatif)	25 ml

Dans un poêlon, faites cuire les saucisses à feu moyen pendant 15 à 20 minutes ou jusqu'à ce qu'elles ne soient plus rosées à l'intérieur. Égouttez-les bien et coupez-les en fines rondelles.

Entre-temps, dans une grande casserole d'eau bouillante, faites cuire les pâtes jusqu'à ce qu'elles soient *al dente* : égouttez-les et remettez-les au chaud dans la casserole.

Dans un poêlon à revêtement antiadhésif, faites chauffer l'huile à feu moyen : faites-y revenir l'oignon jusqu'à ce qu'il soit tendre, soit pendant environ 5 minutes. Ajoutez l'ail, les tomates, le basilic et l'origan et laissez mijoter à découvert pendant 10 minutes. Incorporez les rondelles de saucisse. Versez sur les pâtes et mélangez délicatement. Parsemez de persil, poivrez au goût et parsemez de parmesan (s'il y a lieu). Mélangez délicatement de nouveau.

Donne 6 portions.

Pâtes et crevettes en sauce tomate

Suivez le mode de préparation de la recette de Pâtes à la saucisse italienne en remplaçant la saucisse par 1 lb (500 g) de grosses crevettes cuites ou utilisez 1/2 lb (250 g) de saucisse. Ajoutez les crevettes au mélange de tomates au même moment que les saucisses cuites.

PAR PORTION		
	Calories	**480**
g	matières grasses	**15**
g	gras saturés	**4**
g	fibres	**5**
BONNE SOURCE DE : vitamine C, fer		
EXCELLENTE SOURCE DE : thiamine, niacine		
g	protéines	**21**
g	glucides	**66**
mg	cholestérol	**38**
mg	sodium	**671**
mg	potassium	**679**

Cari de légumes d'automne (p. 171)

REPAS PRÊT EN 30 MINUTES
Nouilles thaïlandaises aux petits légumes
Tranches de tomates et/ou de concombres
Pêches ou prunes

Nouilles thaïlandaises aux petits légumes (Pad Thai)

Cette merveilleuse recette de nouilles nous vient de Karen Barnaby, traiteur et professeur de cuisine thaïlandaise à Toronto. Le Pad Thai, plat de tous les jours en Thaïlande, varie beaucoup et est souvent accompagné de crevettes, de viande ou de poulet sautés. Vous pouvez vous procurer des nouilles de riz dans la plupart des supermarchés, mais choisissez, si possible, les nouilles de riz plates jantaboon. *Si vous n'en trouvez pas, utilisez des nouilles ou des vermicelles de riz chinois, ou même des vermicelles italiens.*

8 oz	nouilles de riz plates	250 g
1 c. à table	huile végétale	15 ml
2 c. à thé	ail émincé	10 ml
2 tasses	chou haché mince	500 ml
1	carotte moyenne, en julienne	1
2	œufs, légèrement battus	2
3 tasses	fèves germées	750 ml
1 tasse	oignons verts en julienne	250 ml
1/4 tasse	coriandre fraîche hachée (facultatif)	50 ml
1/4 tasse	arachides hachées	50 ml

Sauce :

3 c. à table	sauce de poisson (*nam pla* OU sauce de poisson thaïlandaise)* OU 2 c. à table (25 ml) de vinaigre de riz	45 ml
1/4 tasse	ketchup	50 ml
2 c. à table	eau	25 ml
2 c. à table	mélasse	25 ml
2 c. à table	sauce soja à faible teneur en sodium	25 ml
1 c. à thé	sucre	5 ml
1/4 c. à thé	flocons de piment fort	1 ml

Couvrez les nouilles de riz d'eau bouillante et laissez-les tremper pendant 20 minutes : égouttez bien.

Sauce : dans un petit bol, mélangez la sauce de poisson, le ketchup, l'eau, la mélasse, la sauce soja, le sucre et les flocons de piment fort : réservez.

Dans un grand poêlon à revêtement antiadhésif, faites chauffer l'huile à feu moyen-vif : faites-y revenir l'ail, le chou et la carotte pendant 5 minutes ou jusqu'à ce que les légumes soient tendres mais croquants. Repoussez les légumes sur un côté du poêlon : versez les œufs dans le poêlon et remuez pour obtenir des œufs brouillés.

Ajoutez les nouilles égouttées et la sauce, baissez le feu à moyen et faites sauter le tout jusqu'à ce que les nouilles soient tendres, soit

PAR PORTION	
Calories	217
g matières grasses	6
g gras saturés	1
g fibres	3
BONNE SOURCE DE :	
vitamine B_6, acide folique, magnésium	
EXCELLENTE SOURCE DE :	
vitamine A	
g protéines	6
g glucides	37
mg cholestérol	47
mg sodium	586
mg potassium	345

pendant environ 4 minutes. Ajoutez 2 tasses (500 ml) de fèves germées et les oignons verts. Remuez jusqu'à ce que tous les ingrédients soient bien mélangés et réchauffés. Présentez dans un plat de service ou dans des assiettes individuelles : parsemez de coriandre (s'il y a lieu), d'arachides et du reste des fèves germées.

Donne 8 portions (mets d'accompagnement) ou 5 portions (plat principal).

Variantes : avant de verser les œufs dans le poêlon, ajoutez 1 tasse (250 ml) de porc ou de poulet haché cru et/ou 1 tasse (250 ml) de crevettes cuites ou crues : faites sauter jusqu'à ce que la viande soit cuite. Ajoutez alors les œufs et poursuivez la recette selon le mode ci-dessus.

* La sauce de poisson est un ingrédient de base de la cuisine thaïlandaise. Vous pouvez vous la procurer dans certains supermarchés ou dans la plupart des épiceries orientales. Une bouteille se conserve pendant au moins un an.

Les variétés de nouilles orientales

Je les substitue les unes aux autres dans de nombreuses recettes (faites-les cuire selon les indications sur l'emballage) et je vous suggère tout simplement d'utiliser celles que vous pourrez vous procurer. Vous les trouverez dans certains supermarchés et dans la plupart des épiceries orientales.

Les nouilles de riz ou bâtonnets de riz ou vermicelles de riz : les nouilles de riz séchées sont d'un blanc opaque et se présentent généralement tel un nid très fin de cheveux d'anges. On en trouve sur le marché de formes et d'épaisseurs variées. La Salade thaïlandaise aux vermicelles, illustrée vis-à-vis de la page 59, est composée de nouilles de riz ressemblant à de longues nouilles larges. Pour les apprêter, faites-les tremper dans l'eau froide pendant 20 minutes et ajoutez-les à vos soupes et à vos plats sautés. Si vous désirez les servir en salade, couvrez-les d'eau bouillante et laissez-les reposer pendant 5 minutes.

Les fils de haricot ou vermicelles : ces nouilles séchées transparentes sont faites de haricots mungo. Pour les apprêter, faites-les tremper dans l'eau chaude jusqu'à ce qu'elles soient tendres et ajoutez-les à vos soupes et à vos plats sautés.

Les nouilles de blé : ces nouilles s'achètent dans certaines régions, fraîches ou séchées, sous diverses formes depuis les nouilles très fines jusqu'aux feuilles won ton. Très utilisées pour le chow-mein cantonnais, les nouilles fines sont cuites à l'eau bouillante pendant 3 minutes dans le cas de pâtes fraîches, ou pendant 5 minutes s'il s'agit de nouilles séchées.

✓ À PRÉPARER À L'AVANCE

Lasagne à la saucisse italienne

Préparez la lasagne aux poivrons et aux champignons en y ajoutant 1 lb (500 g) de saucisse italienne (moitié douce et moitié épicée). Éliminez l'huile et faites cuire la saucisse à feu moyen-vif dans un poêlon à revêtement antiadhésif pendant environ 15 minutes ou jusqu'à ce que la saucisse soit presque entièrement cuite. Retirez-la, coupez-la en fines rondelles et jetez le gras du poêlon avant d'y faire cuire les légumes selon la recette de Lasagne aux poivrons et aux champignons. Remettez ensuite les rondelles de saucisse dans le poêlon et ajoutez la sauce.

Lasagne aux poivrons et aux champignons

Avec les poivrons verts et les champignons, cette recette est une variante succulente d'un mets classique dont tous raffolent.

9	lasagnes (1/2 lb/250 g)	9

Sauce tomate :

2 c. à thé	huile végétale	10 ml
1	gros oignon, haché	1
1/2 lb	champignons frais, tranchés	250 g
3	gousses d'ail, émincées	3
1/4 tasse	persil frais haché	50 ml
1 c. à thé	basilic séché	5 ml
1 c. à thé	origan séché	5 ml
1/4 tasse	pâte de tomates	50 ml
1	boîte (19 oz/540 ml) de tomates, non égouttées	1
2	poivrons rouges OU jaunes OU verts, grossièrement hachés	2
	Sel et poivre	

Garniture :

2 tasses	fromage cottage écrémé	500 ml
1/3 tasse	parmesan frais râpé	75 ml
1 c. à thé	origan séché	5 ml
3 tasses	mozzarella partiellement écrémée, râpée (3/4 lb/375 g)	750 ml

Sauce tomate : dans un grand poêlon à revêtement antiadhésif, faites chauffer l'huile à feu moyen et faites-y revenir l'oignon et les champignons pendant 5 minutes, en remuant souvent, jusqu'à ce qu'ils soient tendres. Ajoutez l'ail, le persil, le basilic, l'origan, la pâte de tomates et les tomates : écrasez à l'aide d'un presse-purée pour défaire les tomates. Laissez mijoter à découvert pendant encore 10 minutes. Ajoutez les poivrons et laissez mijoter pendant encore 10 minutes ou jusqu'à ce que la sauce épaississe. Assaisonnez de sel et de poivre au goût.

Pendant ce temps, dans une casserole d'eau bouillante, faites cuire les pâtes pendant 8 à 10 minutes ou jusqu'à ce qu'elles soient *al dente*. Égouttez, passez sous l'eau froide et étalez en une seule couche sur un linge à vaisselle humide.

Garniture : mélangez bien le fromage cottage, la moitié du parmesan et l'origan.

Assemblage : dans un plat allant au four de 13 po × 9 po (3,5 L), étalez 1 tasse (250 ml) de sauce tomate et recouvrez d'une couche de pâtes. Couvrez ensuite les pâtes de la moitié du mélange de fromage cottage, du tiers du fromage mozzarella et du tiers du reste de sauce. Ajoutez une autre couche de pâtes et couvrez du reste du mélange de fromage cottage. Couvrez de la moitié du reste de mozzarella, de la moitié du reste de sauce et d'une dernière couche de pâtes. Ajoutez le reste de sauce, de mozzarella et enfin de parmesan. (Vous pouvez interrompre ici la préparation de la lasagne jusqu'à 1 jour, couvrir et placer au réfrigérateur. Prolongez alors le temps de cuisson au four de 15 minutes.)

Faites cuire la lasagne, à couvert, au four préchauffé à 350 °F (180 °C) pendant 30 minutes. Découvrez et laissez cuire pendant encore 10 à 15 minutes ou jusqu'à ce qu'elle soit très chaude. Sortez du four et laissez refroidir pendant 5 minutes avant de servir.

Donne 8 portions.

PAR PORTION

Calories		**322**
g	matières grasses	**11**
g	gras saturés	**6**
g	fibres	**3**

BONNE SOURCE DE :
vitamine A, riboflavine, fer

EXCELLENTE SOURCE DE :
vitamine C, niacine, calcium

g	protéines	**25**
g	glucides	**33**
mg	cholestérol	**31**
mg	sodium	**623**
mg	potassium	**528**

✓ À PRÉPARER À L'AVANCE

Lasagne végétarienne

Éliminez le bœuf (et l'œuf, si désiré) que vous remplacerez comme suit : dans un poêlon à revêtement antiadhésif, faites chauffer, à feu moyen, 1 c. à table (15 ml) d'huile végétale et ajoutez 8 tasses (2 L) de courgettes râpées, non pelées, 3/4 lb (375 g) de champignons grossièrement hachés, les oignons et l'ail. Faites cuire les légumes jusqu'à ce qu'ils soient tendres.

PAR PORTION (lasagne classique)		
Calories		389
g	matières grasses	13
g	gras saturés	7
g	fibres	3
BONNE SOURCE DE : vitamines A et C, thiamine, fer		
EXCELLENTE SOURCE DE : calcium, riboflavine, niacine		
g	protéines	31
g	glucides	36
mg	cholestérol	73
mg	sodium	617
mg	potassium	656

PAR PORTION (lasagne végétarienne avec œuf)		
Calories		352
g	matières grasses	11
g	gras saturés	5
g	fibres	5
BONNE SOURCE DE : vitamines A et C, fer		
EXCELLENTE SOURCE DE : calcium, riboflavine, niacine		
g	protéines	25
g	glucides	41
mg	cholestérol	52
mg	sodium	599
mg	potassium	913

LASAGNE CLASSIQUE

Cette recette classique sera on ne peut plus « santé » si vous utilisez du bœuf maigre, de la pâte de tomates, du fromage cottage à 2 % m.g., du fromage mozzarella ou du cheddar partiellement écrémé.

3/4 lb	bœuf haché maigre	375 g
2	oignons, hachés	2
2	gousses d'ail, émincées	2
1	boîte (19 oz/540 ml) de tomates, avec jus	1
1 tasse	eau	250 ml
1	boîte (5 1/2 oz/156 ml) de pâte de tomates	1
2 c. à thé	origan séché	10 ml
1 c. à thé	basilic séché	5 ml
	Poivre	
9	lasagnes	9
2 tasses	fromage cottage écrémé OU à 2 %	500 ml
2 tasses	mozzarella mi-écrémée, râpée	500 ml
1	œuf, légèrement battu	1
1/2 tasse	parmesan frais râpé	125 ml

Dans un grand poêlon ou un faitout, faites cuire le bœuf à feu moyen pendant environ 5 minutes ou jusqu'à ce qu'il soit bruni, en le défaisant : jetez le gras. Ajoutez les oignons et l'ail et laissez cuire pendant 3 à 5 minutes ou jusqu'à ce qu'ils soient tendres. Versez les tomates et écrasez-les à la fourchette : ajoutez l'eau, la pâte de tomates, l'origan et le basilic et portez à ébullition. Réduisez le feu à moyen-doux et laissez mijoter à découvert pendant 20 minutes, en remuant, ou jusqu'à ce que le mélange ait la consistance d'une sauce à spaghetti. Poivrez. Si vous trouvez la sauce trop acide, ajoutez environ 1 c. à thé (5 ml) de sucre.

Dans une grande casserole d'eau bouillante, faites cuire les lasagnes pendant 10 à 12 minutes ou jusqu'à ce qu'elles soient *al dente*. Égouttez, passez sous l'eau froide, égouttez.

Mélangez le fromage cottage, le fromage mozzarella, l'œuf et la moitié du parmesan.

Couvrez de sauce tomate le fond d'un plat de 13 po × 9 po (3,5 L) et disposez une couche de lasagnes. Couvrez de la moitié du mélange de fromage. Continuez en alternant la sauce, les pâtes et le fromage jusqu'à ce que vous ayez 3 couches. Terminez par une couche de sauce tomate et parsemez du reste de parmesan. Faites cuire, à découvert, au four préchauffé à 350 °F (180 °C) pendant 45 minutes ou jusqu'à ce que le mélange bouillonne.

Donne 8 portions.

PÂTES AUX POIVRONS, AU FROMAGE ET AU BASILIC

Lorsque j'utilise des herbes séchées, je ne les prends jamais moulues ou en poudre. Je me sers plutôt des feuilles séchées, qui sont plus savoureuses tout en faisant plus joli. Écrasez les feuilles entre vos mains afin d'en rehausser la saveur avant de les ajouter à la recette.

Ce plat coloré est un excellent souper pour quatre personnes (à moins que vous n'ayez des adolescents !) si vous l'accompagnez d'un légume, comme du brocoli ou des haricots verts, d'une salade et de pain croûté.

1/2 lb	pâtes (rigatoni OU spirales)	250 g
1 c. à thé	huile d'olive	5 ml
1	petit oignon, émincé	1
1	gousse d'ail, émincée	1
1	poivron rouge, en lamelles	1
1	poivron jaune, en lamelles	1
1	grosse tomate, hachée	1
1/2 tasse	basilic frais haché OU 2 c. à thé (10 ml) de feuilles de basilic séchées	125 ml
1 tasse	fromage feta émietté (4 oz/125 g)	250 ml
6	olives noires (à la grecque, de préférence), tranchées	6

Dans une grande casserole d'eau bouillante, faites cuire les pâtes jusqu'à ce qu'elles soient *al dente* : égouttez et remettez dans la casserole.

Entre-temps, dans un grand poêlon à revêtement antiadhésif, faites chauffer l'huile à feu moyen et faites-y revenir l'oignon et l'ail pendant 3 minutes. Ajoutez les poivrons rouge et jaune et faites-les revenir pendant 3 minutes en remuant souvent : ajoutez la tomate et laissez cuire encore pendant 2 minutes ou jusqu'à ce que les poivrons soient tendres. Versez cette préparation sur les pâtes chaudes avec le basilic, le fromage et les olives, et mélangez délicatement.

Donne 3 portions.

PAR PORTION		
Calories		**435**
g	matières grasses	**12**
g	gras saturés	**6**
g	fibres	**5**
BONNE SOURCE DE : niacine, calcium, fer		
EXCELLENTE SOURCE DE : vitamine C, riboflavine		
g	protéines	**16**
g	glucides	**65**
mg	cholestérol	**35**
mg	sodium	**520**
mg	potassium	**421**

✓ À PRÉPARER À L'AVANCE

SOUPER ÉCLAIR POUR LES ENFANTS
(en 20 minutes)
Macaronis au fromage jardinière pour petits gourmands
Salade verte
Compote de pommes
Biscuits au gingembre (p. 208)

PAR PORTION
(avec le fromage à la crème)

Calories		**303**
g	matières grasses	**8**
g	gras saturés	**5**
g	fibres	**5**

BONNE SOURCE DE :
niacine, calcium

EXCELLENTE SOURCE DE :
vitamine A

g	protéines	**14**
g	glucides	**43**
mg	cholestérol	**25**
mg	sodium	**243**
mg	potassium	**407**

PAR PORTION
(avec l'œuf)

Calories		**298**
g	matières grasses	**7**
g	gras saturés	**3**
g	fibres	**5**

BONNE SOURCE DE :
thiamine, riboflavine, niacine, calcium

EXCELLENTE SOURCE DE :
vitamine A

g	protéines	**16**
g	glucides	**42**
mg	cholestérol	**88**
mg	sodium	**232**
mg	potassium	**371**

MACARONIS AU FROMAGE JARDINIÈRE POUR PETITS GOURMANDS

Voici une recette de pâtes simple et vite faite qui saura plaire à tous les enfants.

1 tasse	macaronis OU autres petites pâtes (1/2 lb/250 g)	250 ml
2	carottes moyennes, tranchées mince	2
1 tasse	petits pois surgelés	250 ml
1/3 tasse	lait	75 ml
2 c. à table	fromage à la crème	25 ml
1/2 c. à thé	basilic séché OU 2 c. à table (25 ml) de basilic frais haché	2 ml
1/2 tasse	mozzarella partiellement écrémée, râpée OU cheddar	125 ml
1 c. à table	parmesan frais râpé	15 ml
1	oignon vert, haché	1
	Sel et poivre	

Dans une grande casserole d'eau bouillante, faites cuire les pâtes jusqu'à ce qu'elles soient *al dente.*

Pendant ce temps, faites cuire les carottes à l'eau bouillante, ou à la vapeur, pendant 4 minutes. Ajoutez les petits pois et laissez cuire jusqu'à ce que les carottes soient tendres mais croquantes pendant environ 3 minutes. Égouttez les légumes et remettez-les dans la casserole.

Dans une petite casserole, à feu moyen ou au four micro-ondes, faites chauffer le lait jusqu'à ce qu'il fume. Incorporez le fromage à la crème à l'aide d'un fouet jusqu'à consistance lisse : incorporez le basilic. Versez le mélange sur les pâtes avec les légumes, le fromage mozzarella, le parmesan et l'oignon vert : mélangez délicatement. Salez et poivrez au goût.

Donne 3 portions d'environ 1 1/2 tasse (375 ml) chacune.

Variante : préparez la recette comme ci-dessus, mais remplacez le fromage à la crème par 1 œuf battu au fouet dans 1/3 tasse (75 ml) de lait froid. Versez sur les macaronis chauds et faites chauffer à feu doux, en remuant, pendant 1 minute. Ajoutez le fromage mozzarella et les légumes : laissez cuire pendant encore 1 minute, en remuant, jusqu'à ce que le fromage soit fondu et que la sauce ait légèrement épaissi.

PÂTES AU JAMBON ET À LA TOMATE POUR MOI

Vous pouvez utiliser n'importe quel genre de pâtes dans cette recette, mais votre assiette n'en sera que plus appétissante si vous y trouvez des formes uniques telles des farfalle ou des radiatori. Vous pourrez apprêter le reste du pied de brocoli dans un plat sauté, une soupe ou une omelette.

1 tasse	farfalle (petites boucles) (2 oz/60 g)	250 ml
1 tasse	bouquets de brocoli	250 ml
1 c. à thé	huile végétale	5 ml
1	petite tomate, grossièrement haché	1
1/2	gousse d'ail, émincée	1/2
1 c. à table	basilic frais haché OU 1/4 c. à thé (1 ml) de basilic séché	15 ml
1	fine tranche de jambon OU dinde fumée (1 oz/30 g), en lanières	1
1 c. à table	parmesan frais râpé	15 ml
	Sel et poivre	

Dans une grande casserole d'eau bouillante, faites cuire les pâtes pendant environ 10 minutes ou jusqu'à ce qu'elles soient *al dente.* Environ 2 minutes avant la fin de la cuisson, ajoutez les bouquets de brocoli et faites-les cuire jusqu'à ce qu'ils soient tendres mais croquants : égouttez.

Entre-temps, dans un poêlon à revêtement antiadhésif, faites chauffer l'huile à feu moyen-vif et faites-y cuire la tomate, l'ail, le basilic et le jambon, en remuant souvent, pendant environ 2 minutes ou jusqu'à ce que la sauce soit chaude. Versez sur le mélange de pâtes et de brocoli, mélangez délicatement et parsemez de parmesan. Salez et poivrez au goût.

Donne 1 portion.

PAR PORTION		
Calories		**386**
g	matières grasses	**10**
g	gras saturés	**2**
g	fibres	**7**
EXCELLENTE SOURCE DE : vitamines A et C, thiamine, riboflavine, niacine, calcium, fer		
g	protéines	**21**
g	glucides	**56**
mg	cholestérol	**20**
mg	sodium	**515**
mg	potassium	**690**

✓ À PRÉPARER À L'AVANCE

SPAGHETTIS FAVORIS

Cette recette vite faite de spaghettis avec sauce à la viande a toujours été le souper préféré de mes enfants. Quelquefois je n'utilise que de la pâte de tomates, d'autres jours j'utilise des tomates broyées avec un peu de purée de tomates, et parfois je mélange la pâte de tomates avec les tomates.

1 lb	bœuf haché maigre*	500 g
2	oignons, hachés	2
1	grosse gousse d'ail, émincée	1
1	boîte (5 1/2 oz/156 ml) de pâte de tomates	1
1	boîte (28 oz/796 ml) de tomates	1
1 tasse	eau	250 ml
2 c. à thé	origan séché	10 ml
1 c. à thé	basilic séché	5 ml
1/2 c. à thé	thym séché	2 ml
1/4 c. à thé	poivre	1 ml
1 lb	spaghettis	500 g
2 c. à table	parmesan frais râpé	25 ml

Dans un grand poêlon à fond épais, faites revenir le bœuf à feu moyen : jetez le gras. Incorporez les oignons et l'ail. Laissez cuire, en remuant de temps en temps, jusqu'à ce que les oignons soient tendres.

Incorporez la pâte de tomates, les tomates (écrasez-les avec le dos d'une cuillère), l'eau, l'origan, le basilic, le thym et le poivre. Portez à ébullition, baissez le feu et laissez mijoter pendant 10 minutes. Si la sauce est trop épaisse, allongez-la avec un peu d'eau. Goûter et, s'il y a lieu, rectifiez l'assaisonnement.

Entre-temps, dans une grande casserole d'eau bouillante, faites cuire les spaghettis jusqu'à ce qu'ils soient *al dente* : égouttez et disposez dans les assiettes. Versez la sauce sur les pâtes à l'aide d'une cuillère. Parsemez de parmesan.

Donne 6 portions.

* Les données nutritionnelles sont basées sur l'utilisation du bœuf haché maigre. Achetez le bœuf haché maigre lorsqu'il est en rabais. Sinon, à moins que vous ne suiviez un régime faible en matières grasses, achetez du bœuf haché mi-maigre ou ordinaire et jetez le gras du poêlon avant d'y ajouter les oignons.

PAR PORTION

Calories		**484**
g	matières grasses	**10**
g	gras saturés	**4**
g	fibres	**5**

BONNE SOURCE DE :
vitamine A

EXCELLENTE SOURCE DE :
vitamine C, thiamine, riboflavine, niacine, fer

g	protéines	**27**
g	glucides	**71**
mg	cholestérol	**39**
mg	sodium	**314**
mg	potassium	**962**

Fettuccine Alfredo au goût du cœur

Cette recette allégée d'un mets classique vous surprendra par son velouté et sa saveur riche à souhait !

1/2 lb	nouilles larges OU spaghettis	250 g
1 tasse	fromage cottage à 2 %	250 ml
1/4 tasse	parmesan frais râpé	50 ml
1/4 tasse	lait	50 ml
1	œuf	1
1/4 c. à thé	muscade	1 ml
1/4 c. à thé	poivre	1 ml
1/2 tasse	persil frais haché OU basilic	125 ml

Dans une grande casserole d'eau bouillante, faites cuire les pâtes jusqu'à ce qu'elles soient *al dente* : égouttez-les et remettez-les au chaud dans la casserole.

Entre-temps, malaxez le fromage cottage au robot culinaire jusqu'à consistance lisse. Ajoutez-y le parmesan, le lait, l'œuf, la muscade et le poivre et continuez à mélanger jusqu'à consistance lisse. Versez le mélange sur les pâtes chaudes et faites cuire à feu moyen pendant 1 minute en remuant constamment. Parsemez de persil ou de basilic. Servez immédiatement.

Donne 4 portions.

Variantes. Ajoutez un ou plusieurs des ingrédients suivants :
1 tasse (250 ml) de jambon cuit haché
1 boîte (7 1/2 oz/220 g) de saumon, égoutté et émietté
1 boîte (6 1/2 oz/184 g) de thon, égoutté et émietté
1 tasse (250 ml) de petits pois surgelés, décongelés
1/2 tasse (125 ml) de maïs en grains ou d'oignons verts hachés
1 tasse (250 ml) de champignons tranchés, cuits
1 tasse (250 ml) de carottes, de courgettes, de poivrons ou de poireaux en julienne cuits
4 tasses (1 L) de bouquets de brocoli cuits

Essayez également ces succulentes recettes de pâtes et de nouilles :

Tortellinis en brochettes (p. 25)
Salade thaïlandaise aux vermicelles (p. 63)
Salade de pâtes jardinière au basilic (p. 76)
Bœuf haché et nouilles poêlés (p. 117)
Chow mein épicé au bœuf (p. 119)

Comparez

Cette recette de Fettuccine Alfredo est faite à partir de lait et de fromage cottage et non de beurre et de crème.

Comparez la quantité de matières grasses, en grammes, par portion :

Dans cette recette : 5 g
avec 1/4 tasse (50 ml) de beurre au lieu de lait : 16 g
avec 1 tasse (250 ml) de crème à fouetter au lieu de fromage cottage : 24 g

PAR PORTION	
Calories	**312**
g matières grasses	**5**
g gras saturés	**2**
g fibres	**2**
BONNE SOURCE DE : thiamine	
EXCELLENTE SOURCE DE : riboflavine, niacine	
g protéines	**19**
g glucides	**46**
mg cholestérol	**64**
mg sodium	**349**
mg potassium	**251**

NOUILLES CHINOISES AU PORC ET AUX CHAMPIGNONS

Les vermicelles chinois ou les nouilles de riz ont l'avantage de cuire en 3 minutes à peine. Vous pouvez vous en procurer dans de nombreux supermarchés et épiceries chinoises. Si vous n'arrivez pas à en trouver, remplacez-les par des nouilles très fines. Vous pouvez également remplacer les champignons séchés par de gros champignons frais ordinaires. De même, si vous n'avez pas de carottes sous la main, utilisez un autre légume coloré. Vous pouvez apprêter cette recette avec de la dinde hachée, de l'agneau ou du bœuf, ou sans viande si vous préférez les mets végétariens.

6	champignons chinois séchés	6
6 oz	vermicelles chinois ou de nouilles de riz	170 g
1/2 lb	porc haché maigre OU bœuf	250 g
1 tasse	carottes en fines lanières	250 ml
1 c. à table	gingembre frais, émincé	15 ml
6	oignons verts, émincés	6

Sauce :

1/3 tasse	bouillon de poulet	75 ml
1/4 tasse	vinaigre de riz	50 ml
1 c. à table	huile de sésame	15 ml
1 c. à thé	sauce soja à faible teneur en sodium	5 ml
1/4 c. à thé	flocons de piment fort	1 ml

Recouvrez les champignons d'eau bouillante et laissez reposer pendant 5 minutes ou jusqu'à ce qu'ils soient tendres. Retirez-les de l'eau et coupez-les en lanières en prenant soin de jeter les pieds trop durs.

Sauce : dans un bol, mélangez bouillon de poulet, vinaigre, huile de sésame, sauce soja et flocons de piment fort : réservez.

Faites cuire les nouilles selon le mode de cuisson indiqué sur l'emballage, soit pendant environ 3 minutes à l'eau bouillante ou jusqu'à ce qu'elles soient tendres : égouttez.

Dans un poêlon à revêtement antiadhésif, faites sauter le porc à feu vif, en remuant, pendant 1 minute ou jusqu'à ce qu'il soit presque bruni, en le défaisant avec le dos de la cuillère : jetez tout le gras de cuisson. Ajoutez les carottes et le gingembre : faites revenir pendant 2 minutes ou jusqu'à ce que les carottes soient tendres mais croquantes. Incorporez les champignons, les nouilles et la sauce : faites cuire pendant 1 à 2 minutes jusqu'à ce que le mélange soit bien réchauffé. Versez dans un plat de service et parsemez d'oignons verts.

Donne 4 portions.

Variante : remplacez le porc par du bœuf ou de l'agneau haché mi-maigre, ou par de la dinde ou du poulet haché.

PAR PORTION		
Calories		**337**
g	matières grasses	**11**
g	gras saturés	**3**
g	fibres	**5**
BEXCELLENTE SOURCE DE : vitamine A, riboflavine, thiamine, niacine		
g	protéines	**17**
g	glucides	**46**
mg	cholestérol	**31**
mg	sodium	**505**
mg	potassium	**489**

Céréales, légumineuses et plats principaux

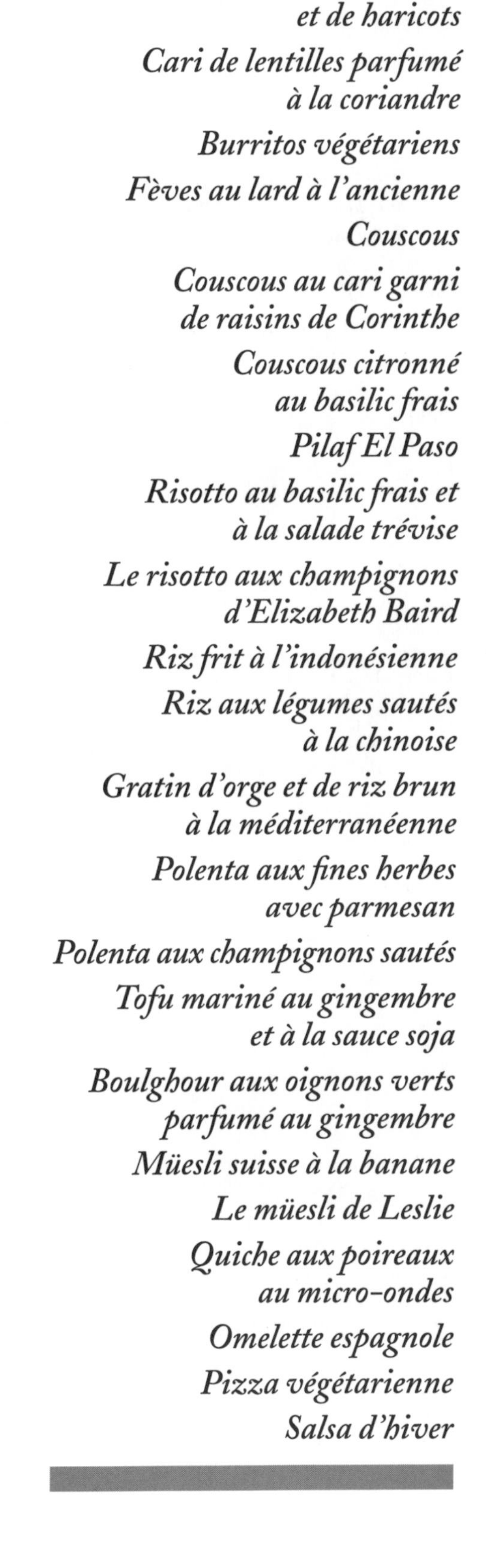

Cari de légumes d'automne
Casserole minute de lentilles et de haricots
Cari de lentilles parfumé à la coriandre
Burritos végétariens
Fèves au lard à l'ancienne
Couscous
Couscous au cari garni de raisins de Corinthe
Couscous citronné au basilic frais
Pilaf El Paso
Risotto au basilic frais et à la salade trévise
Le risotto aux champignons d'Elizabeth Baird
Riz frit à l'indonésienne
Riz aux légumes sautés à la chinoise
Gratin d'orge et de riz brun à la méditerranéenne
Polenta aux fines herbes avec parmesan
Polenta aux champignons sautés
Tofu mariné au gingembre et à la sauce soja
Boulghour aux oignons verts parfumé au gingembre
Müesli suisse à la banane
Le müesli de Leslie
Quiche aux poireaux au micro-ondes
Omelette espagnole
Pizza végétarienne
Salsa d'hiver

Les céréales

La dernière livraison des Recommandations alimentaires pour la santé des Canadiennes et des Canadiens *nous conseille d'inclure plus d'aliments contenant des glucides complexes, telles les céréales, dans notre alimentation de façon à manger moins de matières grasses et plus de fibres. Moins les céréales sont raffinées, meilleures elles sont pour la santé. En général, les céréales sont une bonne source de glucides complexes, de fibres et de protéines et nous fournissent également du fer, du calcium, du phosphore et des vitamines du complexe B.*

Voici un guide général de cuisson pour les céréales. Lorsqu'un mode de cuisson est indiqué sur l'emballage, suivez-le. Tout comme pour les haricots secs, le temps de cuisson varie selon la durée d'entreposage. Les céréales entreposées depuis longtemps prendront plus de temps à cuire. Certaines céréales, comme le boulghour, existent sous plusieurs formes : plus elles sont petites, plus le temps de cuisson est court.

Les céréales et leur utilisation	***Mode de cuisson***
MAÏS	
Farine de maïs : Tortillas, beignets, farces, pain, polenta, céréales, muffins.	Pour le servir comme céréale : ajoutez 1 tasse (250 ml) de farine de maïs à 4 tasses (1 L) d'eau bouillante, couvrez et laissez mijoter pendant 25 à 30 minutes.
BLÉ	
Boulghour : Soupes, pilafs, farces, taboulés, salades, céréales. Servez comme du riz.	Ajoutez 1 tasse (250 ml) de boulghour à 2 tasses (500 ml) d'eau bouillante. Couvrez et laissez mijoter pendant 25 à 35 minutes. Pour servir le boulghour en salade, couvrez d'eau bouillante, laissez tremper pendant 1 heure et égouttez bien.
Couscous : Pour accompagner la viande, la volaille, les ragoûts, l'agneau. Servez comme du riz.	Suivez les indications sur l'emballage pour la quantité de liquide ou ajoutez 1 tasse (250 ml) de couscous à 1 1/2 tasse (375 ml) d'eau bouillante : couvrez, retirez du feu et laissez reposer pendant 5 minutes.
Germe de blé : Peut être utilisé en guise de chapelure ; remplace les noix dans les gâteaux et les biscuits. Ajoutez-en dans les muffins, les pains et les crêpes.	Suivez les indications sur l'emballage ou dans les recettes individuelles.
Blé concassé : Céréales, crèmes-desserts, pains, salades. Servez comme du riz.	Pour le servir comme céréale : ajoutez 1 tasse (250 ml) de blé concassé à 2 tasses (500 ml) d'eau bouillante, couvrez et laissez mijoter pendant 30 à 40 minutes.
Grains de blé : Pilafs, salades, boulangerie, müesli.	Ajoutez 1 tasse (250 ml) de grains de blé à 2 tasses (500 ml) d'eau bouillante, couvrez et laissez mijoter pendant 60 à 90 minutes.
Kasha (sarrasin grillé) : Pilafs, farces, pains.	Ajoutez 1 tasse (250 ml) de kasha à 2 tasses (500 ml) d'eau bouillante, couvrez et laissez mijoter de 10 à 15 minutes.
AVOINE	
Son d'avoine : Muffins, céréales, biscuits.	Pour le servir comme céréale : suivez les indications sur l'emballage ou ajoutez 1 tasse (250 ml) de son d'avoine à 3 tasses (750 ml) d'eau bouillante : faites cuire pendant 2 minutes et retirez du feu. Couvrez et laissez reposer pendant 2 à 4 minutes.
Flocons d'avoine : Céréales, granola, müesli, muffins, gâteaux, biscuits, pains.	Pour les servir comme céréales : ajoutez 1 1/3 (325 ml) de flocons d'avoine à 2 tasses (500 ml) d'eau bouillante et suivez les indications sur l'emballage pour le temps de cuisson.
RIZ	
Riz blanc : Desserts, pilafs, risottos, farces, salades, soupes, caris, dans les plats cuisinés, avec de la viande.	Ajoutez 1 tasse (250 ml) de riz à 2 tasses (500 ml) d'eau bouillante. Couvrez et laissez mijoter pendant 15 à 20 minutes.
Riz brun : Pilafs, farces, salades, soupes, dans les plats cuisinés, avec de la viande.	Rincez le riz et ajoutez-en 1 tasse (250 ml) à 2 tasses (500 ml) d'eau bouillante. Couvrez et laissez mijoter pendant 45 à 60 minutes.
Riz basmati : Avec de la viande, dans les ragoûts.	Rincez le riz et ajoutez-en 1 tasse (250 ml) à 1 1/2 tasse (375 ml) d'eau bouillante. Laissez mijoter pendant 15 à 20 minutes.

Riz arborio : Risottos	Ajoutez 1 tasse (250 ml) de riz arborio à 2 tasses (500 ml) d'eau bouillante. Couvrez et laissez mijoter de 18 à 20 minutes.
Riz sauvage : (n'est pas du riz mais est considéré comme tel) : Caris, pilafs, farces, salades, souvent mélangé à d'autres types de riz.	Rincez le riz et ajoutez-en 1 tasse (250 ml) à 3 tasses (750 ml) d'eau bouillante. Couvrez et laissez mijoter pendant 45 à 60 minutes.
Riz rouge : Desserts, gâteaux, salades, caris.	Rincez le riz et ajoutez-en 1 tasse (250 ml) à 1 3/4 tasse (425 ml) d'eau bouillante. Couvrez et laissez mijoter pendant 18 à 20 minutes.
Riz noir : Crèmes-desserts, mets orientaux.	Rincez le riz et ajoutez-en 1 tasse (250 ml) à 1 3/4 tasse (425 ml) d'eau bouillante. Couvrez et laissez mijoter pendant 35 à 40 minutes.
Riz wehani : Pilafs, avec de la viande.	Suivez les indications sur l'emballage ou rincez le riz et ajoutez-en 1 tasse (250 ml) à 2 tasses (500 ml) d'eau bouillante. Couvrez et laissez mijoter pendant 30 minutes.
AUTRES	
Orge perlé : Soupes, céréales chaudes, ragoûts, pilafs, farces.	Ajoutez 1 tasse (250 ml) d'orge perlé à 2 tasses (500 ml) d'eau bouillante. Couvrez et laissez mijoter pendant 45 minutes.
Quinoa : Céréales, pilafs, soupes, desserts, farces, salades.	Rincez le quinoa et ajoutez-en 1 tasse (250 ml) à 2 tasses (500 ml) d'eau. Portez à ébullition, couvrez et laissez mijoter pendant 12 à 15 minutes.
Millet : Pilafs, soupes, pains, farces, crèmes-desserts.	Ajoutez 1 tasse (250 ml) de millet à 2 tasses (500 ml) d'eau bouillante. Couvrez et laissez mijoter pendant 30 à 40 minutes.

LÉGUMINEUSES

Haricots, lentilles et pois secs

Les légumineuses (graines de plantes, tels les lentilles, les pois, les haricots de Lima ou les haricots blancs et rouges) sont une source de protéines presque aussi importante que la viande. Si vous les accompagnez d'une céréale ou de pain, vous obtenez une source de protéines complète. Les légumineuses contiennent également beaucoup de vitamines du complexe B, de fer, d'autres minéraux et constituent une source très élevée de fibres alimentaires. Elles sont riches en glucides complexes et, à l'exception des fèves de soja, contiennent très peu de matières grasses.

Préparation :
Avant la cuisson, les légumineuses sèches (sauf les lentilles et les pois cassés) doivent tremper pour retrouver leur humidité. Cela permet de diminuer leur temps de cuisson et d'en préserver les vitamines et les minéraux. Le trempage permet aussi de réduire la flatulence. Rincez-les et triez-les avant de les faire tremper afin d'éliminer le sable et les cailloux.

Trempage :
Couvrez les haricots secs de 3 ou 4 fois leur volume d'eau et laissez-les reposer pendant 4 à 8 heures ou toute une nuit. Égouttez et faites cuire selon les indications.

Trempage rapide :
Couvrez les haricots secs de 3 ou 4 fois leur volume d'eau. Portez à ébullition et laissez mijoter pendant 2 minutes. Retirez du feu et laissez reposer pendant 1 heure : égouttez et faire cuire selon les indications.

Cuisson :
Dans une grande casserole, couvrez les haricots ou les lentilles, trempés et égouttés, de 2 1/2 fois leur volume d'eau fraîche : n'ajoutez pas de sel. Portez à ébullition, baissez le feu et laissez mijoter à couvert jusqu'à ce qu'ils soient tendres : consultez le tableau des temps de cuisson. Égouttez au besoin.

Rendement :
1 tasse (250 ml) de lentilles ou de haricots secs donne de 2 à 2 1/2 tasses (500 à 625 ml) de légumineuses cuites.

Temps de cuisson pour les haricots, les pois et les lentilles
(Adapté d'un tableau de la Division de la consultation en alimentation d'Agriculture Canada)

	Trempage	*Temps de cuisson*
Haricots noirs	rapide ou toute une nuit	1 3/4 heure
Haricots canneberge (romains)	rapide ou toute une nuit	45 minutes
Haricots blancs (petits et réniformes)	rapide	60 minutes
	toute une nuit	75 minutes
Haricots		
rouges	rapide ou toute une nuit	60 minutes
blancs	rapide	40 minutes
	toute une nuit	60 minutes
Lentilles		
vertes	sans trempage	30 minutes
rouges	sans trempage	10 minutes
Haricots de Lima		
gros	rapide	20 minutes
	toute une nuit	40 minutes
petits	rapide ou toute une nuit	35 minutes
Haricots blancs		
(petits et ronds)	rapide	90 minutes
	toute une nuit	50 minutes
Pois		
jaunes entiers	rapide	60 minutes
	toute une nuit	40 minutes
jaunes cassés	sans trempage	75 minutes
verts cassés	sans trempage	75 minutes
Haricots pinto	rapide et toute une nuit	45 minutes
Petits haricots rouges	rapide	50 minutes
	toute une nuit	40 minutes
Fèves de soja	rapide	3 1/2 heures
	toute une nuit	4 heures
Haricots à œil jaune	rapide	60 minutes
	toute une nuit	50 minutes

Comment réduire la flatulence provoquée par les haricots

Il semble que plus on mange de haricots, moins l'on souffre de flatulence. Laissez toutefois votre organisme s'y habituer graduellement.

Autrefois, certaines recettes recommandaient l'emploi de l'eau de trempage pour sa valeur nutritive possible. De nos jours, on recommande de ne plus l'utiliser puisqu'elle a été associée à des problèmes de flatulence. En fait, si vous désirez réellement réduire la flatulence, il est conseillé de changer l'eau de trempage à quelques reprises, de changer l'eau de cuisson pour de l'eau fraîche après 30 minutes, puis de laisser cuire les haricots jusqu'à ce qu'ils soient tendres. Des haricots parfaitement cuits causent moins de flatulences. De plus, rincez-les une fois cuits. Égouttez également les haricots en conserve et rincez-les bien avant de les utiliser.

Cari de légumes d'automne

Servez ce plat principal de légumes, merveilleusement coloré et parfumé, sur un lit de couscous, de boulghour ou de riz brun. Le duo pois chiches et céréales forme une protéine complète. (Voir photo de la couverture).

2	carottes, tranchées	2
2 tasses	courges pelées en cubes (environ 1 po/2,5 cm)	500 ml
2 tasses	bouquets de brocoli	500 ml
1	poivron rouge, en lanières	1
1	petite courgette jaune (6 po/15 cm), en morceaux	1
1	oignon rouge, en quartiers	1
1 tasse	pois chiches cuits	250 ml
1 c. à table	huile d'olive OU huile végétale	15 ml
1 c. à table	poudre de cari	15 ml
2 c. à table	gingembre frais, émincé	25 ml
1 c. à thé	cumin	5 ml
3	gousses d'ail, émincées	3
1/4 c. à thé	flocons de piment fort (facultatif)	1 ml
1/2 tasse	bouillon de poulet OU bouillon de légumes OU eau	125 ml
2 c. à table	jus de citron	25 ml
3 tasses	riz brun cuit et chaud OU couscous OU boulghour	750 ml
2 c. à table	coriandre fraîche hachée OU persil	25 ml

Faites cuire les carottes et les courges à la vapeur pendant 5 minutes. Ajoutez le brocoli, le poivron rouge, la courgette et l'oignon rouge et faites cuire pendant 5 minutes de plus. Incorporez les pois chiches et faites cuire pendant 3 à 5 minutes ou jusqu'à ce que les légumes soient tendres mais croquants.

Entre-temps, dans une petite casserole, faites chauffer l'huile à feu moyen : faites-y revenir pendant 2 minutes la poudre de cari, le gingembre, le cumin, l'ail et le flocons de piment fort (s'il y a lieu) en remuant souvent. Ajoutez le bouillon et le jus de citron, et laissez mijoter à découvert pendant 2 minutes.

Versez la sauce sur les légumes, mélangez bien et servez sur un lit de riz ou de couscous chaud. Parsemez de coriandre ou de persil.

Donne 6 portions (plat principal).

✓ À PRÉPARER À L'AVANCE

SOUPER D'AUTOMNE

Tomates au fromage de chèvre et au basilic (p. 78)

Cari de légumes d'automne

Shortcake aux pêches (p. 219)

Il arrive que je fasse cuire les carottes, les courges et les courgettes ensemble, à couvert, au four micro-ondes à puissance maximale pendant 6 minutes. J'ajoute ensuite les pois chiches et je les fais cuire pendant 1 minute de plus. Je fais mijoter le brocoli, l'oignon et le poivron ensemble dans une petite quantité d'eau pendant 5 minutes ou jusqu'à ce que les légumes soient tendres mais croquants et je les égoutte. Je mélange enfin tous les légumes avec la sauce au cari.

PAR PORTION		
Calories		**263**
g	matières grasses	**4**
g	gras saturés	**traces**
g	fibres	**8**
BONNE SOURCE DE : thiamine, niacine, fer		
EXCELLENTE SOURCE DE : vitamines A et C		
g	protéines	**8**
g	glucides	**50**
mg	cholestérol	**0**
mg	sodium	**386**
mg	potassium	**708**

CASSEROLE MINUTE DE LENTILLES ET DE HARICOTS

Ce plat est l'un des soupers les plus rapides que je sache préparer et qui, de surcroît, plaît à toute la famille. Les haricots et les lentilles en conserve regorgent d'éléments nutritifs, sont riches en fibres, faibles en matières grasses et s'apprêtent en un rien de temps. Ce mets peut être assaisonné de plusieurs façons : remplacez le romarin par des flocons de piment fort, de l'assaisonnement au chili, du cari ou de l'origan au goût.

1 c. à table	huile végétale	15 ml
1	gros oignon, haché	1
2	branches de céleri, tranchées	2
1	boîte de haricots rouges (19 oz/540 ml), égouttés et rincés	1
1	boîte de lentilles (19 oz/540 ml), égouttées	1
1	boîte de tomates (19 oz/540 ml), égouttées	1
1/2 c. à thé	romarin séché OU thym	2 ml
	Poivre	
1 1/2 tasse	cheddar partiellement écrémé, râpé ou mozzarella	375 ml

Dans une casserole à fond épais, faites chauffer l'huile à feu moyen et faites-y revenir l'oignon et le céleri jusqu'à ce que l'oignon soit tendre.

Ajoutez les haricots, les lentilles, les tomates, le romarin et du poivre au goût : mélangez en écrasant les tomates avec le dos d'une cuillère et portez à ébullition. Parsemez de fromage et faites griller au four jusqu'à ce que le fromage soit fondu.

Méthode au four micro-ondes : dans un plat allant au four micro-ondes, mélangez l'huile, l'oignon et le céleri : couvrez et faites cuire à puissance maximale de 3 à 4 minutes ou jusqu'à ce que l'oignon soit tendre. Ajoutez les haricots, les lentilles, les tomates (en les écrasant avec le dos d'une cuillère), le romarin et du poivre au goût. Couvrez et faites cuire à puissance maximale pendant 5 minutes ou jusqu'à ce que le tout soit chaud. Parsemez de fromage et faites cuire jusqu'à ce que le fromage soit fondu et bouillonnant.

Donne 4 portions.

SOUPER IMPROVISÉ

Casserole minute de lentilles et de haricots
Maïs ou petits pois
Pain de blé entier grillé
Abricots ou prunes en conserve
Biscuits

Pour réduire la teneur en sodium, utilisez des tomates en conserve à faible teneur en sodium et rincez les lentilles en conserve avant de les utiliser.

PAR PORTION		
Calories		**414**
g	matières grasses	**12**
g	gras saturés	**5**
g	fibres	**15**
BONNE SOURCE DE : vitamines A et C, riboflavine		
EXCELLENTE SOURCE DE : thiamine, niacine, calcium, fer		
g	protéines	**29**
g	glucides	**51**
mg	cholestérol	**25**
mg	sodium	**1021**
mg	potassium	**1177**

Cari de lentilles parfumé à la coriandre

Ce plat s'inspire d'une recette de Hajaa Wilson, bénévole à la Fondation des maladies du cœur de l'Ontario. Celle-ci utilise une purée de lentilles composée de lentilles noires, roses, cassées et vertes. J'ai essayé la recette en n'y mettant que des lentilles vertes – le goût est merveilleux.

Une demi-tasse (125 ml) de lentilles cuites contient une très grande quantité de fibres alimentaires, 8 g de protéines, aucune matière grasse et est également une bonne source de fer et de niacine.

2 tasses	lentilles vertes	500 ml
2 c. à table	huile végétale	25 ml
2	oignons moyens, hachés	2
1 c. à thé	gingembre	5 ml
1 c. à thé	coriandre	5 ml
1 c. à thé	cumin	5 ml
1 c. à thé	curcuma	5 ml
1 c. à thé	ail émincé	5 ml
1/2 c. à thé	sel	2 ml
3	clous de girofle	3
2	graines de cardamome	2
1	bâton de cannelle de 3 po (8 cm) OU 1/2 c. à thé (2 ml) de cannelle moulue	1
1/4 c. à thé	flocons de piment fort	1 ml
1 tasse	tomates hachées (fraîches OU en conserve)	250 ml
1/3 tasse	oignons verts hachés (avec les tiges)	75 ml
1/4 tasse	coriandre fraîche hachée	50 ml

Lavez les lentilles à l'eau froide et égouttez. Dans une casserole, portez à ébullition 6 tasses (1,5 L) d'eau avec les lentilles. Baissez le feu, couvrez et laissez mijoter pendant 20 à 30 minutes ou jusqu'à ce que les lentilles soient tendres : égouttez.

Entre-temps, dans une grande casserole, mélangez l'huile, les oignons, le gingembre, la coriandre, le cumin, le curcuma, l'ail, le sel, les clous de girofle, la cardamome, la cannelle et les flocons de piment fort. Faites cuire à feu moyen pendant 10 minutes, en remuant souvent, ou jusqu'à ce que les oignons soient tendres.

Ajoutez les tomates et les lentilles égouttées : laissez mijoter à feu doux pendant 3 minutes. Retirez les clous, la cardamome et le bâton de cannelle et incorporez les oignons verts et la coriandre. Servez chaud.

Donne 8 portions d'environ 1/2 tasse (125 ml) chacune.

PAR PORTION		
	Calories	**207**
g	matières grasses	**4**
g	gras saturés	**traces**
g	fibres	**6**
BONNE SOURCE DE : thiamine, niacine		
EXCELLENTE SOURCE DE : fer		
g	protéines	**13**
g	glucides	**31**
mg	cholestérol	**0**
mg	sodium	**162**
mg	potassium	**635**

Burritos végétariens

Mes enfants adorent ces burritos. Ils s'apprêtent facilement, surtout si vous avez de la Salsa d'hiver ou une sauce tomate épicée sous la main. Servez avec du yogourt. Vous pouvez vous procurer des tortillas de blé au rayon des produits réfrigérés dans la plupart des supermarchés.

1 c. à thé	huile végétale	5 ml
2	oignons moyens, hachés	2
3	gousses d'ail, émincées	3
1	poivron vert, haché	1
1 tasse	courgettes en petits dés	250 ml
1	grosse carotte, râpée	1
2 c. à thé	assaisonnement au chili	10 ml
1 c. à thé	origan séché	5 ml
1 c. à thé	cumin moulu	5 ml
1 1/2 tasse	Salsa d'hiver (p. 190)	375 ml
1	boîte de haricots sautés (14 oz/398 ml)	1
5	tortillas de blé de 10 po (25 cm)	5
2/3 tasse	cheddar râpé	150 ml

Dans un poêlon à revêtement antiadhésif, faites chauffer l'huile à feu moyen : faites-y revenir les oignons pendant 3 minutes, en remuant de temps en temps. Ajoutez l'ail, le poivron, les courgettes et la carotte, et faites cuire pendant 5 minutes en remuant souvent. Incorporez l'assaisonnement au chili, l'origan et le cumin.

Incorporez 2/3 tasse (150 ml) de la salsa d'hiver aux haricots sautés. Étendez une fine couche de ce mélange sur chaque tortilla, soit environ 1/3 tasse (75 ml), en laissant une bordure d'environ 1 po (2,5 cm) : couvrez du mélange de légumes. Enroulez et disposez les tortillas, côté replié vers le bas, dans un plat allant au four de 13 po × 9 po (3,5 L) légèrement huilé.

Faites cuire au four à 400 °F (200 °C) pendant 15 minutes. Parsemez de fromage et faites cuire pendant 5 minutes de plus. Servez les tortillas accompagnées du reste de la salsa d'hiver.

Donne 5 portions.

Variantes : au lieu de la Salsa d'hiver, on peut prendre une salsa commerciale. On peut remplacer les haricots sautés par une boîte de haricots rouges égouttés, rincés puis réduits en purée.

PAR PORTION		
Calories		**310**
g	matières grasses	**9**
g	gras saturés	**4**
g	fibres	**9**
BONNE SOURCE DE : riboflavine, niacine, calcium		
EXCELLENTE SOURCE DE : vitamines A et C, fer		
g	protéines	**14**
g	glucides	**45**
mg	cholestérol	**16**
mg	sodium	**596**
mg	potassium	**743**

✓ À PRÉPARER À L'AVANCE

RECETTES À BASE DE LÉGUMINEUSES

Trempette mexicaine aux haricots (p. 35)
Burritos mexicains éclair (p. 39)
Soupe aux pois à l'ancienne (p. 44)
Soupe aux lentilles et à la saucisse fumée (p. 46)
Soupe aux lentilles et aux épinards avec yogourt au cari (p. 47)
Soupe aux haricots noirs et au jambon (p. 49)
Minestrone aux haricots et au bœuf (p. 53)
Chaudrée minute de haricots, de brocoli et de tomates (p. 59)
Salade de haricots rouges au fromage feta et au poivron (p. 65)
Salade de lentilles aux petits légumes (p. 71)
Chili au bœuf et aux légumes (p. 114)
Pâtes et légumineuses aux fines herbes (p. 149)

PAR PORTION		
Calories		**277**
g	matières grasses	**5**
g	gras saturés	**2**
g	fibres	**9**
BONNE SOURCE DE : thiamine, niacine, zinc		
EXCELLENTE SOURCE DE : acide folique, fer, magnésium		
g	protéines	**14**
g	glucides	**46**
mg	cholestérol	**5**
mg	sodium	**358**
mg	potassium	**1009**

FÈVES AU LARD À L'ANCIENNE

Je prépare souvent cette recette au retour d'une bonne journée de ski. C'est un vrai régal et elle rassasie à merveille les grandes tablées. Elle est aussi nutritive, ce qui n'est pas à négliger. J'ajoute parfois un jarret de porc fumé mais cela augmente la teneur en matières grasses et en sodium. Il est préférable d'omettre cet extra si vous apprêtez souvent ce plat.

1 lb	haricots blancs	500 g
2	oignons moyens, tranchés	2
1/4 tasse	mélasse	50 ml
2 c. à table	pâte de tomates OU 1/2 tasse (125 ml) de ketchup	25 ml
1 c. à table	cassonade tassée	15 ml
1 c. à table	vinaigre	15 ml
1 c. à thé	sel	5 ml
1/2 c. à thé	moutarde en poudre	2 ml
1/4 c. à thé	poivre noir OU flocons de piment fort	1 ml
4 tasses	eau chaude	1 L
2	tranches de bacon, hachées (2 oz/60 g)	2

Rincez les haricots et enlevez ceux qui sont décolorés. Dans une grande casserole, faites tremper les haricots pendant toute une nuit ou employez la méthode rapide indiquée ci-dessous : égouttez. Couvrez d'au moins 2 po (5 cm) d'eau, portez à ébullition et laissez mijoter pendant 30 minutes : égouttez.

Dans une cocotte ou un plat allant au four de 8 tasses (2 L), étendez d'abord les tranches d'oignon. Dans un bol, mélangez la mélasse, la pâte de tomates, la cassonade, le vinaigre, le sel, la moutarde et le poivre. Versez sur les oignons. Ajoutez les haricots égouttés et de l'eau chaude et parsemez de bacon.

Couvrez et faites cuire au four à 250 °F (120 °C) pendant 6 heures : retirez le couvercle et faites cuire pendant 1 heure de plus. Ajoutez de l'eau au besoin pour couvrir les haricots.

Donne 8 portions d'environ 3/4 tasse (175 ml) chacune.

Méthode de trempage rapide n° 1 : mettez les haricots rincés dans une grande casserole et couvrez de 2 po (5 cm) d'eau. Portez à ébullition et laissez bouillir pendant 2 minutes. Retirez du feu, couvrez et laissez reposer pendant 1 heure : égouttez et rincez.

Méthode de trempage rapide n° 2 : mettez les haricots rincés dans une grande casserole et couvrez de 2 po (5 cm) d'eau. Portez à ébullition et laissez bouillir pendant 10 minutes : égouttez. Couvrez d'eau froide et laissez tremper pendant 30 minutes : égouttez.

Couscous

Aliment de tous les jours au Maroc, le couscous, d'apparence granuleuse, est fait de semoule de blé. Il existe maintenant une variété de couscous à cuisson rapide qu'il suffit de faire tremper dans l'eau bouillante. Vous pouvez vous en procurer dans la plupart des magasins d'aliments naturels et dans certains supermarchés. Ajoutez la quantité d'eau indiquée sur l'emballage ou, si vous l'achetez en vrac, suivez cette recette.

2 tasses	bouillon de poulet OU eau	500 ml
2 c. à thé	huile d'olive	10 ml
1 1/2 tasse	couscous à cuisson rapide*	375 ml
	Sel et poivre	

Dans une casserole, portez le bouillon et l'huile à ébullition. Ajoutez le couscous et salez et poivrez au goût. Couvrez, retirez du feu et laissez reposer pendant 5 minutes. Séparez les grains à l'aide d'une fourchette : servez chaud.

Donne 6 portions.

* Au Canada, les couscous vendus dans les supermarchés et les magasins d'aliments naturels sont presque tous à cuisson rapide.

PAR PORTION		
	Calories	**148**
g	matières grasses	**2**
g	gras saturés	**traces**
g	fibres	**1**
BONNE SOURCE DE :		
niacine		
g	protéines	**6**
g	glucides	**25**
mg	cholestérol	**0**
mg	sodium	**291**
mg	potassium	**79**

Couscous au cari garni de raisins de Corinthe

Le couscous est si facile et rapide à préparer que j'en sers fréquemment, particulièrement pour accompagner le poisson ou le poulet grillé.

1 1/2 tasse	bouillon de poulet OU eau*	375 ml
1 1/2 tasse	couscous	375 ml
1	oignon, émincé	1
1/3 tasse	raisins de Corinthe OU raisins secs	75 ml
1 c. à table	margarine molle OU huile d'olive	15 ml
1 c. à thé	poudre de cari	5 ml
1/2 c. à thé	cumin moulu OU cardamome OU coriandre OU mélange des trois	2 ml
	Poivre	

Dans une casserole, portez le bouillon de poulet à ébullition : ajoutez le couscous et retirez du feu. Couvrez et laissez reposer pendant 5 minutes ou jusqu'à ce que le couscous soit tendre et que le bouillon soit entièrement absorbé.

SOUPER PRINTANIER EN 15 MINUTES

Côtelettes d'agneau grillées
Couscous au cari garni de raisins de Corinthe
Asperges
Tranches de tomates

PAR PORTION	
Calories	124
g matières grasses	2
g gras saturés	traces
g fibres	2
g protéines	3
g glucides	24
mg cholestérol	0
mg sodium	16
mg potassium	78

Entre-temps, dans une casserole ou un plat allant au micro-ondes, faites cuire l'oignon avec 1 c. à table (15 ml) d'eau à feu moyen ou à puissance maximale pendant 1 1/2 minute ou jusqu'à ce que l'oignon soit tendre.

Séparez les grains du couscous à l'aide d'une fourchette. Ajoutez l'oignon, les raisins de Corinthe ou les raisins secs, la margarine, la poudre de cari, le cumin et du poivre au goût : mélangez bien avec une fourchette.

Donne 8 portions.

* Ajoutez la quantité de liquide indiquée sur l'emballage de couscous si celle-ci diffère de la quantité proposée ici.

Couscous citronné au basilic frais

Le couscous, que vous pouvez vous procurer dans la plupart des supermarchés et des magasins d'aliments naturels, est en fait de la semoule de blé. Il est très simple à apprêter : vous n'avez qu'à le faire tremper dans l'eau bouillante pendant 5 minutes, y ajouter les assaisonnements et le tour est joué. De plus, il se réchauffe bien.

2 tasses	bouillon de poulet*	500 ml
1 1/2 tasse	couscous	375 ml
1 c. à table	huile d'olive	15 ml
2 c. à table	jus de citron	25 ml
1/2 tasse	basilic frais haché, légèrement tassé	125 ml
	Poivre	

Dans une casserole, portez le bouillon de poulet à ébullition : ajoutez le couscous et l'huile. Retirez du feu, couvrez et laissez reposer pendant 5 minutes ou jusqu'à ce que le couscous soit tendre et que le bouillon soit absorbé.

Séparez les grains du couscous à l'aide d'une fourchette et ajoutez le jus de citron et le basilic. Poivrez au goût.

Donne 8 portions.

* Ajoutez la quantité de liquide indiquée sur l'emballage de couscous si celle-ci diffère de la quantité proposée ici.

PAR PORTION	
Calories	120
g matières grasses	2
g gras saturés	traces
g fibres	1
g protéines	5
g glucides	19
mg cholestérol	0
mg sodium	262
mg potassium	94

PETIT SOUPER AUTOMNAL
Potage à la citrouille parfumé au cari (p. 55)
Pilaf El Paso
Salade de chou minceur (p. 72)
Pavés aux prunes et aux nectarines (p. 228)

Si vous suivez un régime à teneur réduite en sodium, utilisez de l'eau à la place du bouillon et rincez les haricots avant de les utiliser.

PAR PORTION		
Calories		**259**
g	matières grasses	**3**
g	gras saturés	**traces**
g	fibres	**6**
BONNE SOURCE DE :		
thiamine, niacine, fer		
g	protéines	**11**
g	glucides	**48**
mg	cholestérol	**0**
mg	sodium	**498**
mg	potassium	**521**

PILAF EL PASO

Tom Ney a mis au point cette savoureuse recette dans le cadre du « Projet LEAN ». Il s'agit d'un programme éducatif américain auquel je participe, qui fait la promotion de l'alimentation à faible teneur en matières grasses.

2 c. à thé	huile d'olive	10 ml
1/2 tasse	oignon haché	125 ml
1	boîte de haricots rouges (14 oz/398 ml) égouttés	1
2 1/2 tasses	bouillon de poulet OU eau	625 ml
1 tasse	riz à grain long	250 ml
1 tasse	maïs frais OU surgelé	250 ml
1 tasse	salsa avec morceaux de légumes	250 ml
1/4 tasse	lentilles vertes sèches	50 ml
1/4 tasse	poivron rouge OU vert haché	50 ml
1/2 c. à thé	assaisonnement au chili	2 ml
1	gousse d'ail, émincée	1
12	tranches de tomates épaisses (facultatif)	12

Dans une grande casserole, faites chauffer l'huile à feu moyen : faites-y revenir l'oignon pendant 5 minutes ou jusqu'à ce qu'il soit tendre mais non doré. Ajoutez les haricots, le bouillon de poulet, le riz, le maïs, la salsa, les lentilles, le poivron, l'assaisonnement au chili et l'ail : portez à ébullition.

Réduisez la chaleur, couvrez et laissez mijoter pendant 20 à 25 minutes ou jusqu'à ce que le riz et les lentilles soient tendres et que l'eau soit presque entièrement absorbée. Servez le pilaf sur des tranches de tomates (s'il y a lieu).

Donne 6 portions.

✓ À PRÉPARER À L'AVANCE

Risotto au basilic frais et à salade trévise

Cette recette de risotto est pratique lorsque vous recevez puisqu'elle peut être préparée quelques heures à l'avance et réchauffée par la suite. Le risotto est habituellement fait avec du riz arborio ou avec du riz à grain court et est apprêté juste avant d'être servi. Lorsque vous le préparez à l'avance, utilisez plutôt du riz à grain long. J'aime bien le servir en entrée ou pour accompagner un rôti ou un poulet. Si vous ne pouvez vous procurer de salade trévise, utilisez de fines tranches de chou rouge.

1/3 tasse	huile d'olive	75 ml
2	oignons, hachés	2
4 tasses	riz étuvé à grain long	1 L
1 1/2 tasse	vin blanc sec	375 ml
9 tasses	bouillon de poulet bouillant*	2,25 L
2 tasses	salade trévise tranchée mince	500 ml
1 tasse	persil frais haché	250 ml
1 tasse	basilic frais haché OU 1 c. à table (15 ml) de basilic séché	250 ml
1/2 tasse	parmesan frais râpé	125 ml
	Sel et poivre	

Dans une grande casserole à fond épais, faites chauffer l'huile à feu moyen : faites-y cuire les oignons, en remuant de temps en temps, jusqu'à ce qu'ils soient tendres. Incorporez le riz en remuant et faites cuire, en brassant, pendant 3 minutes. Ajoutez le vin et faites cuire, en brassant, jusqu'à ce que le vin soit absorbé.

Réservez 1 tasse (250 ml) de bouillon. Incorporez 1 tasse (250 ml) de bouillon à la fois, en remuant jusqu'à ce qu'il soit presque entièrement absorbé : incorporez alors une autre tasse de bouillon et ainsi de suite : ceci prendra de 15 à 20 minutes. Retirez du feu, couvrez et conservez au réfrigérateur jusqu'à 4 heures.

Pour servir, réchauffez le riz à feu moyen : incorporez le reste du bouillon réchauffé au préalable et remuez jusqu'à ce qu'il ait été absorbé tout en prenant soin de garder le riz humide. Incorporez la salade trévise, le persil et le basilic. Ajoutez le parmesan, salez et poivrez au goût. Servez immédiatement.

Donne 12 portions.

* Pour réduire la teneur en sodium, remplacez la moitié de la quantité de bouillon de poulet indiquée par de l'eau. Si vous suivez un régime à teneur réduite en sodium, utilisez un bouillon de poulet à faible teneur en sodium ou de l'eau.

PAR PORTION	
Calories	**364**
g matières grasses	**8**
g gras saturés	**2**
g fibres	**2**
BONNE SOURCE DE :	
niacine	
g protéines	**10**
g glucides	**59**
mg cholestérol	**3**
mg sodium	**653**
mg potassium	**328**

Le risotto aux champignons d'Elizabeth Baird

Ce délicieux risotto est la création de mon amie Elizabeth Baird, rédactrice culinaire à la revue Canadian Living. *Lorsque vous préparez un risotto, versez une petite quantité de bouillon à la fois sur le riz et remuez jusqu'à ce qu'il soit absorbé. Cela vous prendra environ 20 minutes en tout et vous obtiendrez un mets délicieux et onctueux. Si vous avez des invités, suggérez-leur de vous tenir compagnie dans la cuisine ou de mettre la main à la pâte en brassant un peu. Pour bien réussir ce plat, utilisez un riz à grain court, de préférence le riz italien arborio, que vous pouvez vous procurer dans les supermarchés.*

Vous pouvez utiliser des pleurotes ou tout autre type de champignons frais ou séchés à la place des champignons ordinaires. Si vous utilisez des champignons séchés, incorporez l'eau de trempage au bouillon.

3 tasses	bouillon de poulet	750 ml
2 c. à table	huile d'olive	25 ml
1	oignon moyen, haché	1
1	gousse d'ail, émincée	1
1/2 tasse	poivron rouge grossièrement haché	125 ml
6 tasses	champignons tranchés (1 lb/500 g)	1,5 L
1 1/2 tasse	riz arborio	375 ml
1 tasse	vin blanc sec OU bouillon de poulet additionnel	250 ml
	Sel et poivre	
1/2 tasse	oignons verts hachés	125 ml
	Persil frais, haché	
1/4 tasse	parmesan frais râpé	50 ml

Dans une casserole, faites frémir le bouillon.

Pendant ce temps, dans une casserole large et peu profonde ou dans un grand poêlon, faites chauffer la moitié de l'huile à feu moyen ou vif. Faites-y cuire l'oignon, l'ail, le poivron rouge et les champignons, en remuant pendant environ 10 minutes ou jusqu'à ce que le tout soit tendre et que le liquide se soit évaporé.

Incorporez le riz en remuant pour bien l'enrober. Incorporez environ la moitié du vin : faites cuire, en remuant souvent, jusqu'à ce qu'il soit absorbé, soit environ 2 minutes. Ajoutez le reste du vin en remuant et faites cuire jusqu'à ce qu'il soit absorbé.

Ajoutez le bouillon de poulet chaud, 1/4 tasse (50 ml) à la fois, en remuant après chaque addition. Remuez jusqu'à ce que tout le bouillon ait été absorbé, que le riz ait doublé de volume et soit *al dente*, soit environ 20 minutes.

Incorporez le reste d'huile et le bouillon additionnel, au besoin, pour humidifier le risotto et le rendre plus onctueux. Salez et poivrez au goût. Servez dans des bols à pâtes préchauffés et parsemez d'oignons verts, de persil et de fromage.

Donne 4 portions (plat principal) ou 6 portions (entrée).

PAR PORTION		
	Calories	**264**
g	matières grasses	**6**
g	gras saturés	**2**
g	fibres	**2**
BONNE SOURCE DE :		
riboflavine		
EXCELLENTE SOURCE DE :		
niacine		
g	protéines	**8**
g	glucides	**41**
mg	cholestérol	**3**
mg	sodium	**492**
mg	potassium	**416**

Riz frit à l'indonésienne

Servez ce riz au cari en guise de légume ou ajoutez-y de la viande cuite ou des crevettes et servez-le comme plat principal.

La pâte de cari peut être remplacée par la même quantité de poudre de cari. Selon vos goûts, utilisez de la pâte, douce, moyenne ou piquante. Je préfère la pâte à la poudre de cari.

4 tasses	eau	1 L
2 tasses	riz à grain entier OU à grain long	500 ml
1 c. à table	huile végétale	15 ml
1	oignon moyen, haché	1
1	branche de céleri, hachée	1
1	carotte moyenne, en dés	1
2	gousses d'ail, émincées	2
1 c. à table	gingembre frais, râpé	15 ml
1 c. à table	sauce soja à faible teneur en sodium	15 ml
1 c. à thé	pâte de cari	5 ml
1 c. à thé	poudre de cumin	5 ml
1/4 c. à thé	sauce au piment fort ou pâte de chili	1 ml
1	poivron vert, en dés	1
1 tasse	chou râpé	250 ml
1/2 tasse	petits pois surgelés	125 ml
	Sel	

Dans une casserole, portez l'eau à ébullition et ajoutez le riz. Baissez le feu, couvrez et laissez mijoter pendant 20 minutes ou jusqu'à ce que le riz soit tendre (ne faites pas trop cuire). Rincez à l'eau froide et égouttez bien : réservez.

Dans une grande casserole à fond épais, faites chauffer l'huile à feu moyen-vif : faites-y revenir l'oignon jusqu'à ce qu'il soit tendre en remuant constamment. Ajoutez le céleri, la carotte, l'ail, le gingembre, la sauce soja, la pâte de cari, le cumin et la sauce au piment fort : faites cuire en remuant pendant 2 minutes. Ajoutez le poivron vert, le chou et les petits pois et faites cuire pendant 2 minutes.

Ajoutez le riz et faites cuire en remuant constamment jusqu'à ce que le tout soit bien chaud et que le riz soit doré : salez au goût. Servez chaud.

Donne 6 portions.

Variantes : ajoutez 1/2 lb (250 g) de crevettes moyennes décortiquées, déveinées et coupées en deux, ainsi que le poivron vert et le chou. Ou encore, avant d'incorporer le riz cuit, ajoutez 2 tasses (500 ml) de poulet, de jambon, de porc ou d'agneau cuit, en cubes, et faites bien réchauffer le mélange.

PAR PORTION		
Calories		**266**
g	matières grasses	**3**
g	gras saturés	**traces**
g	fibres	**3**
BONNE SOURCE DE : vitamine C		
EXCELLENTE SOURCE DE : vitamine A		
g	protéines	**5**
g	glucides	**54**
mg	cholestérol	**0**
mg	sodium	**110**
mg	potassium	**216**

REPAS PRÊT EN 20 MINUTES
(utilisez les restes de riz cuit)
Riz aux légumes sautés à la chinoise
Salade verte ou tranches de tomates
Pain de blé entier
Poires fraîches

PAR PORTION		
Calories		**296**
g	matières grasses	**12**
g	gras saturés	**1**
g	fibres	**7**

BONNE SOURCE DE :
thiamine, riboflavine, niacine, fer

EXCELLENTE SOURCE DE :
vitamines A et C

g	protéines	**10**
g	glucides	**38**
mg	cholestérol	**108**
mg	sodium	**595**
mg	potassium	**591**

RIZ AUX LÉGUMES SAUTÉS À LA CHINOISE

J'utilise les légumes que j'ai sous la main pour apprêter ce mets mais j'aime particulièrement les poivrons rouges ou jaunes et les pois mange-tout pour leurs couleurs attrayantes. Accompagnez ce riz d'une salade verte ou d'une salade aux épinards et, dans la mesure du possible, utilisez du riz brun car il est riche en fibres et en vitamines.

2 c. à table	huile végétale	25 ml
1/2 tasse	oignon haché	125 ml
1	carotte, hachée	1
1/2	poivron, grossièrement haché	1/2
2 tasses	bok choy haché, tassé OU chou haché	500 ml
1 tasse	fèves germées	250 ml
1/4 lb	pois mante-tout (2 tasses/500 ml)	125 g
2 tasses	riz cuit	500 ml
2 c. à table	sauce soja à faible teneur en sodium	25 ml
2	œufs, légèrement battus	2
2 c. à table	graines de sésame grillées* OU amandes effilées	25 ml

Dans un poêlon à revêtement antiadhésif ou un wok, faites chauffer l'huile à feu moyen-vif. Ajoutez l'oignon et la carotte et faites revenir à feu vif en remuant jusqu'à ce que l'oignon soit tendre.

Incorporez le poivron, le bok choy, les fèves germées et les pois mange-tout : faites sauter pendant 3 à 5 minutes ou jusqu'à ce que les légumes soient tendres mais croquants. Au besoin, ajoutez 1 c. à table (15 ml) d'eau de temps à autre afin d'éviter que les légumes ne brûlent.

Incorporez le riz, la sauce soja et les œufs : faites sauter à feu vif en remuant pendant 2 à 3 minutes ou jusqu'à ce que les œufs soient cuits.

Parsemez de graines de sésame grillées ou d'amandes.

Donne 4 grosses portions.

* Pour griller des graines de sésame ou des amandes : faites-les cuire dans un petit poêlon à feu moyen-doux pendant environ 5 minutes ou jusqu'à ce qu'elles soient dorées en agitant le poêlon de temps en temps.

✓ À PRÉPARER À L'AVANCE

Gratin d'orge et de riz brun à la méditerranéenne

L'orge est une excellente source de fibres solubles : (le même type de fibre que le son d'avoine). Ce plat peut être préparé à l'avance, conservé au réfrigérateur et réchauffé au four juste avant d'être servi.

1/2 tasse	riz brun	125 ml
1/2 tasse	orge perlé OU écossais	125 ml
2 1/2 tasses	eau	625 ml
3 tasses	courgettes tranchées	750 ml
2/3 tasse	oignon haché	150 ml
1	poivron vert OU jaune, coupé en lanières	1
2/3 tasse	eau	150 ml
1/3 tasse	pâte de tomates	75 ml
1	gousse d'ail, émincée	1
1 c. à thé	basilic séché OU origan séché	5 ml
1/2 c. à thé	sucre	2 ml
1	grosse tomate, tranchée	1
3/4 tasse	mozzarella partiellement écrémée, râpée OU cheddar	175 ml

Rincez le riz et l'orge à l'eau froide. Dans une casserole, portez l'eau à ébullition et ajoutez le riz et l'orge. Couvrez, baissez le feu et laissez mijoter pendant 40 minutes ou jusqu'à ce que l'eau soit absorbée et que le riz soit tendre.

Vaporisez le fond d'un plat allant au four de 11 po × 7 po (2 L) d'un enduit végétal antiadhésif et étendez-y le mélange de riz et d'orge.

Dans une casserole contenant une petite quantité d'eau bouillante, faites cuire les courgettes, l'oignon et le poivron pendant 2 à 3 minutes ou jusqu'à ce qu'ils soient tendres mais croquants. Égouttez et étendez sur le riz.

Dans un petit bol, mélangez l'eau, la pâte de tomates, l'ail, le basilic et le sucre. Versez sur les légumes. Disposez les tranches de tomates sur le dessus. Couvrez et faites cuire au four à 325 °F (160 °C) pendant 25 minutes ou jusqu'à ce que le tout soit bien chaud. Parsemez de fromage et faites cuire à découvert pendant 5 minutes ou jusqu'à ce que le fromage soit fondu.

Donne 6 portions.

PAR PORTION	
Calories	**196**
g matières grasses	**3**
g gras saturés	**1**
g fibres	**5**
BONNE SOURCE DE : niacine	
EXCELLENTE SOURCE DE : vitamine C	
g protéines	**8**
g glucides	**36**
mg cholestérol	**8**
mg sodium	**239**
mg potassium	**494**

Polenta aux fines herbes avec parmesan

Pendant longtemps, la polenta ne m'intéressait pas. J'avais l'impression que c'était très fade et difficile à préparer. Ce n'est pas le cas ! Toutefois, elle nécessite qu'on la remue pendant 15 à 20 minutes, à moins d'utiliser de la farine de maïs à cuisson rapide (suivez alors les indications sur l'emballage). Vous pouvez cependant la préparer à l'avance.

Mark Dowling, grand chef torontois, prépare la meilleure polenta que j'aie jamais goûtée. Il la rehausse d'oignons et de fines herbes et la garnit de fromage. Les polentas sont très appréciées dans les brunchs ou au souper pour remplacer un féculent. (Voir photo vis-à-vis de la page 90.)

1	oignon moyen, émincé	1
4 tasses	eau	1 L
1/2 c. à thé	romarin séché	2 ml
1/2 c. à thé	thym séché	2 ml
1/2 c. à thé	sel	2 ml
1 tasse	farine de maïs	250 ml
1 c. à thé	huile d'olive	5 ml
1/4 tasse	parmesan frais râpé	50 ml

Dans une grande casserole, couvrez l'oignon de 1/4 tasse (50 ml) d'eau et laissez mijoter pendant 5 minutes ou jusqu'à ce qu'il soit tendre. Ajoutez le reste de l'eau, le romarin, le thym et le sel : portez à ébullition.

Incorporez la farine de maïs, très graduellement, en remuant constamment (pendant au moins 3 minutes). Tout en continuant à remuer, faites cuire la farine de maïs à feu moyen-doux pendant 15 à 20 minutes ou jusqu'à ce qu'elle soit très épaisse. (La farine de maïs doit cuire pendant au moins 15 minutes pour être cuite.)

Vaporisez une plaque de cuisson d'un enduit végétal antiadhésif. Étendez la polenta uniformément sur la plaque en formant un carré ou un cercle de 9 po (23 cm) de côté ou de diamètre et d'environ 3/4 po (2 cm) d'épaisseur. Laissez refroidir ou conservez au réfrigérateur jusqu'à 24 heures.

Arrosez la polenta de gouttelettes d'huile et badigeonnez pour bien étendre. Parsemez de fromage. Découpez en pointes ou en carrés et séparez bien les morceaux afin que les côtés deviennent croustillants. Faites cuire au four à 375 °F (190 °C) pendant 12 à 15 minutes ou jusqu'à ce que les morceaux de polenta soient bien chauds et dorés.

Donne 8 portions.

Tofu à savourer sur le barbecue
Tartinez des tranches de tofu avec de la sauce barbecue. Chauffer au micro-ondes jusqu'à ce qu'elles soient chaudes.

PAR PORTION		
Calories		**83**
g	matières grasses	**2**
g	gras saturés	**1**
g	fibres	**1**
g	protéines	**2**
g	glucides	**14**
mg	cholestérol	**2**
mg	sodium	**205**
mg	potassium	**43**

Polenta aux champignons sautés

Si vous désirez préparer un souper léger, garnissez la polenta de savoureux champignons. Vous pouvez remplacer les champignons ordinaires par quelques champignons sauvages, frais ou séchés.

1 c. à table	margarine molle ou huile végétale	15 ml
1	oignon moyen, haché	1
1	gousse d'ail, émincée	1
1 lb	champignons, hachés	500 g
1/3 tasse	persil frais grossièrement haché	75 ml
	Sel et poivre	

Dans un poêlon à revêtement antiadhésif, faites chauffer la margarine à feu moyen : faites-y revenir l'oignon et l'ail jusqu'à ce qu'ils soient tendres, pendant environ 5 minutes. Ajoutez les champignons et faites sauter à feu vif pendant 5 minutes ou jusqu'à ce qu'ils soient tendres et brunis. Ajoutez le persil. Salez et poivrez au goût. Étendez sur la polenta cuite et chaude à l'aide d'une cuillère.

Donne 6 portions.

PAR PORTION		
Calories		153
g	matières grasses	5
g	gras saturés	1
g	fibres	3
BONNE SOURCE DE :		
niacine		
g	protéines	5
g	glucides	24
mg	cholestérol	3
mg	sodium	275
mg	potassium	291

Fèves de soja fraîches (edamame)

Les fèves de soja fraîches sont savoureuses servies en hors-d'œuvre ou comme légume d'accompagnement. On peut acheter des fèves de soja fraîches dans leurs cosses au rayon des surgelés. Faites cuire les cosses à l'eau bouillante suivant les instructions de l'emballage ou pendant 5 minutes ; laissez bien égoutter et saupoudrez de sel. Présentez dans un petit bol en guise de hors-d'œuvre et laissez chaque convive écosser les fèves. Pour servir comme légume d'accompagnement, prenez des fèves de soja décortiquées. Faites cuire à l'eau bouillante et servez comme tout autre légume surgelé.

Tofu mariné au gingembre et à la sauce soja

Voici la manière la plus délicieuse d'apprêter le tofu autrement que dans un plat où il se trouve mélangé à d'autres ingrédients. Avec la quantité de marinade obtenue ici, vous pouvez traiter jusqu'à 12 oz (375 g) de tofu. Dans cette recette, je préfère utiliser le tofu ferme plutôt que l'extra ferme.

1 c. à table	sauce soja	15 ml
1 c. à table	eau	15 ml
1 c. à table	huile de sésame grillé	15 ml
1 c. à table	gingembre frais émincé	15 ml
1 c. à thé	pâte de piment frais	1 ml
8 oz	tofu ferme	250 g

Dans un plat allant aux micro-ondes, mélangez la sauce soja, l'eau, l'huile de sésame, le gingembre et la pâte de piment. Partagez le tofu en tranches de 1/2 po (1 cm) d'épaisseur. Disposez le tofu en une couche simple dans le plat et retournez-le pour bien l'enrober de marinade. Laissez mariner pendant 10 minutes ou couvrez et laissez au réfrigérateur pendant toute la nuit. Faites cuire le contenu du plat à découvert au micro-ondes à puissance élevée pendant 1 ou 2 minutes ou jusqu'à ce que le tofu soit bien chaud. Vous pouvez aussi le faire cuire au four préchauffé à 375 °F (190 °C) pendant 15 à 20 minutes. Retournez le tofu après 10 minutes de cuisson.

Donne 4 portions.

PAR PORTION		
Calories		61
g	matières grasses	4
g	gras saturés	1
g	fibres	traces
g	protéines	5
g	glucides	2
mg	cholestérol	0
mg	sodium	135
mg	potassium	110

Boulghour aux oignons verts parfumé au gingembre

Le boulghour a un petit goût de noix, il est légèrement croquant et est riche en fibres. Vous pouvez vous le procurer dans certains supermarchés et dans la plupart des magasins d'aliments naturels. Si vous n'en trouvez pas, remplacez-les par du blé concassé. Servez-le à la place du riz.

2 tasses	eau	500 ml
1 1/2 tasse	bouillon de poulet	375 ml
1 1/4 tasse	boulghour	300 ml
1 c. à table	gingembre frais, râpé	15 ml
1/2 tasse	oignons verts finement hachés	125 ml

Dans une casserole, portez l'eau et le bouillon de poulet à ébullition. Ajoutez le boulghour et le gingembre, couvrez et laissez mijoter pendant 15 minutes ou jusqu'à ce que ce qu'il soit tendre (comptez 10 minutes de plus pour la cuisson avec le blé concassé). Incorporez les oignons verts.

Donne 6 portions.

Voici une liste d'autres recettes contenant des céréales :

Soupe aux champignons et à l'orge à l'ancienne (p. 56)
Salade de saumon et de riz au cari (p. 64)
Salade de riz et de haricots du Sud-Ouest (p. 73)
Riz sauvage et boulghour citronnés (p. 74)
Quinoa et agrumes en salade (p. 75)
Poulet marocain avec couscous (p. 95)
Pilaf pour une personne (p. 129)

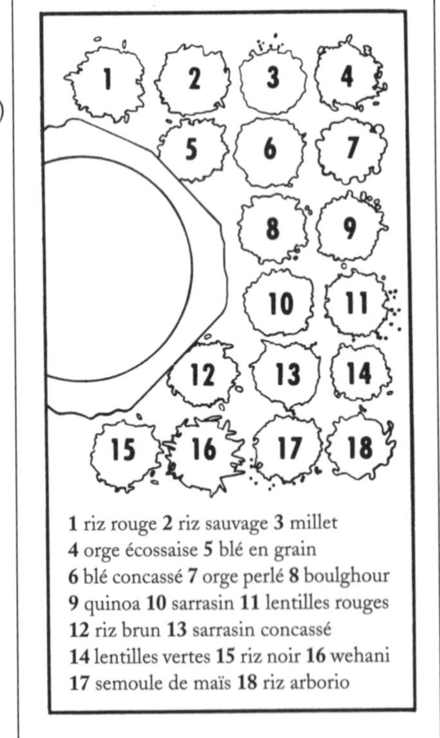

1 riz rouge **2** riz sauvage **3** millet **4** orge écossaise **5** blé en grain **6** blé concassé **7** orge perlé **8** boulghour **9** quinoa **10** sarrasin **11** lentilles rouges **12** riz brun **13** sarrasin concassé **14** lentilles vertes **15** riz noir **16** wehani **17** semoule de maïs **18** riz arborio

PAR PORTION		
Calories		138
g	matières grasses	1
g	gras saturés	traces
g	fibres	3
BONNE SOURCE DE :		
niacine		
g	protéines	5
g	glucides	28
mg	cholestérol	0
mg	sodium	198
mg	potassium	159

Riz sauvage et boulghour citronnés (p. 74)

MÜESLI CLASSIQUE AUX BANANES

Garnissez plutôt ce müesli de fruits frais, vous en raffolerez !

1/2 tasse	eau chaude	125 ml
1/2 tasse	flocons d'avoine	125 ml
1 tasse	yogourt à teneur réduite en matières grasses	250 ml
1/4 tasse	raisins secs	50 ml
2 c. à table	son de blé	25 ml
2 c. à table	son d'avoine	25 ml
2 c. à table	miel liquide	25 ml
1	pomme parée, en dés	1
3	bananes, tranchées	3

Dans un bol, versez l'eau chaude sur les flocons d'avoine : laissez reposer pendant 20 minutes ou jusqu'à absorption de l'eau.

Ajoutez le yogourt, les raisins secs, le son de blé, le son d'avoine, le miel et la pomme : mélangez bien. Couvrez et conservez au réfrigérateur pendant toute une nuit ou jusqu'à 2 jours. Versez dans des bols individuels et garnissez de bananes.

Donne 4 portions.

PAR PORTION		
Calories		**251**
g	matières grasses	**2**
g	gras saturés	**1**
g	fibres	**5**
BONNE SOURCE DE : thiamine, riboflavine, vitamine B_{12}		
EXCELLENTE SOURCE DE : vitamine B_6, magnésium		
g	protéines	**7**
g	glucides	**56**
mg	cholestérol	**4**
mg	sodium	**47**
mg	potassium	**680**

LE MÜESLI DE LESLIE

C'est Leslie King, une amie de longue date, qui m'a appris comment préparer ce müesli. Avec cette version simplifiée, vous ne mesurerez les ingrédients que la première fois ; ensuite, vous y ajouterez tout ce que vous aurez sous la main. Accompagnez-le de lait ou de yogourt et garnissez le tout de fruits frais tels des bananes, des fraises ou des bleuets. (Voir photo vis-à-vis de la page 219.)

3 tasses	flocons d'avoine (non instantanés)	750 ml
1 tasse	raisins secs OU mélange de fruits séchés hachés	250 ml
1/2 tasse	son d'avoine	125 ml
1/2 tasse	son de blé	125 ml
1/2 tasse	germe de blé grillé	125 ml
1/2 tasse	graines de citrouille OU de tournesol	125 ml

Mélangez les flocons d'avoine, les raisins secs ou les fruits séchés, le son d'avoine, le son de blé, le germe de blé et les graines de citrouille. Conservez dans un récipient hermétique jusqu'à 6 mois.

Donne 10 portions de 1/2 tasse (125 ml) chacune.

Si vous omettez les graines de citrouille ou de tournesol, vous réduisez la teneur en matières grasses à 3 g par portion. Le müesli maison contient en moyenne 17 g de matières grasses par 1/2 tasse (125 ml).

PAR PORTION		
Calories		**159**
g	matières grasses	**5**
g	gras saturés	**1**
g	fibres	**5**
BONNE SOURCE DE : thiamine, fer, zinc		
g	protéines	**7**
g	glucides	**25**
mg	cholestérol	**0**
mg	sodium	**5**
mg	potassium	**280**

Quiche aux poireaux au micro-ondes

Cette quiche est idéale pour vos brunchs ou lorsque vous désirez un souper végétarien vite fait. Accompagnez-la d'un légume vert, d'une salade et d'un petit pain de blé entier. Vous pouvez aussi utiliser des oignons hachés à la place des poireaux.

Cette quiche est également délicieuse avec 1 œuf ou 3 blancs d'œufs. Le cholestérol est de 109 g par portion.

1 tasse	poireaux finement tranchés (partie blanche seulement)	250 ml
1 c. à thé	huile végétale	5 ml
1/2 lb	champignons, grossièrement hachés (environ 3 tasses/750 ml)	250 g
1	œuf, légèrement battu	1
3	blancs d'œufs, légèrement battus*	3
2 c. à table	lait	25 ml
	Une pincée de paprika	
	Sel et poivre	

Dans un plat de 8 1/2 × 4 po (1,5 L) allant au four micro-ondes, mélangez les poireaux et l'huile. Couvrez d'une pellicule plastique et faites cuire à puissance maximale pendant 1 minute.

Ajoutez les champignons, couvrez et faites cuire à puissance maximale pendant 4 minutes ou jusqu'à ce que les champignons soient tendres mais croquants. Incorporez l'œuf, les blancs d'œufs, le lait et le paprika : salez et poivrez au goût.

Faites cuire, à découvert, à puissance moyenne (50 %) pendant 6 minutes ou jusqu'à ce que le mélange soit cuit. Servez chaud.

Donne 2 portions.

* Si vous utilisez des blancs d'œufs, vous obtiendrez une quiche plus légère et moins riche en cholestérol, le cholestérol des œufs étant concentré dans les jaunes. Ne vous souciez pas d'avoir à jeter des jaunes d'œufs. Ce plat demeure économique comme source de protéines comparativement à la viande, au poulet ou aux succédanés d'œufs tels que les « Egg Beaters ».

PAR PORTION	
Calories	**167**
g matières grasses	**8**
g gras saturés	**2**
g fibres	**2**
BONNE SOURCE DE : fer	
EXCELLENTE SOURCE DE : riboflavine, niacine, acide folique	
g protéines	**17**
g glucides	**43**
mg cholestérol	**17**
mg sodium	**655**
mg potassium	**699**

Omelette espagnole

Cette omelette légère et colorée a été mise au point pour les gens qui suivent un régime strict visant à réduire leur taux de cholestérol et qui veulent donc éviter les jaunes d'œufs. Il est important d'utiliser une casserole à surface antiadhésive et de faire cuire à feu vif.

2	blancs d'œufs	2
1 c. à table	lait	15 ml
	Une pincée de curcuma OU paprika	
	Sel et poivre	
1 c. à thé	margarine molle	5 ml
2 c. à table	jambon cuit en dés (facultatif)	25 ml
2 c. à table	tomates finement hachées	25 ml
1 c. à table	oignons verts finement hachés	15 ml

Dans un bol, battez les blancs d'œufs en mousse. Ajoutez le lait et le curcuma : salez et poivrez au goût. Faites chauffer un grand poêlon à revêtement antiadhésif à feu vif : ajoutez la margarine et étendez-la dans le fond du poêlon.

Versez-y le mélange aux œufs et remuez le poêlon à feu vif jusqu'à ce que les blancs d'œufs soient cuits. Parsemez de jambon (s'il y a lieu), de tomates et d'oignons verts. Retirez du feu et, à l'aide d'une fourchette, relevez le tiers de l'omelette et repliez-le vers le centre : inclinez le poêlon et faites glisser l'omelette dans une assiette en repliant le dernier tiers sur le dessus.

Donne 1 portion.

Variante : ajoutez des légumes cuits ou crus hachés, des fines herbes fraîches ou une petite quantité de fromage à faible teneur en matières grasses ou des flocons de poisson tel du saumon.

PAR PORTION		
Calories		**79**
g	matières grasses	**4**
g	gras saturés	**1**
g	fibres	**traces**
BONNE SOURCE DE :		
riboflavine		
g	protéines	**8**
g	glucides	**3**
mg	cholestérol	**17**
mg	sodium	**143**
mg	potassium	**179**

Voici une liste d'autres recettes végétariennes :

Pâtes et légumineuses aux fines herbes (p. 149)
Linguine aux asperges et au poivron rouge (p. 150)
Pâtes aux tomates, aux olives noires et au fromage feta (p. 154)
Nouilles thaïlandaises au petits légumes (Pad Thai) (p. 156)
Lasagne aux poivrons et aux champignons (p. 158)
Pâtes aux poivrons, au fromage et au basilic (p. 161)
Macaronis au fromage jardinière pour petits gourmands (p. 162)
Fettuccine Alfredo au goût du cœur (p. 165)

PIZZA VÉGÉTARIENNE

Les pizzas aux légumes sont les meilleures. Vous pouvez également les garnir de courgettes, de brocoli, de chou-fleur, d'artichauts, de tranches de tomates ou d'aubergine. Omettez les anchois et les olives trop riches en sel. Je n'aime pas vraiment les pizzas qui contiennent beaucoup de fromage ou du pepperoni car elles sont salées et trop grasses : je préfère les garnir de basilic frais.

2	croûtes à pizza non cuites de 12 po (30 cm)	2
3/4 tasse	eau	175 ml
1/4 tasse	pâte de tomates	50 ml
1 1/2 c. à thé	origan séché	7 ml
1/2	poivron rouge, en lanières	1/2
1/2	poivron jaune OU vert, en lanières	1/2
1 tasse	champignons tranchés	250 ml
1	petit oignon, tranché mince	1
2 tasses	mozzarella partiellement écrémé, râpée	500 ml

Déposez chaque croûte sur une plaque de cuisson. Mélangez l'eau, la pâte de tomates et l'origan : et étendez sur les croûtes.

Disposez le poivron rouge et le jaune, les champignons et l'oignon sur les croûtes. Parsemez de fromage et cuisez au four à 450 °F (230 °C) pendant 12 minutes ou jusqu'à ce que le fromage soit fondu.

Donne 8 portions.

PAR PORTION		
Calories		189
g	matières grasses	7
g	gras saturés	3
g	fibres	1
BONNE SOURCE DE :		
vitamine C, niacine, calcium		
g	protéines	10
g	glucides	22
mg	cholestérol	19
mg	sodium	323
mg	potassium	189

SALSA D'HIVER

Servez cette sauce comme trempette pour accompagner des nachos ou comme garniture avec les burritos.

1	boîte de tomates (19 oz/540 ml)	1
2 c. à thé	vinaigre de cidre	10 ml
1 1/2 c. à thé	cumin	7 ml
1 1/2 c. à thé	assaisonnement au chili	7 ml
4	oignons verts, hachés	4
1	gousse d'ail, émincée	1
1/2	poivron vert, haché	1/2
2 c. à table	coriandre fraîche hachée (facultatif)	25 ml

Broyez les tomates. Versez dans un bol et ajoutez vinaigre, cumin, assaisonnement au chili, oignons verts, ail, poivron vert et coriandre. Couvrez et conservez au réfrigérateur jusqu'à 4 jours.

Donne environ 3 tasses (750 ml) de salsa.

PAR PORTION DE 2 C. À TABLE (25 ML)		
Calories		7
g	matières grasses	traces
g	gras saturés	0
g	fibres	traces
g	protéines	traces
g	glucides	1
mg	cholestérol	0
mg	sodium	39
mg	potassium	68

Pains et Pâtisseries

Pain au citron

Pain à la citrouille glacé à l'orange

Pain aux carottes et à la cannelle

Gâteau aux bananes glacé à l'orange

Pain minute au babeurre et aux fines herbes

Muffins aux pommes à l'ancienne

Muffins aux pommes et aux dattes

Muffins aux bleuets et au citron

Muffins aux raisins secs et au germe de blé

Muffins aux canneberges, aux carottes et au son d'avoine

Muffins aux graines de lin et à la banane

Petits gâteaux aux raisins secs glacés au citron

Biscuits de blé entier aux bleuets

Carrés à l'ananas et aux carottes

Carrés aux dattes et aux noix

Biscuits aux épices et à la compote de pommes

Biscuits citronnés au sucre

Biscuits au gingembre

Biscuits aux épices

Crêpes à la semoule de maïs et aux pêches

Pain au citron

Ce délicieux gâteau au goût piquant accompagne à merveille un fruit frais ou un sorbet.

1 tasse	sucre	250 ml
1/4 tasse	margarine molle OU beurre	50 ml
1	œuf	1
2 c. à table	yogourt à faible teneur en matières grasses	25 ml
1/2 tasse	lait	125 ml
1 1/2 tasse	farine tout usage	375 ml
1 c. à thé	poudre à pâte (levure chimique)	5 ml
	Zeste d'un citron	

Glace :

	Jus d'un citron	
1/4 tasse	sucre	50 ml

Tapissez l'intérieur d'un moule à pain de 8 po × 4 po (1,5 L) d'une feuille d'aluminium et graissez légèrement.

Dans un grand bol, battez en crème le sucre et la margarine. Ajoutez en battant l'œuf et le yogourt ; incorporez le lait. Mélangez la farine et la poudre à pâte et incorporez en battant au mélange jusqu'à ce que la préparation soit homogène. Ajoutez le zeste de citron.

À l'aide d'une cuillère, versez dans le moule et faites cuire au four à 350 °F (180 °C) pendant 1 heure ou jusqu'à ce qu'un cure-dent inséré au centre en ressorte propre. Retirez du four et laissez reposer le pain dans son moule pendant 3 minutes.

Glace : dans un petit bol, mélangez bien le jus de citron et le sucre ; versez sur le gâteau chaud.

Retirez le gâteau du moule avec la feuille d'aluminium et déposez sur une grille. Retirez la feuille d'aluminium du pain et attendez qu'il soit bien refroidi avant de le couper.

Donne 16 tranches.

PAR PORTION		
Calories		**139**
g	matières grasses	**3**
g	gras saturés	**1**
g	fibres	**traces**
g	protéines	**2**
g	glucides	**25**
mg	cholestérol	**12**
mg	sodium	**63**
mg	potassium	**39**

PAIN À LA CITROUILLE GLACÉ À L'ORANGE

Ce pain ne dure jamais très longtemps chez nous, car mes enfants aiment bien en emporter une tranche dans leur boîte à lunch ou en manger après l'école, en guise de collation. Servez-vous de citrouille ou de courge cuites, fraîches ou en conserve, pour préparer en un clin d'œil ce pain délicieux.

1 tasse	farine de blé entier	250 ml
2/3 tasse	farine tout usage	150 ml
1 1/2 c. à thé	cannelle	7 ml
1 c. à thé	bicarbonate de sodium	5 ml
1/2 c. à thé	poudre à pâte (levure chimique)	2 ml
1/2 c. à thé	muscade	2 ml
1/4 c. à thé	sel	1 ml
1/3 tasse	margarine molle OU beurre	75 ml
2/3 tasse	sucre	150 ml
1/2 c. à thé	vanille	2 ml
2	œufs	2
1 tasse	citrouille cuite	250 ml
1/3 tasse	eau	75 ml
3/4 tasse	raisins secs	175 ml

Glace :

2 c. à table	sucre glace	25 ml
1/4 tasse	jus d'orange	50 ml

Graissez et farinez légèrement un moule à pain de 9 po × 5 po (2 L).

Dans un petit bol, mélangez la farine de blé entier, la farine tout usage, la cannelle, le bicarbonate de sodium, la poudre à pâte, la muscade et le sel.

Dans un grand bol, battez en crème la margarine, le sucre et la vanille. Ajoutez les œufs un à un en battant bien après chaque addition. Ajoutez la citrouille, et incorporez en alternant le mélange d'ingrédients secs et l'eau jusqu'à consistance lisse. Incorporez les raisins secs et versez la préparation dans le moule.

Faites cuire au four à 350 °F (180 °C) pendant 1 heure ou jusqu'à ce qu'un cure-dent inséré au centre en ressorte propre. Retirez du four et laissez reposer dans le moule pendant 10 minutes ; démoulez et placez sur une grille.

Glace : piquez le pain chaud avec une fourchette. Mélangez le sucre glace et le jus d'orange et versez sur le pain. Attendez que le pain soit bien refroidi avant de le couper.

Donne 16 tranches.

PAR TRANCHE		
Calories		152
g	matières grasses	5
g	gras saturés	1
g	fibres	2
EXCELLENTE SOURCE DE :		
vitamine A		
g	protéines	3
g	glucides	26
mg	cholestérol	23
mg	sodium	149
mg	potassium	146

Pain aux carottes et à la cannelle

Ce pain aux carottes est savoureux et très nutritif. Servez-le comme collation l'après-midi ou mettez-en une tranche dans la boîte à lunch.

1 tasse	raisins secs	250 ml
3/4 tasse	farine tout usage	175 ml
3/4 tasse	farine de blé entier	175 ml
2 c. à thé	cannelle	10 ml
1 c. à thé	gingembre moulu	5 ml
1/2 c. à thé	muscade	2 ml
1 c. à thé	bicarbonate de sodium	5 ml
1 c. à thé	poudre à pâte (levure chimique)	5 ml
1/4 c. à thé	sel	1 ml
1	œuf	1
3 c. à table	huile végétale	45 ml
3/4 tasse	yogourt à faible teneur en matières grasses	175 ml
1/2 tasse	cassonade bien tassée	125 ml
1 c. à thé	vanille	5 ml
1 tasse	carottes finement râpées	250 ml

Garniture :

1 c. à table	flocons d'avoine	15 ml
1 c. à table	son d'avoine	15 ml

Versez l'eau bouillante sur les raisins secs et laissez reposer pendant 5 minutes ; égouttez bien. Mélangez la farine tout usage, la farine de blé entier, la cannelle, le gingembre, la muscade, le bicarbonate de sodium, la poudre à pâte, le sel et les raisins secs, et réservez.

Dans un grand bol, battez l'œuf en mousse, et incorporez-y l'huile en battant. Ajoutez le yogourt, la cassonade, la vanille et les carottes. Incorporez le mélange d'ingrédients secs. Versez la préparation dans un moule à pain de 8 po × 4 po (1,5 L) graissé et tapissé d'une feuille d'aluminium ou d'un papier ciré.

Garniture : mélangez les flocons d'avoine et le son d'avoine, et parsemez-en sur le pain avant la cuisson. Faites cuire au four à 350 °F (180 °C) pendant 50 à 55 minutes ou jusqu'à ce qu'un cure-dent inséré au centre en ressorte propre. Laissez reposer dans le moule pendant 5 minutes ; démoulez et attendez que le pain soit refroidi avant de trancher.

Donne environ 13 tranches.

PAR TRANCHE	
Calories	**170**
g matières grasses	**4**
g gras saturés	**1**
g fibres	**2**
BONNE SOURCE DE :	
vitamine A	
g protéines	**4**
g glucides	**32**
mg cholestérol	**15**
mg sodium	**178**
mg potassium	**224**

GÂTEAU AUX BANANES GLACÉ À L'ORANGE

Je prépare ce gâteau lorsque je veux utiliser des bananes qui commencent à noircir. Il est délicieux avec ou sans glace. Ma mère cuisait souvent ce gâteau dans un moule à pain.

1/4 tasse	margarine molle OU beurre	50 ml
3/4 tasse	sucre	175 ml
2	œufs	2
1 c. à thé	vanille	5 ml
1 tasse	bananes mûres écrasées (environ 3)	250 ml
1 c. à thé	zeste d'orange (facultatif)	5 ml
2 tasses	farine tout usage	500 ml
2 c. à thé	poudre à pâte (levure chimique)	10 ml
1 c. à thé	bicarbonate de sodium	5 ml
1/2 tasse	babeurre OU lait sur*	125 ml

Glace à l'orange :

1 1/2 tasse	sucre glace	375 ml
2 c. à table	yogourt à faible teneur en matières grasses	25 ml
1 c. à thé	zeste d'orange	5 ml
1 c. à thé	jus d'orange	5 ml

Dans un bol, battez la margarine en crème et ajoutez le sucre en battant bien. Incorporez les œufs un à un. Ajoutez en battant la vanille, les bananes et le zeste d'orange, s'il y a lieu.

Mélangez la farine, la poudre à pâte et le bicarbonate de sodium, et incorporez en battant au mélange d'œufs, en alternant avec le babeurre. Vaporisez un moule carré ou à ressort de 9 po (2,5 L) d'enduit végétal antiadhésif et versez-y la préparation.

Faites cuire au four à 350 °F (180 °C) pendant 40 minutes ou jusqu'à ce que le gâteau reprenne sa forme après une légère pression du doigt, ou qu'un cure-dent inséré au centre du pain en ressorte propre. Laissez refroidir dans le moule pendant 10 minutes, démoulez et laissez refroidir sur une grille.

Glace à l'orange: dans un petit bol, mélangez le sucre glace, le yogourt, le zeste et le jus d'orange ; battez et étendez sur le gâteau.

Donne 12 portions.

* Pour obtenir du lait sur, mélangez 2 c. à thé (10 ml) de jus de citron ou de vinaigre à 1/2 tasse (125 ml) de lait et laissez reposer pendant 10 minutes.

PAR PORTION		
Calories		**245**
g	matières grasses	**5**
g	gras saturés	**1**
g	fibres	**1**
g	protéines	**14**
g	glucides	**47**
mg	cholestérol	**32**
mg	sodium	**214**
mg	potassium	**133**

PAIN MINUTE AU BABEURRE ET AUX FINES HERBES

Servez ce pain moelleux et savoureux en tout temps, au déjeuner ou à l'heure de la collation, avec une salade, une soupe ou un plat à base de légumineuses. Utilisez les fines herbes en flocons de préférence aux fines herbes moulues.

1 tasse	farine de blé entier	250 ml
1/2 tasse	farine tout usage	125 ml
1/2 tasse	semoule de maïs	125 ml
2 c. à thé	poudre à pâte (levure chimique)	10 ml
1/2 c. à thé	bicarbonate de sodium	2 ml
1/2 c. à thé	sel	2 ml
1 c. à thé	aneth séché	5 ml
1/2 c. à thé	origan séché en flocons	2 ml
1/2 c. à thé	basilic séché en flocons	2 ml
1/2 c. à thé	thym séché en flocons	2 ml
1/2 c. à thé	graines de fenouil (facultatif)	2 ml
1 1/4 tasse	babeurre OU lait sur*	300 ml
1	œuf, battu	1
2 c. à table	miel liquide	25 ml
2 c. à table	huile végétale	25 ml
1 c. à table	graines de sésame et/ou graines de lin	15 ml

Dans un bol, mélangez la farine de blé entier, la farine tout usage, la semoule de maïs, la poudre à pâte, le bicarbonate de sodium, le sel, l'aneth, l'origan, le basilic, le thym et les graines de fenouil (s'il y a lieu).

Mélangez le babeurre, l'œuf, le miel et l'huile, et ajoutez au mélange d'ingrédients secs en remuant juste assez pour mélanger. À l'aide d'une cuillère, versez la préparation dans un moule à pain de 8 po × 4 po (1,5 L) tapissé d'une feuille d'aluminium ou d'un papier ciré. Parsemez de graines de sésame.

Faites cuire au four à 350 °F (180 °C) pendant 45 à 50 minutes, ou jusqu'à ce qu'un cure-dent inséré au centre en ressorte propre. Démoulez et laissez refroidir sur une grille.

Donne environ 15 tranches.

* Voir p. 200.

Le babeurre

Quand on pense à du babeurre, on pense à un aliment riche, mais il n'en est rien. Auparavant, le babeurre était le liquide qui restait du lait après le barattage de la crème dans la préparation du beurre. Aujourd'hui, on le produit commercialement en ajoutant une bactérie spéciale au lait écrémé ou à 2 %. Dans le babeurre, le sucre lactose du lait a été converti en acide lactique, de sorte qu'il peut être consommé même par les personnes qui ont du mal à digérer le lait ordinaire.

Le goût suret et la consistance épaisse du babeurre en font un ingrédient idéal pour les vinaigrettes et certains potages froids. On l'utilise également pour faire des muffins et des crêpes.

PAR PORTION		
Calories		101
g	matières grasses	3
g	gras saturés	traces
g	fibres	1
g	protéines	3
g	glucides	16
mg	cholestérol	15
mg	sodium	186
mg	potassium	84

Muffins aux pommes à l'ancienne

Servez ces muffins moelleux au goût de cannelle au déjeuner ou comme collation.

1 1/3 tasse	farine de blé entier	325 ml
1/2 tasse	son d'avoine	125 ml
1/3 tasse	sucre	75 ml
1 c. à table	poudre à pâte (levure chimique)	15 ml
1 c. à table	cannelle	15 ml
1/4 c. à thé	sel	1 ml
1 1/4 tasse	pommes pelées et hachées	300 ml
1	œuf, légèrement battu	1
1 tasse	lait	250 ml
1/4 tasse	huile végétale	50 ml

Garniture :

2 c. à table	cassonade tassée	25 ml
1/4 c. à thé	cannelle	1 ml
1/4 c. à thé	muscade	1 ml

Dans un grand bol, mélangez la farine, le son d'avoine, le sucre, la poudre à pâte, la cannelle et le sel, et incorporez les pommes hachées.

Dans un autre bol, mélangez l'œuf, le lait et l'huile ; incorporez au mélange d'ingrédients secs en remuant juste assez pour humecter. À l'aide d'une cuillère, versez la préparation dans un moule à muffins à revêtement antiadhésif ou tapissé de moules en papier en remplissant aux trois quarts.

Garniture : mélangez la cassonade, la cannelle et la muscade et parsemez-en les muffins. Faites cuire au four à 400 °F (200 °C) pendant 15 à 20 minutes ou jusqu'à ce que les muffins soient dorés et fermes au toucher.

Donne 12 muffins.

Le son d'avoine : aliment miracle. Vrai ou faux ?

Vrai. Il semble que le type de fibre soluble que l'on retrouve dans le son d'avoine contribue à réduire le taux de cholestérol sanguin. On retrouve cette même fibre soluble dans le gruau, l'orge, les légumineuses (pois, lentilles, haricots secs) et les fruits riches en pectine, comme la pomme et la fraise.

Cela ne signifie pas pour autant que l'on doive consommer du son d'avoine, ou tout autre aliment « miracle » à l'excès. Un régime alimentaire équilibré inclut toute une variété d'aliments, dont le son d'avoine. Des études ont démontré que la meilleure façon d'abaisser le taux de cholestérol sanguin est de consommer moins de matières grasses.

PAR PORTION		
Calories		**151**
g	matières grasses	**6**
g	gras saturés	**1**
g	fibres	**3**
g	protéines	**4**
g	glucides	**24**
mg	cholestérol	**17**
mg	sodium	**129**
mg	potassium	**138**

MUFFINS AUX POMMES ET AUX DATTES

Tendres et savoureux, ces muffins conviennent parfaitement pour le déjeuner ou la boîte à lunch.

3/4 tasse	farine de blé entier	175 ml
1/2 tasse	farine tout usage	125 ml
1/2 tasse	son de blé	125 ml
1 c. à thé	poudre à pâte (levure chimique)	5 ml
1 c. à thé	bicarbonate de sodium	5 ml
1 c. à thé	cannelle	5 ml
1/3 tasse	dattes hachées	75 ml
1	œuf, légèrement battu	1
1/4 tasse	cassonade tassée	50 ml
2 c. à table	huile végétale	25 ml
1 tasse	lait	250 ml
1 tasse	pommes pelées et râpées	250 ml

Dans un grand bol, mélangez la farine de blé entier, la farine tout usage, le son de blé, la poudre à pâte, le bicarbonate de sodium et la cannelle ; incorporez les dattes.

Dans un autre bol, battez l'œuf, la cassonade et l'huile et incorporez le lait et les pommes. Versez dans le mélange d'ingrédients secs en remuant juste assez pour humecter (prenez garde de ne pas trop mélanger).

À l'aide d'une cuillère, versez la préparation dans un moule à muffins moyens à revêtement antiadhésif ou tapissé de moules en papier en remplissant presque jusqu'au bord. Faites cuire au four à 375 °F (190 °C) pendant environ 20 minutes ou jusqu'à ce que les muffins soient fermes au toucher.

Donne 12 muffins.

Muffins aux carottes et aux raisins secs

Procédez de la même façon que pour les muffins aux pommes et aux dattes en remplaçant les pommes par des carottes râpées et en utilisant des raisins secs au lieu des dattes.

PAR PORTION		
	Calories	**124**
g	matières grasses	**3**
g	gras saturés	**1**
g	fibres	**3**
g	protéines	**3**
g	glucides	**22**
mg	cholestérol	**17**
mg	sodium	**136**
mg	potassium	**164**

MUFFINS AUX BLEUETS ET AU CITRON

Chauds sortis du four et débordants de saveur, ces délicieux muffins se dégustent nature, sans beurre.

Afin de mieux faire glisser la mélasse de la tasse à mesurer, mesurez-y d'abord l'huile, enlevez celle-ci, puis mesurez la mélasse.

1 c. à table	jus de citron	15 ml
1 tasse	lait	250 ml
1	œuf, battu	1
1/4 tasse	huile végétale	50 ml
1/4 tasse	mélasse	50 ml
1 tasse	son de blé	250 ml
3/4 tasse	farine de blé entier	175 ml
3/4 tasse	farine tout usage	175 ml
1/3 tasse	cassonade tassée	75 ml
1 1/2 c. à thé	zeste de citron	7 ml
1 1/2 c. à thé	poudre à pâte (levure chimique)	7 ml
1/2 c. à thé	bicarbonate de sodium	2 ml
1 tasse	bleuets frais OU surgelés	250 ml

Dans un bol, mélangez le jus de citron et le lait, et laissez surir pendant 1 minute. Ajoutez en remuant l'œuf, l'huile et la mélasse.

Dans un grand bol, mélangez le son de blé, la farine de blé entier, la farine tout usage, la cassonade, le zeste de citron, la poudre à pâte et le bicarbonate de sodium. Incorporez le mélange liquide et les bleuets en remuant juste assez.

À l'aide d'une cuillère, versez la préparation dans un moule à muffins à revêtement antiadhésif ou tapissé de moules en papier. Faites cuire au four à 375 °F (190 °C) pendant 20 à 25 minutes ou jusqu'à ce que les muffins soient fermes au toucher.

Donne 12 muffins.

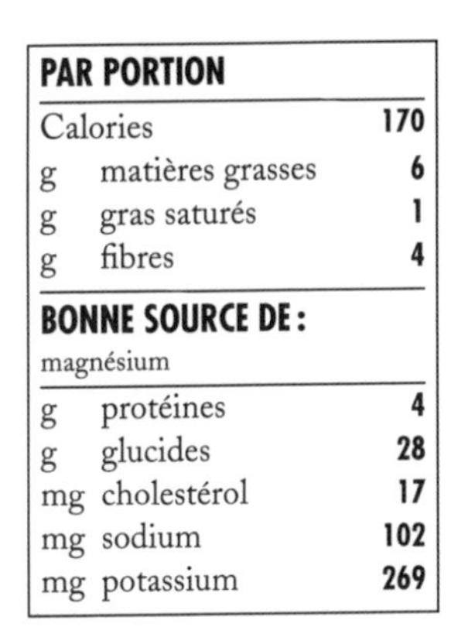

PAR PORTION		
Calories		**170**
g	matières grasses	**6**
g	gras saturés	**1**
g	fibres	**4**
BONNE SOURCE DE :		
magnésium		
g	protéines	**4**
g	glucides	**28**
mg	cholestérol	**17**
mg	sodium	**102**
mg	potassium	**269**

Muffins aux raisins secs et au germe de blé

Variante : remplacez les raisins secs par des figues ou des dattes hachées.

1 tasse	raisins secs	250 ml
1 3/4 tasse	farine de blé entier	425 ml
3/4 tasse	germe de blé	175 ml
1/3 tasse	sucre	75 ml
1 c. table	poudre à pâte (levure chimique)	15 ml
1/2 c. à thé	sel	2 ml
3 c. à table	huile végétale	45 ml
1 1/2 tasse	lait	375 ml
1	œuf, battu	1

Versez de l'eau bouillante sur les raisins secs. Égouttez après 10 minutes.

Dans un bol, mélangez la farine, le germe de blé, le sucre, la poudre à pâte et le sel ; incorporez les raisins. Dans un autre bol, mélangez l'huile, le lait et l'œuf et versez dans le mélange d'ingrédients secs, en remuant à peine. Versez la préparation dans un moule à muffins en remplissant aux trois quarts. Faites cuire au four à 375 °F (190 °C) pendant 18 à 20 minutes.

Donne 15 muffins.

PAR PORTION	
Calories	**159**
g matières grasses	**4**
g gras saturés	**1**
g fibres	**3**
BONNE SOURCE DE : thiamine	
g protéines	**5**
g glucides	**27**
mg cholestérol	**16**
mg sodium	**154**
mg potassium	**224**

Muffins aux canneberges, aux carottes et au son d'avoine

On peut remplacer le zeste d'orange par du zeste de citron, tout comme on peut prendre n'importe quel fruit sec à la place des canneberges et des carottes.

1 1/4 tasse	farine de blé entier OU farine tout usage	300 ml
1 tasse	son d'avoine	250 ml
2/3 tasse	cassonade bien tassée	150 ml
2 c. à thé	poudre à pâte (levure chimique)	10 ml
1 c. à thé	chacun de ces ingrédients : bicarbonate de sodium, gingembre et cannelle moulus	5 ml
1 tasse	canneberges séchées	250 ml
1 tasse	carottes râpées	250 ml
1 1/4 tasse	babeurre ou lait sur*	300 ml
2	œufs légèrement battus	2
1/4 tasse	huile végétale	50 ml
2 c. à thé	zeste d'orange	10 ml

Dans un grand bol, mélanger les ingrédients secs. Incorporer les canneberges et les carottes. Ajouter le babeurre, les œufs, l'huile et le zeste d'orange puis mélanger jusqu'à homogénéité.

Verser la préparation dans un moule à muffins. Cuire au four à 375 °F (190 °C) pendant 20 minutes.

Donne 12 muffins.

PAR MUFFIN	
Calories	**203**
g matières grasses	**6**
g gras saturés	**1**
g fibres	**4**
BONNE SOURCE DE : vitamine A, magnésium	
g protéines	**5**
g glucides	**36**
mg cholestérol	**32**
mg sodium	**188**
mg potassium	**222**

* **Pour aciduler le lait :** verser 1 c. à table (15 ml) de jus de citron ou de vinaigre blanc dans une tasse graduée ; y ajouter du lait jusqu'à l'obtention de 1 1/4 tasse (300 ml) de liquide. Laisser reposer pendant 5 minutes puis remuer.

MUFFINS AUX GRAINES DE LIN ET À LA BANANE

Tout chauds sortis du four, ces muffins sont divins pour les petits déjeuners du week-end.

1 tasse	graines de lin moulues	250 ml
3/4 tasse	farine de blé entier	175 ml
3/4 tasse	farine tou usage	175 ml
1/2 tasse	sucre	125 ml
1 c. à table	poudre à pâte (levure chimique)	15 ml
1/2 c. à thé	bicarbonate de sodium	2 ml
1 c. à thé	cannelle moulue	5 ml
1/2 c. à thé	chacun de ces ingrédients : sel et gingembre moulu	2 ml
1 tasse	raisins secs OU canneberges séchées	250 ml
1 tasse	babeurre OU lait sur	250 ml
3 c. à table	huile de colza	45 ml
1	œuf entier légèrement battu	1
2	blancs d'œufs	2
1 tasse	bananes mûres écrasées	250 ml
2 c. à thé	graines de lin (facultatif)	10 ml

Dans un bol, mélangez les graines de lin moulues, les farines, le sucre, la poudre à pâte, le bicarbonate de sodium, la cannelle, le sel et le gingembre. Incorporer les raisins. Ajouter le babeurre, l'huile, l'œuf, les blancs d'œufs et les bananes ; bien mélanger jusqu'à homogénéité.

Versez la préparation dans un moule à muffins à revêtement antiadhésif ou doublé de papier. Saupoudrez les muffins de graines de lin (si on en utilise). Faites cuire les muffins au four à 375 °F (190 °C) pendant environ 20 minutes ou jusqu'à qu'ils soient fermes au toucher.

Donne 12 muffins.

Les graines de lin

Pour bien profiter des vertus des graines de lin (voir p. 6), il faut ingérer celles-ci moulues, car leur écorce ne peut pas être dissoute par l'organisme. On peut en parsemer le yogourt et les céréales. On peut aussi utiliser les graines de lin dans la confection des muffins, des pains, des crêpes et des biscuits. Pour incorporer des graines de lin dans une recette traditionnelle, réduire la quantité de farine de 50 ml (1/4 tasse) et la remplacer par 50 ml (1/4 tasse) de graines de lin moulues ; la prochaine fois qu'on exécute la recette, on peut ajouter plus ou moins de graines selon les résultats obtenus. On trouve aussi dans le commerce de l'huile de lin. Cette huile apporte des acides gras oméga-3 sans les fibres contenues dans les graines.

PAR MUFFIN	
Calories	**257**
g matières grasses	**9**
g gras saturés	**1**
g fibres	**5**
BONNE SOURCE DE : fer, zinc	
EXCELLENTE SOURCE DE : acide folique, magnésium	
g protéines	**7**
g glucides	**41**
mg cholestérol	**16**
mg sodium	**257**
mg potassium	**442**

PETITS GÂTEAUX AUX RAISINS SECS GLACÉS AU CITRON

Voici une recette de ma belle-mère, Olive Lindsay. Ces petits gâteaux sont très convoités par ses petits-enfants aux réunions familiales.

1 1/2 tasse	raisins secs	375 ml
1 1/2 tasse	farine tout usage	375 ml
1 c. à thé	bicarbonate de sodium	5 ml
1 c. à thé	cannelle	5 ml
1/4 c. à thé	clou de girofle	1 ml
1/4 tasse	yogourt à faible teneur en matières grasses OU babeurre	50 ml
2 c. table	margarine molle ou beurre	25 ml
3/4 tasse	sucre	175 ml
1	œuf, battu	1

Glace au yogourt au citron :

3/4 tasse	sucre glace tamisé	175 ml
1 c. à table	yogourt à faible teneur en gras	15 ml
1/2 c. à thé	zeste de citron	2 ml
1/2 c. à thé	jus de citron	2 ml

Vaporisez d'enduit végétal antiadhésif un moule à muffins ou tapissez-le de moules en papier.

Dans une casserole, couvrez les raisins secs d'eau et portez à ébullition. Réduisez le feu et laissez mijoter pendant 20 minutes ; égouttez en prenant soin de réserver 1/2 tasse (125 ml) de liquide. Laissez refroidir.

Dans un bol, tamisez la farine, le bicarbonate de sodium, la cannelle et le clou de girofle.

Dans un autre grand bol, battez le yogourt, la margarine et le sucre jusqu'à ce que tous les ingrédients soient bien mélangés. Ajoutez l'œuf et battez bien. Incorporez en deux temps le liquide réservé refroidi en alternant avec les ingrédients secs. Ajoutez les raisins refroidis et mélangez bien.

À l'aide d'une cuillère, versez la préparation dans le moule à muffins et faites cuire au four à 375 °F (190 °C) pendant 20 à 25 minutes ou jusqu'à ce qu'un cure-dent inséré au centre en ressorte propre. Laissez refroidir.

Glace au yogourt au citron : dans un petit bol, mettez le sucre glace, le yogourt, le zeste et le jus de citron et mélangez jusqu'à consistance lisse. Étendez sur les petits gâteaux refroidis.

Donne 12 petits gâteaux.

PAR PETIT GÂTEAU		
Calories		220
g	matières grasses	3
g	gras saturés	1
g	fibres	1
g	protéines	3
g	glucides	48
mg	cholestérol	16
mg	sodium	135
mg	potassium	195

BISCUITS DE BLÉ ENTIER AUX BLEUETS

Chaque été, ma fille Susie prépare ces biscuits au chalet, et nous les dégustons au déjeuner ou au brunch. Au lieu du babeurre, elle utilise généralement du lait sur, qu'elle obtient en ajoutant 1 c. à table (15 ml) de jus de citron ou de vinaigre à 1 tasse (250 ml) de lait et en laissant reposer le mélange pendant 10 minutes avant de brasser. (Voir photo vis-à-vis de la page 219.)

1 tasse	farine tout usage	250 ml
1 tasse	farine de blé entier	250 ml
1 c. à table	sucre	15 ml
1 c. à table	poudre à pâte (levure chimique)	15 ml
1/2 c. à thé	bicarbonate de sodium	2 ml
1/2 c. à thé	sel	2 ml
1/4 tasse	margarine molle	50 ml
1 tasse	bleuets	250 ml
1 tasse	babeurre OU lait sur	250 ml

Dans un bol, mélangez la farine tout usage, la farine de blé entier, le sucre, la poudre à pâte, le bicarbonate de soudium et le sel. À l'aide de vos doigts, incorporez la margarine jusqu'à ce que le mélange ait un aspect granuleux.

Incorporez les bleuets ; ajouter le babeurre et mélangez légèrement. Déposez le mélange à la cuillère sur une plaque à biscuits en 10 portions égales. Faites cuire au four à 425 °F (220 °C) pendant 12 à 15 minutes ou jusqu'à ce que les biscuits soient dorés.

Donne 10 biscuits.

* Le babeurre renferme la même proportion de matières grasses que le lait à partir duquel il est fait (lait écrémé, 1 % ou 2 %) ; sa teneur en matières grasses n'est donc pas très élevée.

PAR BISCUIT	
Calories	**151**
g matières grasses	**5**
g gras saturés	**1**
g fibres	**2**
g protéines	**4**
g glucides	**23**
mg cholestérol	**1**
mg sodium	**338**
mg potassium	**116**

Carrés à l'ananas et aux carottes

Ces carrés sont réellement délicieux et plairont tout spécialement à ceux qui n'aiment pas les desserts trop sucrés. Chez moi, ils ne restent pas plus de 10 minutes dans l'assiette !

1/2 tasse	cassonade tassée	125 ml
2 c. à table	huile végétale	25 ml
1 c. à thé	vanille	5 ml
1	œuf	1
1 tasse	farine de blé entier	250 ml
1 c. à table	cannelle	15 ml
1 c. à thé	poudre à pâte (levure chimique)	5 ml
1 c. à thé	bicarbonate de sodium	5 ml
1 tasse	carottes finement râpées	250 ml
2/3 tasse	ananas broyé, non sucré et égoutté	150 ml
1/2 tasse	raisins secs	125 ml
1/4 tasse	lait	50 ml

Dans un grand bol, mettez la cassonade, l'huile, la vanille et l'œuf. Mélangez bien et réservez.

Dans un autre bol, mélangez la farine, la cannelle, la poudre à pâte et le bicarbonate de sodium et incorporez au mélange de cassonade. Incorporez les carottes, l'ananas, les raisins secs et le lait.

Pressez le mélange dans un moule de 13 po × 9 po (3,5 L) dans lequel vous aurez vaporisé une mince couche d'enduit végétal antiadhésif. Faites cuire au four à 350 °F (180 °C) pendant 25 minutes ou jusqu'à ce que la surface soit dorée. Laissez refroidir avant de couper en carrés. Couvrez sans comprimer et garder au réfrigérateur.

Donne 24 carrés.

PAR CARRÉ		
Calories		66
g	matières grasses	1
g	gras saturés	traces
g	fibres	1
g	protéines	1
g	glucides	13
mg	cholestérol	8
mg	sodium	68
mg	potassium	88

Carrés aux dattes et aux noix

Ma belle-sœur, Nancy Williams, m'a fait part de cette recette de carrés savoureux. Les dattes constituent une excellente source de fibres et de fer.

1	œuf	1
2	blancs d'œufs	2
1 tasse	sucre	250 ml
3 c. à table	margarine molle fondue	45 ml
1 1/4 tasse	dattes finement hachées, tassées	300 ml
1/4 tasse	noix de Grenoble hachées	50 ml
1/3 tasse	farine tout usage	75 ml
1 c. à thé	poudre à pâte (levure chimique)	5 ml

Dans un bol, à l'aide d'un batteur électrique, fouettez l'œuf, les blancs d'œufs et le sucre pendant environ 5 minutes ou jusqu'à ce que le mélange pâlisse. Ajoutez en battant la margarine, les dattes et les noix de Grenoble. Incorporez la farine et la poudre à pâte.

Versez dans un moule carré de 8 po (2 L) légèrement graissé et faites cuire au four à 350 °F (180 °C) pendant 35 minutes ou jusqu'à ce que le gâteau soit ferme. Laissez refroidir complètement avant de couper en carrés.

Donne 20 carrés.

Variante : pour la boîte à lunch, vous préférerez peut-être une version moins sucrée, ressemblant davantage à un gâteau. Procédez selon la recette ci-dessus, mais réduisez la quantité de sucre de moitié et augmentez la quantité de farine à 1/2 tasse (125 ml). Lorsqu'ils sont refroidis, saupoudrez les carrés de 1 c. à thé (5 ml) de sucre glace.

PAR CARRÉ		
Calories		**107**
g	matières grasses	**3**
g	gras saturés	**traces**
g	fibres	**1**
g	protéines	**1**
g	glucides	**20**
mg	cholestérol	**9**
mg	sodium	**44**
mg	potassium	**91**

Biscuits aux épices et à la compote de pommes

Voici des biscuits tendres, faciles à préparer. Pour varier, ajoutez des fruits secs hachés, tels qu'abricots, figues, dattes ou raisins.

1/3 tasse	margarine molle* OU beurre	75 ml
1/2 tasse	sucre	125 ml
1 1/2 tasse	compote de pommes	375 ml
1 c. à thé	vanille	5 ml
1	œuf	1
2 tasses	farine de blé entier	500 ml
1 c. à thé	cannelle	5 ml
1 c. à thé	muscade	5 ml
1/2 c. à thé	clou de girofle	2 ml
1 c. à thé	poudre à pâte (levure chimique)	5 ml
1/2 c. à thé	bicarbonate de sodium	2 ml

Garniture :

1 c. à table	sucre	15 ml
1/4 c. à thé	cannelle	2 ml

À l'aide d'un batteur électrique, battez la margarine et le sucre jusqu'à consistance lisse ; ajoutez en battant bien la compote de pommes, la vanille et l'œuf. Incorporez la farine, la cannelle, la muscade, le clou de girofle, la poudre à pâte et le bicarbonate de sodium.

Déposez à la cuillère sur une plaque à biscuits sur laquelle vous aurez vaporisé un enduit végétal antiadhésif. Faites cuire au four à 350 °F (180 °C) pendant 15 à 20 minutes ou jusqu'à ce qu'ils soient dorés uniformément.

Garniture : mélangez le sucre et la cannelle et saupoudrez-en sur les biscuits chauds. Laissez refroidir sur des grilles.

Donne 36 biscuits.

* Les margarines diététiques ou à teneur réduite en calories ne sont pas recommandées pour la cuisson au four.

PAR BISCUIT	
Calories	57
g matières grasses	2
g gras saturés	traces
g fibres	1
g protéines	1
g glucides	9
mg cholestérol	5
mg sodium	48
mg potassium	38

BISCUITS CITRONNÉS AU SUCRE

Ces biscuits dont tous raffolent sont le fruit d'une idée originale de Shannon Graham, une de mes collaboratrices.

1/4 tasse	margarine molle* OU beurre	50 ml
2/3 tasse	sucre	150 ml
1	œuf	1
2 c. à table	jus de citron	25 ml
1 1/4 tasse	farine tout usage	300 ml
1/3 tasse	farine de blé entier	75 ml
	Zeste de 2 citrons	
1/2 c. à thé	bicarbonate de sodium	2 ml
1 c. à table	sucre	15 ml

Dans un grand bol, à l'aide d'un batteur électrique, fouettez la margarine et le sucre jusqu'à ce que le mélange soit crémeux. Ajoutez l'œuf et le jus de citron, et battez jusqu'à ce que le mélange soit léger et mousseux.

Dans un grand bol, mélangez la farine tout usage, la farine de blé entier, le zeste de citron et le bicarbonate de sodium. Ajoutez en remuant bien au mélange d'œufs. Divisez la pâte en portions d'une cuillerée à table (15 ml), façonnez en boules et déposez à environ 2 po (5 cm) d'écart sur une plaque à biscuits légèrement graissée. À l'aide d'une fourchette, aplatissez les boules de pâte jusqu'à ce qu'elles aient environ 1/4 po (5 mm) d'épaisseur. Saupoudrez de sucre.

Faites cuire au four à 350 °F (180 °C) pendant 10 minutes ou jusqu'à ce que les biscuits soient fermes.

Donne 40 biscuits.

* Les margarines diététiques ou à teneur réduite en calories ne sont pas recommandées pour la cuisson au four.

PAR BISCUIT		
Calories		**44**
g	matières grasses	**1**
g	gras saturés	**traces**
g	fibres	**traces**
g	protéines	**1**
g	glucides	**7**
mg	cholestérol	**5**
mg	sodium	**31**
mg	potassium	**12**

Teneur moyenne en matières grasses et en calories des biscuits vendus dans le commerce

Pour deux biscuits	Matières grasses	Calories
sandwich	6,7 g	148
brisures de chocolat	4,4 g	98
gruau	4,1 g	117
petit beurre	2,3 g	70
gaufrettes à la vanille	1,9 g	54
gingembre	1,3 g	59

Biscuits au gingembre

Ces biscuits croustillants s'emportent bien dans la boîte à lunch et, accompagnés d'un fruit frais, constituent un excellent dessert. On peut également les congeler.

1/4 tasse	margarine molle OU beurre	50 ml
1/2 tasse	mélasse	125 ml
1/2 c. à thé	bicarbonate de sodium	2 ml
1 1/2 c. à thé	eau bouillante	7 ml
1 1/4 tasse	farine tout usage	300 ml
1 1/2 c. à thé	gingembre	7 ml
1/2 c. à thé	cannelle	2 ml
1/8 c. à thé	clou de girofle	0,5 ml
1 c. à thé	sucre	5 ml

Dans une petite casserole, faites fondre la margarine ; ajoutez la mélasse et portez à ébullition en remuant constamment. Retirez du feu et laissez refroidir pendant 15 minutes.

Dans un petit plat, mélangez le bicarbonate de sodium et l'eau, et versez en remuant dans le premier mélange.

Dans un bol, mélangez 1 tasse (250 ml) de farine, le gingembre, la cannelle et le clou de girofle. Incorporez le mélange de mélasse. Ajoutez suffisamment de farine pour obtenir une pâte malléable. Réfrigérez la pâte pendant 20 minutes.

Sur une surface non farinée, à l'aide d'un rouleau également non fariné, étendez la pâte jusqu'à ce qu'elle ait environ 1/8 po (3 mm) d'épaisseur. Coupez en cercles de 2 po (5 cm) de diamètre et saupoudrez de sucre. Faites cuire les biscuits au four, sur une plaque à biscuits non graissée, à 375 °F (190 °C) pendant 5 minutes ou jusqu'à ce qu'ils soient fermes.

Donne 48 biscuits.

PAR BISCUIT	
Calories	30
g matières grasses	1
g gras saturés	traces
g fibres	traces
g protéines	traces
g glucides	5
mg cholestérol	0
mg sodium	26
mg potassium	41

Biscuits aux épices

Ces délices à l'ancienne sont beaucoup plus nutritives lorsqu'on les fait à partir de farine de blé entier et que l'on réduit la quantité de sucre et de matières grasses. Utilisez seulement des dattes hachées ou n'importe quelle combinaison de fruits séchés, tels que abricots, raisins ou figues.

1/3 tasse	margarine molle OU beurre	75 ml
2/3 tasse	cassonade tassée	150 ml
1	œuf, légèrement battu	1
	Zeste de 1 citron	
3/4 tasse	farine tout usage	175 ml
2/3 tasse	farine de blé entier	150 ml
1 1/2 c. à thé	poudre à pâte (levure chimique)	7 ml
1/2 c. à thé	piment de la Jamaïque	2 ml
1/2 c. à thé	cannelle	2 ml
1/4 c. à thé	clou de girofle	1 ml
1/4 c. à thé	muscade	1 ml
1 tasse	fruits séchés, hachés	250 ml
1/4 tasse	lait	50 ml

Dans un grand bol, à l'aide du batteur électrique, battez la margarine en crème ; ajoutez graduellement la cassonade, en battant à puissance moyenne, jusqu'à ce que le mélange soit léger et mousseux. Incorporez en battant l'œuf et le zeste de citron.

Dans un autre bol, mélangez la farine tout usage, la farine de blé entier, la poudre à pâte, le piment de la Jamaïque, la cannelle, le clou de girofle et la muscade. Ajoutez en remuant les fruits séchés. Incorporez au mélange de margarine en alternant avec le lait et en commençant et en finissant avec le mélange d'ingrédients secs. Prenez soin de bien mélanger après chaque addition.

Déposez à la cuillère sur une plaque à biscuits légèrement graissée. Faites cuire au four à 325 °F (160 °C) pendant 15 minutes ou jusqu'à ce que les biscuits soient dorés. Laissez refroidir pendant quelques minutes avant de retirer de la plaque.

Donne 30 biscuits.

PAR BISCUIT		
Calories		**75**
g	matières grasses	**2**
g	gras saturés	**traces**
g	fibres	**1**
g	protéines	**1**
g	glucides	**13**
mg	cholestérol	**6**
mg	sodium	**45**
mg	potassium	**84**

Crêpes à la semoule de maïs et aux pêches

Voici de délicieuses crêpes minces. Les pêches leur donnent un merveilleux goût fruité, tandis que la semoule de maïs les rend colorées et croustillantes. Si vous aimez les crêpes épaisses, ajoutez 1/4 tasse (50 ml) de farine tout usage.

Nappez les crêpes de sirop d'érable ou garnissez-les de fruits frais. Vous pouvez aussi y ajouter un peu de yogourt. Le beurre ou la margarine ne vous manqueront plus jamais.

3/4 tasse	semoule de maïs	175 ml
3/4 tasse	farine tout usage	175 ml
1/2 tasse	farine de blé entier	125 ml
2 c. à table	sucre	25 ml
1 c. à table	poudre à pâte (levure chimique)	15ml
1/2 c. à thé	bicarbonate de sodium	2 ml
2	œufs	2
2 tasses	lait	500 ml
2 c. à table	huile végétale	25 ml
1 1/2 tasse	pêches hachées (fraîches OU en conserve)	375 ml
1 c. à thé	margarine molle	5 ml

Dans un grand bol, mélangez la semoule de maïs, la farine tout usage, la farine de blé entier, le sucre, la poudre à pâte et le bicarbonate de sodium.

Dans un bol moyen, battez les œufs jusqu'à consistance légère, puis ajoutez en battant le lait et l'huile. Versez dans le mélange d'ingrédients secs. Ajoutez les pêches et mélangez jusqu'à ce que les ingrédients secs soient humectés (ne vous inquiétez pas s'il reste quelques grumeaux).

Faites chauffer un poêlon à revêtement antiadhésif à feu moyen jusqu'à ce qu'il soit chaud ; mettez la margarine pour le graisser légèrement. Déposez une grosse cuillerée de la préparation dans le poêlon de façon à former un cercle, et faites cuire jusqu'à ce que des bulles apparaissent à la surface et que le dessous de la crêpe soit brun doré. Tournez la crêpe et faites cuire juste assez pour que le dessous soit légèrement bruni.

Variante : remplacez les pêches par des bleuets ou des pommes coupées en petits dés.

Donne 18 crêpes de 5 po (12 cm) chacune.

PAR CRÊPE		
Calories		**301**
g	matières grasses	**9**
g	gras saturés	**2**
g	fibres	**3**
BONNE SOURCE DE : thiamine, riboflavine, acide folique, calcium		
EXCELLENTE SOURCE DE : magnésium		
g	protéines	**10**
g	glucides	**46**
mg	cholestérol	**68**
mg	sodium	**297**
mg	potassium	**311**

DESSERTS

Gâteau au fromage et aux bleuets
Pavlova aux fraises à la crème citronnée
Sauce marmelade aux fruits
Sauce veloutée au citron
Tarte aux fruits
Pâte à tarte
Pouding au pain et aux petits fruits
Shortcake aux fraises au goût du cœur
Sauce aux petits fruits
Shortcake aux pêches
Yogourt glacé aux framboises
Yogourt glacé aux abricots
Yogourt glacé à la vanille
Gâteau au yogourt et aux framboises
Bavarois à l'orange de Chris Klugman
Mousse aux pruneaux
Sauce éclair au citron et au yogourt
Tarte croustillante aux pommes
Tarte meringuée à la limette
Flan au citron-limette garni de petits fruits
Pavés aux prunes et aux nectarines
Pavés à la rhubarbe et aux fraises
Croustade aux pommes et à la rhubarbe
Pommes au four nappées de sauce à l'érable

NUL BESOIN DE SE PRIVER DE DESSERT

Tous les aliments ont leur place dans un régime alimentaire sain ; tout est question d'équilibre. Ainsi, si vous avez pris un plat de résistance relativement faible en matières grasses et en calories, vous pouvez vous autoriser un dessert plus riche en gras et en calories sans que cela constitue une entorse à votre régime. En règle générale, je considère un dessert comme sain s'il est relativement faible en gras et en calories (moins de 10 g de gras par portion) et s'il apporte des éléments nutritifs autres que les glucides, les protéines et les lipides, c'est-à-dire des vitamines, du calcium, du fer, des fibres alimentaires, etc. Ce que je m'efforce d'éviter – ou de manger moins souvent –, ce sont les desserts qui comportent des quantités considérables de crème fouettée, de fromage gras, de beurre ou de margarine. Les produits allégés comme la crème sure, le yogourt ou la ricotta remplacent souvent avantageusement les ingrédients riches en matières grasses.

Crème glacée (lisez les étiquettes)

La crème glacée est le dessert parfait : fraîche, nourrissante et facile à servir. Cependant, certaines crèmes glacées contiennent beaucoup plus de matières grasses du lait que d'autres. Prenez soin de lire les étiquettes et choisissez les produits qui vous conviennent. Vous pouvez maintenant acheter des crèmes glacées, des yogourts glacés et des sorbets aux saveurs magnifiques qui ne défoncent pas votre budget calorique. Vous pouvez aussi essayer les recettes de yogourt glacé proposées dans la présente section du livre de recettes.

Idées de dessert rapides et faciles : garnitures à crème glacée

Vous pouvez servir ces délicieuses garnitures sur la crème glacée, le yogourt glacé ou le gâteau des anges.

Pommes caramélisées : dans une poêle à fond épais ou à surface antiadhésive, chauffez à feu moyen 1/3 tasse (75 ml) de cassonade tassée, le zeste râpé d'un petit citron, 1 c. à table (15 ml) de jus de citron et 1/2 c. à thé (2 ml) de sucre jusqu'à la fusion de la cassonade. Incorporez 3 tasses (750 ml) de pommes pelées et coupées en tranches puis faites cuire en remuant pendant 5 minutes ou jusqu'à ce que les pommes soient tendres. Servez chaud sur de la crème glacée à la vanille ou à la cannelle. Donne de 4 à 6 portions.

Bananes au rhum : dans une poêle à fond épais ou à surface antiadhésive, faites fondre 1 c. à table (15 ml) de beurre. Incorporez 1/4 tasse (50 ml) de rhum, la même quantité de cassonade et 1/2 c. à thé (2 ml) de cannelle. Faites cuire en remuant jusqu'à ce que le mélange projette des bulles. Ajoutez deux ou trois bananes pelées et coupées en tranches. Faites cuire en remuant jusqu'à ce que la banane soit chaude, soit pendant 1 ou 2 minutes. Versez chaud sur de la crème glacée à la vanille.

Sauce aux fraises et au gingembre : au micro-ondes, chauffez 1/2 tasse (125 ml) de confiture ou de gelée de fraises (ou de groseilles rouges ou d'abricots) et la même quantité de xérès, de porto ou de liqueur parfumée aux fruits avec 1 c. à table (15 ml) de gingembre en conserve ou confit jusqu'à ce que les ingrédients soient bien chauds. Servez sur des fruits frais tranchés, de la crème glacée ou du yogourt glacé.

Sauce aux fruits et au brandy : dans un bol ou un bocal d'une capacité de 4 tasses (1 l), mélangez 2/3 tasse (150 ml) de chacun des fruits suivants : canneberges séchées, zeste de fruits confits haché, cerises rouges confites et sultatines. Ajoutez 1/4 tasse (50 ml) de gingembre confit coupé en dés. Réunissez dans un sachet de gaze 4 clous de girofle entiers, 4 graines de piment de la Jamaïque et 1 bâton de cannelle brisé en morceaux puis enfoncez le tout dans les fruits. Couvrez de brandy ou de rhum ; il en faudra environ 1 1/2 tasse (375 ml). Fermez hermétiquement et laissez reposer pendant 4 ou 5 heures. Retirez le sachet d'épices. Rangé dans un lieu frais, le mélange se conserve pendant 1 mois. Servez sur de la crème glacée ou du yogourt glacé.

Sauce aux fraises ou aux framboises : au robot culinaire, réduisez en purée des fraises ou des framboises fraîches ou surgelées. Ajoutez du sucre glace et du jus de citron frais au goût. Servez sur des petits fruits frais, ou des tranches de pêches, de nectarines, de poires, de mangues, ou de la crème glacée.

Crème glacée à l'érable et pacanes grillées hachées

Arrosez de sirop d'érable de la crème glacée à la vanille (ou à l'érable et aux noix de Grenoble) et garnissez de pacanes ou de noix de Grenoble grillées. Si vous utilisez des noix de Grenoble, sachez que les noix californiennes sont les meilleures qui se puissent trouver au Canada actuellement.

GÂTEAU AU FROMAGE ET AU CITRON AVEC BLEUETS

J'ai toujours aimé le gâteau au fromage fait avec de la ricotta. Ce merveilleux gâteau au fromage est plus faible en gras que la plupart des autres non seulement grâce au type de fromage utilisé et à l'emploi de yogourt et de crème sure maigres, mais également à cause de la faible quantité de matières grasses que renferme la croûte.

2 tasses	ricotta légère ou fabriquée à partir de lait écrémé	500 ml
4 oz	fromage à la crème faible en matières grasses, ramolli	125 g
2	gros œufs	2
2	blancs d'œufs	2
3/4 tasse	sucre	175 ml
1/4 tasse	farine tout usage	50 ml
1 tasse	yogourt nature faible en matières grasses	250 ml
	zeste de 2 citrons de taille moyenne	
1/4 tasse	jus de citron	50 ml
2 c. à thé	vanille	10 ml
1 tasse	crème sure légère	250 ml
2 tasses	bleuets frais (ou autres petits fruits)	500 ml

Croûte :

1 tasse	biscuits Graham émiettés	250 ml
1 c. à table	beurre ramolli	15 ml
2 c. à table	sirop de maïs léger	25 ml

Vaporisez le fond d'un moule à charnière de 9 po de diamètre (2,5 L) d'un enduit végétal antiadhésif ou graissez-le légèrement. Centrez le moule sur de grands morceaux de papier d'aluminium, et faites adhérer celui-ci sur les côtés du moule pour empêcher l'eau d'y entrer pendant la cuisson.

Croûte : mélangez les biscuits Graham et le beurre au robot culinaire. Ajoutez le sirop de maïs et battez jusqu'à ce que la pâte se tienne. Foncez le moule uniformément de pâte. Faites cuire dans un four chauffé à 350 °F (180 °C) pendant 10 minutes.

À l'aide du robot culinaire ou du batteur électrique, battez la ricotta et le fromage à la crème jusqu'à l'obtention d'une pâte homogène. Ajoutez les œufs et les blancs d'œufs puis battez jusqu'à homogénéité. Dans un grand bol, mélangez le sucre et la farine. Ajoutez le mélange à base de fromage, le yogourt, le zeste et le jus de citron, la vanille et 1/2 tasse (125 ml) de crème sure puis battez jusqu'à homogénéité. Versez dans la croûte à tarte.

Mettez le moule à charnière dans un bain-marie et versez dans ce dernier 1 po (2,5 cm) d'eau bouillante. Faites cuire dans un four chauffé 325 °F (160 °C) pendant 1 1/4 heure ou jusqu'à ce que le bord du gâteau soit ferme au toucher. Décollez le gâteau de son moule en passant un couteau sur le pourtour. Éteignez le four, retirez le bain-marie et le papier d'aluminium. Laissez le gâteau reposer au four pendant 1 heure. Retirez du four et laissez refroidir sur une grille. Couvrez. Le gâteau se conserve penant 2 jours au réfrigérateur ou 2 semaines au congélateur, bien enveloppé.

Immédiatement avant de servir, garnissez le gâteau de la crème sure restante et de petits fruits.

Donne 12 portions.

PAR PORTION		
Calories		**295**
g	matières grasses	**11**
g	gras saturés	**5**
g	fibres	**1**

BONNE SOURCE DE :
riboflavine, niacine, calcium, zinc

g	protéines	**14**
g	glucides	**37**
mg	cholestérol	**62**
mg	sodium	**255**
mg	potassium	**238**

Pavlova aux fraises à la crème citronnée

Le pavlova est l'un des desserts que je préfère préparer. J'utilise des fraises, des framboises, des pêches, des bleuets ou une combinaison de ces fruits. J'ai remplacé la crème fouettée par de la sauce au citron à base de yogourt : un vrai délice ! Si vous le préparez à l'avance, utilisez la recette de Sauce veloutée au citron. Toutefois, si vous le préparez à la dernière minute, doublez la recette de la Sauce éclair au citron et au yogourt (p. 224).

	Une pincée de crème de tartre	
3	blancs d'œufs (à la température ambiante)	3
3/4 tasse	sucre	175 ml
1 c. à thé	vanille	5 ml
2 tasses	Sauce veloutée au citron (page suivante)	500 ml
4 tasses	fraises, framboises, pêches OU bleuets	1 L

Dans un grand bol, ajoutez la crème de tartre aux blancs d'œufs et battez jusqu'à ce qu'ils forment des pics mous. Ajoutez-y le sucre, 1 c. à table (15 ml) à la fois, et continuez à battre le mélange jusqu'à ce qu'il forme des pics brillants et fermes. Versez-y alors la vanille et mélangez.

Sur une plaque à biscuits recouverte de papier d'aluminium, étalez la meringue pour former un cercle de 10 po (25 cm) de diamètre et remontez le bord de manière à former un anneau. Faites cuire au four à 275 °F (140 °C) pendant 1 1/2 heure ou jusqu'à ce que la meringue soit ferme au toucher. Éteignez le feu et laissez la meringue sécher au four. Enlevez le papier d'aluminium, déposez la meringue sur un plat de service et laissez refroidir.

Préparez les fruits, c'est-à-dire tranchez les fraises ou les pêches. Nappez la meringue de sauce veloutée au citron et garnissez de fruits au moment de servir. Coupez en pointes pour servir.

Donne 8 portions.

Nids de meringue : préparez l'appareil à meringue de la même façon que ci-haut. Déposez des boules de meringue de 4 à 5 po (10 à 12 cm) sur une plaque à biscuits recouverte de papier d'aluminium. Avec le dos de la cuillère, applatissez légèrement les boules et creusez-les afin de former des nids. Faites-les cuire et garnissez-les selon la recette ci-dessus.

PAR PORTION		
Calories		195
g	matières grasses	2
g	gras saturés	1
g	fibres	2
BONNE SOURCE DE :		
riboflavine, calcium		
EXCELLENTE SOURCE DE :		
vitamines C et B_{12}		
g	protéines	8
g	glucides	38
mg	cholestérol	6
mg	sodium	73
mg	potassium	333

SAUCE MARMELADE AUX FRUITS

Versez cette sauce sur le Yogourt glacé à la vanille (p. 221) ou sur les Carrés à l'ananas et aux carottes (p. 204). Vous pouvez utiliser n'importe quelle combinaison de petits fruits et de fruits frais.

1/2 tasse	marmelade	125 ml
1/4 tasse	jus d'orange	50 ml
1 c. à table	jus de citron	15 ml
1/2 c. à thé	zeste de citron râpé	2 ml
1/2 c. à thé	zeste d'orange râpé	2 ml
5 tasses	fruits tranchés ou de petits fruits	1,25 L
2 c. à table	Cointreau ou de liqueur d'orange (facultatif)	25 ml

Mettez la marmelade, le jus d'orange, le jus de citron et les zestes dans un bol. Ajoutez les fruits tranchés ou les petits fruits et mélangez délicatement. Couvrez et laissez reposer jusqu'à 4 heures. S'il y a lieu, ajoutez le Cointreau au moment de servir.

Donne 6 portions.

PAR PORTION (avec pêches et prunes tranchées)	
Calories	**138**
g matières grasses	**traces**
g gras saturés	**traces**
g fibres	**4**
g protéines	**1**
g glucides	**36**
mg cholestérol	**0**
mg sodium	**15**
mg potassium	**295**

SAUCE VELOUTÉE AU CITRON

J'utilise cette sauce onctueuse plutôt que de la crème fouettée dans la préparation de plusieurs desserts comme les pavés ou le pavlova. Sa saveur rafraîchissante s'harmonise parfaitement au goût des fruits frais (fraises, bleuets, pêches ou une combinaison des trois).

4 tasses	yogourt naturel* à faible teneur en matières grasses	1 L
1/3 tasse	sucre	75 ml
2 c. à table	jus de citron	25 ml
	Zeste râpé de 1 citron	

Déposez le yogourt dans un chinois doublé d'un coton à fromage et placez au-dessus d'un bol. Laissez égoutter au réfrigérateur pendant au moins 4 heures ou toute la nuit, ou encore jusqu'à ce qu'il reste environ 2 tasses (500 ml) de yogourt. Jetez le liquide.

Mélangez le yogourt égoutté, le sucre, le jus de citron et le zeste dans un bol. Vous pouvez garder la sauce au réfrigérateur pendant 2 jours.

Donne 2 tasses (500 ml) de sauce.

* Assurez-vous d'utiliser du yogourt naturel car certains yogourts ne s'égouttent pas.

Comparez 1/4 tasse (50 ml) de cette sauce veloutée au citron avec la même quantité de crème fouettée non sucrée : Cette sauce : 2 g de matières grasses Crème fouettée : 10 g de matières grasses

PAR PORTION DE 2 C. À TABLE (25 ML)	
Calories	**47**
g matières grasses	**1**
g gras saturés	**1**
g fibres	**traces**
g protéines	**3**
g glucides	**7**
mg cholestérol	**3**
mg sodium	**26**
mg potassium	**96**

Tarte aux fruits

Pour cette tarte on peut utiliser d'autres combinaisons de fruits – framboises et bleuets, pêches et prunes ou kiwis et bananes – qui donnent des tartes tout aussi colorées et alléchantes. *(Voir photo vis-à vis de la page 218.)*

1	fond de tarte cuit de 9 po (23 cm) (recette ci-dessous)	1

Garniture au fromage :

4 oz	fromage à la crème léger	125 g
3 c. à table	yogourt nature	45 ml
2 c. à table	sucre	25 ml
1	citron, zeste râpé et jus	1

Garniture aux fruits :

3 tasses	fraises coupées en deux	750 ml
1 c. à table	gelée de groseilles, fondue (facultatif)	15 ml

Garniture au fromage : dans le robot culinaire ou dans le bol du batteur électrique, mettez le fromage, le yogourt, le sucre, le zeste et le jus de citron ; fouettez jusqu'à ce que le mélange soit homogène. Étalez uniformément sur le fond de tarte.

Garniture aux fruits : disposez les fraises sur la garniture au fromage et badigeonnez-les, s'il y a lieu, de gelée fondue. Servez ou placez au réfrigérateur, la tarte s'y conservera pendant 8 heures.

Donne 6 portions.

PAR PORTION		
Calories		**281**
g	matières grasses	**13**
g	gras saturés	**8**
g	fibres	**3**
BONNE SOURCE DE : acide folique		
EXCELLENTE SOURCE DE : vitamine C		
g	protéines	**5**
g	glucides	**37**
mg	cholestérol	**39**
mg	sodium	**284**
mg	potassium	**208**

Pâte à tarte

1 1/4 tasse	farine tout usage	300 ml
1 c. à table	sucre	25 ml
1 c. à thé	sel	1 ml
1/4 tasse	beurre	50 ml
2 c. à table	eau froide	25 ml
2 c. à thé	vinaigre blanc	10 ml

Dans un robot culinaire, mélangez la farine, le sucre et le sel. Coupez le beurre en morceaux et ajoutez au contenu du robot ; mélangez jusqu'à ce que la préparation présente l'apparence de miettes.

Ajoutez l'eau et le vinaigre ; battez jusqu'à ce que les ingrédients soient mélangés (la préparation doit toujours présenter l'apparence de

PAR PORTION		
Calories		**179**
g	matières grasses	**8**
g	gras saturés	**5**
g	fibres	**1**
g	protéines	**3**
g	glucides	**24**
mg	cholestérol	**21**
mg	sodium	**144**
mg	potassium	**31**

miettes). Transférez la pâte dans un moule à tarte de 20 à 23 cm (8 à 9 po) de diamètre. Foncez-en le fond et les bords du moule, en pressant bien pour assurer la cohésion de la pâte.

Pour cuire le fond de tarte avant de le garnir, piquez la pâte en de multiples endroits à l'aide d'une fourchette. Pour empêcher le fond de présenter des inégalités et de s'effondrer sur les côtés, doublez-le de papier d'aluminium et remplissez uniformément de pois séchés, de haricots ou de riz. Faites cuire dans un four chauffé à 400 °F (200 °C) pendant 10 minutes. Enlevez les haricots et le papier d'aluminium (on pourra les réutiliser). Prolongez la cuisson de 6 minutes ou jusqu'à ce que la croûte soit dorée. Laissez refroidir avant de remplir.

Donne 1 fond de tarte.

POUDING AU PAIN ET AUX PETITS FRUITS

Ni trop sucré ni trop riche, ce dessert me plaît particulièrement à cause de son extraordinaire parfum de framboises et de fraises. Vous pouvez napper d'une cuillerée de Sauce éclair au citron et au yogourt (p. 224).

1/2	gros pain croûté	1/2
1 1/2 tasse	lait	375 ml
1/2 tasse	sucre	125 ml
2 c. à thé	vanille	10 ml
1/2 c. à thé	muscade	2 ml
1/2 c. à thé	cannelle	2 ml
1 tasse	fraises tranchées	250 ml
1 tasse	framboises	250 ml
2	œufs battus	2
1 c. à table	margarine molle OU beurre	15 ml

Coupez le pain en morceaux de 1 po (2,5 cm) jusqu'à ce que vous en ayez 6 tasses (1,5 L). Mettez le lait, le sucre, la vanille, la muscade et la cannelle dans un bol; ajoutez-y le pain en mélangeant bien. Laissez reposer pendant 10 minutes. Incorporez les fraises, les framboises et les œufs.

Entre-temps, mettez la margarine dans un moule à gâteau carré de 9 po (2 L) et faites-la fondre au four à 350 °F (180 °C); penchez le moule pour que la margarine en couvre bien le fond. Versez la pâte dans le moule et faites cuire pendant 40 minutes ou jusqu'à ce que le pouding soit bien gonflé et doré. Servez chaud.

Donne 6 portions.

PAR PORTION (avec la Sauce éclair au citron et au yogourt)

	Calories	**345**
g	matières grasses	**7**
g	gras saturés	**2**
g	fibres	**3**

BONNE SOURCE DE : niacine, vitamine B_{12}, calcium, magnésium

EXCELLENTE SOURCE DE : thiamine, riboflavine, acide folique

g	protéines	**10**
g	glucides	**57**
mg	cholestérol	**80**
mg	sodium	**364**
mg	potassium	**305**

PAR PORTION (sans la Sauce éclair au citron et au yogourt)

	Calories	**309**
g	matières grasses	**7**
g	gras saturés	**2**
g	fibres	**3**

BONNE SOURCE DE : riboflavine, niacine

EXCELLENTE SOURCE DE : thiamine, acide folique

g	protéines	**9**
g	glucides	**53**
mg	cholestérol	**67**
mg	sodium	**419**
mg	potassium	**246**

La quantité de fruits varie légèrement selon la grosseur du gâteau. Une préparation à gâteau des anges donnera environ 10 portions. Vous aurez donc besoin de 5 à 6 tasses (1,25 à 1,5 L) de fruits tranchés.

Shortcake aux fraises et aux bleuets

Préparez le shortcake léger aux fraises. Ajoutez 2 tasses (500 ml) de bleuets aux 3 tasses (750 ml) de fraises tranchées.

PAR PORTION		
Calories		**301**
g	matières grasses	**4**
g	gras saturés	**2**
g	fibres	**1**
BONNE SOURCE DE :		
riboflavine		
EXCELLENTE SOURCE DE :		
vitamine C		
g	protéines	**8**
g	glucides	**59**
mg	cholestérol	**16**
mg	sodium	**478**
mg	potassium	**249**

Shortcake aux fraises au goût du cœur

Ce merveilleux dessert est très rafraîchissant et faible en matières grasses.

3/4 tasse	fromage à la crème léger	175 ml
3/4 tasse	yogourt à faible teneur en matières grasses	175 ml
1/4 tasse	sucre	75 ml
	Zeste râpé de 2 citrons	
1	gâteau des anges*	1
3 tasses	fraises fraîches tranchées	750 ml

Fouettez le fromage, le yogourt, le sucre et le zeste de citron jusqu'à ce que le mélange soit bien homogène.

Coupez le gâteau horizontalement en trois tranches. Nappez la première d'un tiers du mélange au fromage et couvrez d'un tiers des fraises. Procédez de même pour les deux autres tranches. Placez au réfrigérateur jusqu'au moment de servir ou jusqu'à 8 heures.

Donne 8 portions.

* Ou remplacez par la recette du Shortcake aux pêches (p. 219).
Comparez 1 portion de cette recette et 1 portion de la recette traditionnelle. Cette recette : 301 calories, 4 g de matières grasses
Shortcake aux fraises avec 1 tasse (250 ml) de crème fouettée et gâteau des anges 237 calories, 10,7 g de matières grasses.

PAR PORTION		
Calories		**81**
g	matières grasses	**1**
g	gras saturés	**traces**
g	fibres	**3**
BONNE SOURCE DE :		
vitamine B_6		
EXCELLENTE SOURCE DE :		
vitamine C		
g	protéines	**1**
g	glucides	**20**
mg	cholestérol	**0**
mg	sodium	**3**
mg	potassium	**177**

Sauce aux petits fruits

Versez cette sauce sur du gâteau des anges, sur du yogourt glacé à la vanille (p. 221) ou dans une meringue (voir Pavlova aux fraises page 214).

3 tasses	fraises tranchées	750 ml
1 tasse	bleuets	250 ml
1 tasse	framboises	250 ml
1/4 tasse	sucre	50 ml
2 c. à thé	fécule de maïs	10 ml
1/2 tasse	eau	125 ml

Lavez et égouttez les petits fruits et déposez-les dans un bol.

Mélangez le sucre et la fécule de maïs dans une petite casserole et ajoutez-y l'eau. Faites chauffer à feu moyen en remuant et portez à ébullition ; laissez bouillir pendant 1 minute. Versez sur les petits fruits et mélangez bien. Placez au réfrigérateur pendant au moins 1 heure ou jusqu'à 24 heures.

Donne 6 portions.

Shortcake aux pêches

Préparez ce savoureux dessert durant la saison des pêches lorsqu'elles sont mûres et juteuses. Sinon, utilisez n'importe quel autre fruit.

10	pêches, pelées et tranchées	10
2 c. à table	sucre	25 ml
1 1/2 tasse	Sauce veloutée au citron (p. 215) OU Sauce éclair au citron et au yogourt (p. 224)	375 ml

Galettes sucrées :

5 c. à table	margarine molle OU beurre	75 ml
2 tasses	farine tout usage	500 ml
2 c. à table	sucre	25 ml
1 c. à table	poudre à pâte (levure chimique)	15 ml
1/4 c. à thé	sel	1 ml
3/4 tasse	lait	175 ml

Galettes sucrées : Incorporez la margarine aux ingrédients secs à l'aide de 2 couteaux. Humectez avec le lait, pétrissez pendant 30 secondes et aplatissez délicatement jusqu'à épaisseur d'environ 3/4 po (2 cm).

À l'aide d'un emporte-pièce rond de 3 po (8 cm) ou d'un verre, découpez 10 rondelles et disposez-les sur une plaque à biscuits. Faites cuire au four à 450 °F (230 °C) pendant 12 à 15 minutes ou jusqu'à ce qu'elles soient dorées.

Mélangez les pêches et le sucre dans un bol. Coupez chaque galette en deux et disposez-en une moitié dans des assiettes individuelles. Garnissez de quelques morceaux de pêches et couvrez de l'autre moitié. Garnissez de nouveau de quelques morceaux de pêche et nappez de sauce au citron.

Donne 10 portions.

Comparaison entre une portion de ce shortcake et la même quantité d'un shortcake traditionnel :

Recette	*Calories*	*m.g. totales*	*Gras saturés*	*Cholestérol*
Shortcake aux pêches avec Sauce éclair au citron et au yogourt	252	7 g	2 g	4 mg
Shortcake composé de galettes sucrées, 1/2 tasse (125 ml) de beurre, 3/4 tasse (175 ml) de crème (à 18 % de m.g.) et 1 tasse (250 ml) de crème fouettée	340	21 g	13 g	66 mg
Même shortcake avec 2 tasses (500 ml) de crème fouettée	419	29 g	18 g	97 mg

PAR PORTION		
Calories		**261**
g	matières grasses	**7**
g	gras saturés	**2**
g	fibres	**2**

BONNE SOURCE DE :
calcium, acide folique, vitamine B_{12}

EXCELLENTE SOURCE DE :
magnésium

g	protéines	**8**
g	glucides	**45**
mg	cholestérol	**6**
mg	sodium	**245**
mg	potassium	**403**

Biscuits de blé entier aux bleuets (p. 203) et Le müesli de Leslie (p. 187)

Yogourt glacé aux framboises

Ce yogourt glacé onctueux se caractérise par son merveilleux parfum de framboises.

1	paquet (10 oz/300 g) de framboises surgelées non sucrées, décongelées	1
1 1/2 tasse	yogourt à faible teneur en matières grasses	375 ml
1/3 tasse	sucre	75 ml

À l'aide du robot culinaire ou du mélangeur, réduisez les framboises en purée. Ajoutez le yogourt et le sucre ; mélangez jusqu'à ce que le sucre soit dissous.

Faites congeler selon les instructions données à la page suivante.

Donne 6 portions d'environ 1/2 tasse (125 ml) chacune.

PAR PORTION		
Calories		106
g	matières grasses	1
g	gras saturés	1
g	fibres	2
BONNE SOURCE DE : vitamine B_{12}		
g	protéines	4
g	glucides	21
mg	cholestérol	4
mg	sodium	43
mg	potassium	215

Yogourt glacé aux abricots

Le yogourt glacé préparé avec du yogourt à faible teneur en matières grasses (à 2 % de m.g. ou moins) est beaucoup moins gras que la crème glacée et tout aussi savoureux. Garnissez-le de fruits frais ou de menthe fraîche.

1 1/2 tasse	abricots séchés	375 ml
1 1/2 tasse	jus d'orange	375 ml
3 tasses	yogourt à faible teneur en matières grasses	750 ml
1 c. à thé	zeste d'orange râpé	5 ml

Dans une petite casserole ou un plat allant au four micro-ondes, mélangez les abricots et le jus d'orange, et portez à ébullition. Couvrez et laissez mijoter à feu moyen pendant 10 à 12 minutes, ou couvrez et faites cuire au micro-ondes à puissance maximale pendant 7 minutes ou jusqu'à ce que les abricots aient ramolli. Réduisez le mélange en purée dans le robot culinaire ou le mélangeur ; laissez refroidir.

Mélangez bien les abricots, le yogourt et le zeste d'orange. Faites congeler en suivant les instructions données à la page suivante.

Donne 8 portions.

PAR PORTION		
Calories		137
g	matières grasses	2
g	gras saturés	1
g	fibres	2
BONNE SOURCE DE : vitamines A et C, riboflavine, calcium		
g	protéines	6
g	glucides	27
mg	cholestérol	6
mg	sodium	67
mg	potassium	639

PAR PORTION	
Calories	**174**
g matières grasses	**2**
g gras saturés	**1**
g fibres	**0**
BONNE SOURCE DE : riboflavine, calcium	
EXCELLENTE SOURCE DE : vitamine B_{12}	
g protéines	**6**
g glucides	**34**
mg cholestérol	**7**
mg sodium	**86**
mg potassium	**286**

Les aliments dits « légers » ou « allégés »

Auparavant, les mots « léger » ou « allégé » qu'on voit sur les étiquettes des aliments pouvaient signifier n'importe quoi. Maintenant, ces termes veulent dire « réduit en calories » (énergie) ou « réduit en matières grasses ». Un tel produit apporte 25 % moins de calories ou de matières grasses que l'aliment standard en question. Ainsi, s'il existe une version « ordinaire » du produit, la version dite « allégée » doit apporter 25 % moins de calories ou de matières grasses que la version « ordinaire » du même produit.

La mention « réduit en calories » est synonyme de « faible en calories ».

Pour de plus amples détails sur l'étiquetage, consultez la page 16.

YOGOURT GLACÉ À LA VANILLE

Servez ce yogourt glacé au lieu de la crème glacée. Pour obtenir un yogourt glacé plus onctueux, égouttez d'abord le yogourt.

2 tasses	yogourt nature à 2 % m.g. OU yogourt égoutté*	500 ml
1/2 tasse	sucre	125 ml
2 c. à thé	vanille	10 ml

Mélangez le yogourt, le sucre et la vanille dans un bol en remuant afin de dissoudre le sucre. Versez le tout dans un moule ou dans une sorbetière et faites congeler en suivant les instructions données dans l'encadré.

Donne 4 portions d'environ 1/2 tasse (125 ml) chacune.

* Pour égoutter le yogourt, mettez 4 tasses (1 L) de yogourt nature dans un chinois doublé d'un coton à fromage et placez au-dessus d'un bol. Mettez au réfrigérateur pendant 3 à 4 heures ou jusqu'à ce que la quantité de yogourt soit réduite à environ 2 tasses (500 ml).

COMMENT CONGELER ET SERVIR LE YOGOURT ET LE SORBET

Placez le yogourt ou le sorbet dans une sorbetière et congelez conformément au mode d'emploi suggéré par le fabricant. Sinon, versez dans un moule à gâteau peu profond et placez au congélateur jusqu'à ce qu'il soit presque solide. Coupez en gros morceaux et fouettez au batteur électrique ou mélangez au robot culinaire jusqu'à ce qu'il soit bien homogène. Mettez dans un contenant étanche et congelez jusqu'à ce qu'il durcisse (de 1/2 à 1 heure environ). Avant de servir, placez au réfrigérateur pendant 15 à 30 minutes ou jusqu'à ce qu'il ait ramolli.

GÂTEAU AU YOGOURT ET AUX FRAMBOISES

Ce dessert, facile à préparer, est très populaire. Malgré sa faible teneur en matières grasses et en calories, il s'agit d'une gourmandise savoureuse qui couronne merveilleusement un bon repas.

1 1/2 tasse	farine tout usage	375 ml
1/2 tasse	sucre	125 ml
1 1/2 c. à thé	poudre à pâte (levure chimique)	7 ml
1/3 tasse	margarine molle OU beurre	75 ml
2	blancs d'œufs	2
1 c. à thé	vanille	5 ml
3 tasses	framboises fraîches OU 1 paquet (300 g) de framboises surgelées individuellement (non décongelées)	750 ml

Garniture :

2 tasses	yogourt à faible teneur en matières grasses	500 ml
2 c. à table	farine tout usage	25 ml
1	œuf, légèrement battu	1
2/3 tasse	sucre	150 ml
2 c. à thé	zeste de citron râpé	10 ml
1 c. à thé	vanille	5 ml

Mettez la farine, le sucre, la poudre à pâte, la margarine, les blancs d'œufs et la vanille dans le robot culinaire ou dans le bol du batteur électrique et mélangez bien. Pressez dans le fond d'un moule à gâteau carré de 10 po (3 L), d'un moule à fond amovible ou d'un moule à flan. Garnissez avec les framboises.

Garniture : mettez le yogourt dans un bol et saupoudrez-le de farine. Ajoutez-y l'œuf, le sucre, le zeste de citron et la vanille. Remuez jusqu'à ce que le mélange soit bien homogène et versez sur les framboises.

Faites cuire au four à 350 °F (180 °C) pendant 70 minutes ou jusqu'à ce qu'il soit doré. Servez chaud ou froid.

Donne 12 portions.

Gâteau au yogourt et aux poires

Préparez le gâteau de la même façon mais remplacez les framboises par 5 poires pelées et tranchées finement. Remplacez également la vanille par 1 c. à thé (5 ml) d'extrait d'amandes.

PAR PORTION		
Calories		232
g	matières grasses	6
g	gras saturés	2
g	fibres	2
g	protéines	5
g	glucides	39
mg	cholestérol	18
mg	sodium	142
mg	potassium	173

Bavarois à l'orange de Chris Klugman

Chef des cuisines au centre d'esthétique corporelle King Ri en Ontario, Chris Klugman prépare plusieurs variétés de savoureux bavarois.

1 tasse	jus d'orange	250 ml
1	enveloppe de gélatine	1
1/2 tasse	yogourt à faible teneur en matières grasses	125 ml
	Zeste râpé de 1 orange	
2	blancs d'œufs	2
1/2 tasse	sucre	125 ml
1/4 tasse	lait écrémé	50 ml

Mettez le jus d'orange dans un bol et saupoudrez-le de gélatine, laissez reposer pendant 5 minutes afin de la ramollir. Faites chauffer au bain-marie jusqu'à ce que la gélatine soit dissoute. Mettez au réfrigérateur jusqu'à ce que vous obteniez une consistance sirupeuse. Incorporez le yogourt et le zeste d'orange, jusqu'à ce que le mélange soit bien homogène.

Entre-temps, battez les blancs d'œufs dans un bol jusqu'à ce qu'ils forment des pics mous. Incorporez le sucre graduellement jusqu'à ce qu'ils forment des pics fermes. Mettez le lait écrémé dans un autre bol et fouettez-le jusqu'à ce qu'il soit brillant et ait triplé de volume. Incorporez les blancs d'œufs puis le lait fouetté au mélange à l'orange. Versez le tout dans des ramequins ou dans des assiettes de service. Placez au réfrigérateur pendant environ 2 heures ou jusqu'à ce que le bavarois soit bien pris. (Le bavarois se prépare bien la veille.)

Donne 8 portions d'environ 1/2 tasse (125 ml) chacune.

Garniture fouettée sans gras

Lorsque vous fouettez le lait écrémé froid à l'aide d'un batteur électrique, il gonfle rapidement et devient léger et lustré. Il faut le fouetter à la dernière minute parce qu'il se sépare dès qu'on le laisse reposer. En fouettant 1/2 tasse (125 ml) de lait, vous obtenez 3 tasses (750 ml) de garniture, à laquelle vous ajoutez environ 2 c. à thé (10 ml) de sucre.

PAR PORTION		
Calories		84
g	matières grasses	traces
g	gras saturés	traces
g	fibres	1
g	protéines	3
g	glucides	18
mg	cholestérol	1
mg	sodium	30
mg	potassium	123

Mousse aux pruneaux

Mon mari, Bob, me parlait depuis des années de ce merveilleux dessert que sa mère lui préparait. Lorsque je l'ai finalement essayé, je n'ai pu qu'abonder en son sens : c'est un vrai délice ! Vous pouvez le servir avec des Biscuits au gingembre (p. 208) ou des Biscuits citronnés au sucre (p. 207).

1 tasse	pruneaux	250 ml
3	blancs d'œufs	3
1/2 tasse	sucre	125 ml
2 c. à table	jus de citron	25 ml
1 c. à thé	zeste de citron râpé	5 ml
	Une pincée de sel	

Dans une petite casserole, couvrez les pruneaux d'eau et portez à ébullition. Baissez le feu, couvrez et laissez mijoter pendant 15 minutes. Égouttez les pruneaux en gardant 3 c. à table (45 ml) de jus. Dénoyautez et coupez les pruneaux pour en obtenir 1/2 tasse (125 ml) et réservez.

Dans la partie supérieure d'un bain-marie ou dans un bol à l'épreuve de la chaleur, mélangez les blancs d'œufs, le sucre, le jus des pruneaux réservé, le jus de citron, le zeste et le sel. Faites chauffer au bain-marie et fouettez à l'aide d'un batteur électrique pendant 5 à 7 minutes ou jusqu'à ce que le mélange forme des pics fermes. Retirez du feu et ajoutez les pruneaux en remuant délicatement. Versez dans des coupes. Placez au réfrigérateur pendant au moins 2 heures ou jusqu'à 8 heures.

Donne 6 portions.

PAR PORTION		
Calories		130
g	matières grasses	traces
g	gras saturés	traces
g	fibres	3
g	protéines	2
g	glucides	32
mg	cholestérol	0
mg	sodium	27
mg	potassium	205

Sauce éclair à l'orange et au yogourt

Remplacez le zeste de citron par du zeste d'orange.

Sauce éclair au citron et au yogourt

Servez cette délicieuse sauce, qui se prépare en un rien de temps, sur des fruits frais ou utilisez-la dans vos desserts préférés au lieu de la crème fouettée ou de la crème glacée.

3/4 tasse	yogourt à faible teneur en matières grasses	175 ml
2 c. à table	sucre	25 ml
	Zeste râpé de 1 citron	

Dans un petit bol, mélangez le yogourt, le sucre et le zeste. Couvrez et placez au réfrigérateur ; cette sauce s'y conservera jusqu'à 3 jours.

Donne 3/4 tasse (175 ml) de sauce.

PAR PORTION DE 2 C. À TABLE (25 ML)		
Calories		36
g	matières grasses	traces
g	gras saturés	traces
g	fibres	traces
g	protéines	2
g	glucides	6
mg	cholestérol	2
mg	sodium	21
mg	potassium	73

Tarte croustillante aux pommes

Ce dessert à l'ancienne demeure l'un de nos desserts favoris. Si les pommes sont sucrées, vous pouvez réduire la quantité de sucre.

5 tasses	pommes pelées et tranchées finement	1,25 L
2 c. à thé	jus de citron	10 ml
1/2 tasse	sucre	125 ml
3 c. à table	farine tout usage	45 ml
1 c. à thé	zeste de citron râpé	5 ml
1 c. à thé	cannelle	5 ml
1/4 c. à thé	muscade	1 ml
1	fond de tarte non cuit de 9 po (23 cm) (p. 216)	1

Garniture :

1/3 tasse	cassonade	75 ml
3 c. à table	flocons d'avoine à cuisson rapide	45 ml
3 c. à table	farine de blé entier	45 ml
1 c. à thé	cannelle	5 ml
1 c. à table	margarine molle	15 ml

Dans un bol, mélangez les pommes et le jus de citron. Dans un autre bol, mélangez le sucre, la farine, le zeste de citron, la cannelle et la muscade et saupoudrez-en les pommes en remuant jusqu'à ce que celles-ci soient bien enrobées. Versez dans le fond de tarte.

Garniture : mettez la cassonade, les flocons d'avoine, la farine et la cannelle dans un bol. Incorporez la margarine et, à l'aide de deux couteaux, travaillez le mélange jusqu'à ce qu'il ait une consistance granuleuse ; parsemez les pommes de garnirure. Faites cuire au four à 425 °F (220 °C) pendant 40 minutes ou jusqu'à ce que la garniture soit dorée et les pommes bien tendres.

Donne 8 portions.

PAR PORTION		
Calories		**298**
g	matières grasses	**8**
g	gras saturés	**4**
g	fibres	**3**
g	protéines	**3**
g	glucides	**56**
mg	cholestérol	**16**
mg	sodium	**153**
mg	potassium	**150**

Tarte meringuée à la limette

Cette croûte meringuée constitue un dessert léger et succulent que vous pouvez préparer le jour même ou la veille.

Croûte meringuée :

2	blancs d'œufs	2
1/4 c. à thé	crème de tartre	1 ml
1/2 tasse	sucre	125 ml

Garniture légère à la limette :

2	œufs, jaunes et blancs séparés	2
3/4 tasse	eau	175 ml
2/3 tasse	sucre	150 ml
1 c. à table	zeste de limette râpé	15 ml
1	enveloppe de gélatine sans saveur (7 g)	1
1/3 tasse	jus de limette (environ 2 limettes)	75 ml
2	blancs d'œufs	2

Croûte meringuée : fouettez les blancs d'œufs avec la crème de tartre jusqu'à obtention de pics mous. Incorporez le sucre, 1 c. à table (15 ml) à la fois ; battez jusqu'à obtention de pics fermes et brillants.

Dans un moule à tarte de 9 po (23 cm) couvert de papier d'aluminium, étalez la meringue vers l'extérieur afin d'obtenir un anneau d'environ 1 po (2,5 cm) au-dessus du rebord du moule. Faites cuire au four à 275 °F (140 °C) pendant environ 65 minutes ou jusqu'à ce que la meringue soit légèrement dorée et sèche au toucher. Retirez délicatement le papier d'aluminium et laissez refroidir sur une grille.

Garniture : dans un casserole autre qu'en aluminium, battez légèrement les jaunes d'œufs ; ajoutez l'eau, la moitié du sucre et le zeste de limette. Faites cuire à feu doux en remuant constamment pendant 10 à 15 minutes ou jusqu'à ce que le mélange épaississe légèrement et enrobe une cuillère de métal. Retirez du feu.

Saupoudrez la gélatine sur le jus de limette et laissez reposer pendant 2 minutes afin qu'elle ramollisse. Incorporez le mélange à base de jaunes d'œufs et remuez jusqu'à ce que la gélatine soit dissoute. Couvrez et placez au réfrigérateur pendant environ 10 minutes ou jusqu'à ce que le mélange épaississe légèrement.

Entre-temps, battez les 4 blancs d'œufs dans un grand bol jusqu'à ce qu'ils forment des pics mous. En remuant constamment, ajoutez graduellement le reste du sucre et battez jusqu'à ce qu'ils forment des pics fermes. Incorporez au mélange à la limette et versez dans la croûte meringuée. Placez au réfrigérateur pendant environ 3 heures ou jusqu'à ce que la garniture soit bien prise.

Donne 8 portions.

Tarte meringuée au citron

Préparez la Tarte meringuée à la limette, en remplaçant le zeste de limette par 1 c. à table (15 ml) de zeste de citron râpé et le jus de limette par 1/3 tasse (75 ml) de jus de citron.

PAR PORTION		
Calories		144
g	matières grasses	1
g	gras saturés	traces
g	fibres	traces
g	protéines	4
g	glucides	30
mg	cholestérol	47
mg	sodium	44
mg	potassium	51

Tarte meringuée au citron

Préparez la tarte de la même façon mais remplacez le jus et le zeste de limette par 1 c. à table (15 ml) de zeste de citron et 1/3 tasse (75 ml) de jus de citron.

Flan au citron-limette garni de petits fruits

Ce dessert à l'ancienne est un vrai délice ! Faites-le cuire dans 8 ramequins individuels de 1/2 tasse (125 ml) chacun ou dans un grand moule à gâteau de 6 tasses (1,5 L). Garnissez-le de fruits ou saupoudrez-le simplement de sucre glace.

3/4 tasse	sucre	175 ml
2 c. à table	margarine molle OU beurre	25 ml
	Zeste de 3 limettes OU de 2 citons	
2	œufs, jaunes et blancs séparés	2
1/3 tasse	jus de citron OU de limette	75 ml
1/4 tasse	farine tout usage	50 ml
1 tasse	lait	250 ml
2 tasses	fraises OU bleuets	500 ml

Dans un bol, mélangez le sucre, la margarine et le zeste de citron ou de limette. Incorporez les jaunes d'œufs un à un en battant bien après chaque addition. Incorporez en remuant le jus de limette ou de citron, la farine et le lait.

Dans un autre bol, battez les blancs d'œufs jusqu'à ce qu'ils forment des pics mous et incorporez-les à la pâte. Versez dans un moule à gâteau de 6 tasses (1,5 L). Placez le moule dans un grande casserole ; remplissez d'eau bouillante jusqu'à environ 1 po (2,5 cm) du rebord du moule. Faites cuire au four à 350 °F (180 °C) pendant 40 minutes. Garnissez de fruits et servez chaud ou froid.

Donne 6 portions.

PAR PORTION		
Calories		**212**
g	matières grasses	**8**
g	gras saturés	**2**
g	fibres	**2**
BONNE SOURCE DE :		
vitamine C		
g	protéines	**4**
g	glucides	**36**
mg	cholestérol	**65**
mg	sodium	**92**
mg	potassium	**192**

Pavés aux prunes et aux nectarines

J'avais l'habitude de préparer ce dessert pour le souper familial du dimanche soir. J'estimais toutefois qu'il n'était pas assez raffiné pour les invités. Je suis maintenant d'avis que tout dessert maison est un vrai régal, notamment les recettes à l'ancienne, à condition qu'on y réduise la quantité de sucre. Lorsque j'ai servi ce pavé à des invités, ils m'en ont tous demandé la recette. Servez-le nappé de Sauce veloutée au citron. (Voir photo vis-à-vis la page 187.)

1 tasse	sucre	250 ml
3 c. à table	farine tout usage	45 ml
2 c. à thé	zeste d'orange râpé finement	10 ml
2 c. à thé	cannelle	10 ml
5 tasses	prunes hachées	1,25 L
5 tasses	nectarines hachées	1,25 L

Garniture :

2 tasses	farine tout usage	500 ml
1/4 tasse	sucre	50 ml
2 c. à thé	poudre à pâte (levure chimique)	10 ml
1/2 c. à thé	bicarbonate de sodium	2 ml
1/2 c. à thé	sel	2 ml
1/3 tasse	margarine molle en petits morceaux	75 ml
1 1/3 tasse	babeurre	325 ml

On recommande de ne pas utiliser de margarine de régime ou à teneur réduite en calories pour la cuisson.

Dans un grand bol, mélangez le sucre, la farine, le zeste d'orange et la cannelle. Ajoutez les prunes et les nectarines et mélangez bien. Étalez le mélange dans un moule à gâteau de verre peu profond de 13 × 9 po (3,5 L). Faites cuire au four à 400 °F (200 °C) pendant 10 minutes.

Garniture : entre-temps, dans un grand bol, mélangez la farine, le sucre, la poudre à pâte, le bicarbonate de sodium et le sel. Incorporez la margarine en remuant avec vos doigts jusqu'à ce que le mélange ait la consistance de petits pois. Creusez un puits au centre et versez-y le babeurre. À l'aide d'une fourchette, remuez jusqu'à ce que vous obteniez une pâte souple et homogène.

Déposez 12 grosses cuillerées de garniture à distance égale, sur les fruits chauds. Faites cuire au four à 400 °F (200 °C) pendant 25 minutes ou jusqu'à ce que le dessus soit doré.

Donne 12 portions.

PAR PORTION		
Calories		**293**
g	matières grasses	**6**
g	gras saturés	**1**
g	fibres	**3**
g	protéines	**5**
g	glucides	**57**
mg	cholestérol	**1**
mg	sodium	**284**
mg	potassium	**329**

PAVÉS À LA RHUBARBE ET AUX FRAISES

J'aime servir ce dessert pour le souper familial du dimanche ou lorsque je reçois des amis. Jumelé au parfum sucré des fraises, le goût piquant de la rhubarbe en fait une succulente gourmandise. Servez-le nappé de Sauce éclair au citron et au yogourt (p. 224).

3/4 tasse	sucre	175 ml
2 c. à table	farine tout usage	25 ml
1 c. à thé	cannelle	5 ml
1 c. à thé	zeste d'orange râpé finement	5 ml
4 tasses	rhubarbe en gros morceaux (d'environ 3/4 po/2 cm)	1 L
2 tasses	fraises tranchées	500 ml

Garniture :

1 tasse	farine tout usage	250 ml
2 c. à table	sucre	25 ml
1 c. à thé	poudre à pâte (levure chimique)	5 ml
1/4 c. à thé	bicarbonate de sodium	1 ml
1/4 c. à thé	sel	1 ml
2 c. à table	margarine, refroidie et coupée en petits morceaux	25 ml
2/3 tasse	babeurre	150 ml

Dans un bol, mélangez le sucre, la farine, la cannelle et le zeste d'orange. Ajoutez la rhubarbe et les fraises et mélangez bien. Étalez le mélange dans un moule à gâteau de verre peu profond de 8 tasses (2 L) et faites cuire au four à 400 °F (200 °C) pendant 10 minutes.

Garniture : dans un grand bol, mélangez la farine, le sucre, la poudre à pâte, le bicarbonate de sodium et le sel. Incorporez la margarine et, à l'aide de deux couteaux ou avec les doigts, travaillez le mélange jusqu'à ce qu'il ait la consistance de petits pois.

Creusez un puits au centre du mélange et versez-y le babeurre et, à l'aide d'une fourchette, remuez jusqu'à ce que vous obteniez une pâte souple et homogène. Déposez 6 cuillerées de pâte à distance égale sur les fruits chauds. Faites cuire au four à 400 °F (200 °C) pendant 25 minutes ou jusqu'à ce que le dessus soit doré.

Donne 6 portions.

Auparavant, lorsque les desserts étaient trop sucrés, il fallait les servir avec de la crème fouettée. Vous verrez que si vous diminuez la quantité de sucre dans les tartes, les pavés et les autres desserts, vous n'aurez nul besoin d'y ajouter quoi que ce soit.

PAR PORTION		
Calories		**276**
g	matières grasses	**5**
g	gras saturés	**1**
g	fibres	**3**
EXCELLENTE SOURCE DE :		
vitamines C, B_6, acide folique		
g	protéines	**4**
g	glucides	**56**
mg	cholestérol	**1**
mg	sodium	**271**
mg	potassium	**357**

Croustade aux pommes et à la rhubarbe

La rhubarbe et les pommes sont légèrement parfumées au zeste de citron et à la cannelle. Cette croustade contient moins de matières grasses que la plupart des recettes (2 c. à table/25 ml au lieu de 1/2 tasse/125 ml), et on y a remplacé le beurre par de la margarine. Elle renferme moins de gras saturés et de cholestérol. Selon les recettes traditionnelles, il faut utiliser du beurre ou de la margarine que l'on défait ensuite en crème, tandis qu'ici on ajoute de la margarine fondue dans les ingrédients de la garniture croquante, ce qui permet d'en réduire la quantité.

Garniture aux fruits :

2/3 tasse	sucre	150 ml
1/4 tasse	farine tout usage	50 ml
1 c. à thé	zeste de citron râpé	5 ml
4 tasses	rhubarbe fraîche OU surgelée coupée en morceaux de 1/2 po (1 cm)	1 L
4 tasses	pommes tranchées	1 L

Garniture croquante :

3/4 tasse	flocons d'avoine	175 ml
1/3 tasse	cassonade bien tassée	75 ml
3 c. à table	farine de blé entier	45 ml
1 c. à thé	cannelle	5 ml
2 c. à table	margarine molle OU beurre fondu	25 ml

Garniture aux fruits : mettez le sucre, la farine et le zeste de citron dans un bol et mélangez bien. Ajoutez la rhubarbe et les pommes ; remuez bien et versez dans un moule à gâteau de 8 tasses (2 L).

Garniture croquante : mélangez les flocons d'avoine, la cassonade, la farine et la cannelle dans un bol et ajoutez la margarine fondue. Mélangez bien et étalez sur la garniture aux fruits.

Faites cuire au four à 375 °F (190 °C) pendant 40 à 50 minutes ou jusqu'à ce que la garniture aux fruits bouillonne et que le dessus soit brun doré. Servez chaud ou à la température ambiante.

Méthode au four micro-ondes : préparez la croustade de la même façon. Faites cuire à découvert au micro-ondes à puissance maximale pendant 9 minutes ou jusqu'à ce que les fruits soient tendres.

Donne 6 portions.

Faut-il peler les pommes ?

Je me suis toujours demandé si je devais peler les pommes pour les desserts. Cela dépend surtout de l'état de la pelure et du type de dessert. Lorsque je prépare une croustade, je ne pèle pas les pommes, à condition toutefois que leur pelure soit tendre et qu'elle ne soit ni endommagée ni enduite de cire. Plus vous trancherez les pommes finement, moins vous remarquerez la pelure et, par surcroît, vous bénéficierez des nutriments et des fibres qu'elle renferme.

PAR PORTION		
Calories		296
g	matières grasses	5
g	gras saturés	1
g	fibres	5
BONNE SOURCE DE :		
magnésium		
g	protéines	4
g	glucides	63
mg	cholestérol	0
mg	sodium	58
mg	potassium	390

Pommes au four nappées de sauce à l'érable

Choisissez pour la cuisson au four de grosses pommes fermes telles que les variétés « Ida Red » ou « Northern Spy ». Parmi les pommes les plus juteuses, il y a aussi les Mutsu qui se prêtent très bien à la cuisson au four. Si vous préférez les pommes de grosseur moyenne, optez alors pour la McIntosh sucrée, qui cuit plus vite et ne requiert que 1/4 tasse (50 ml) de sucre.

4	pommes	4
1/3 tasse	cassonade bien tassée	75 ml
1/4 tasse	raisins secs	50 ml
2 c. à thé	cannelle	10 ml
1/2 c. à thé	muscade	2 ml

Sauce au yogourt à l'érable :

3/4 tasse	yogourt à faible teneur en matières grasses	175 ml
1/4 tasse	sirop d'érable	50 ml

Enlevez le cœur et pelez la partie supérieure de chaque pomme (environ 1 po/2,5 cm). Entaillez la pelure tout autour du centre de la pomme pour l'empêcher d'éclater. Placez les pommes debout dans un moule à gâteau ou à tarte.

Dans un petit bol, mélangez la cassonade, les raisins secs, la cannelle et la muscade ; farcissez-en le centre de chaque pomme. Ajoutez de l'eau pour couvrir le fond du moule. Faites cuire au four à 375 °F (190 °C) pendant 25 à 30 minutes dans le cas de pommes moins fermes, et pendant 50 minutes si elles sont très fermes, ou jusqu'à ce qu'elles soient tendres lorsque vous les piquez avec un cure-dent.

Sauce au yogourt à l'érable : mélangez le yogourt et le sirop d'érable et versez sur les pommes cuites.

Méthode au micro-ondes : la pelure des pommes cuites au micro-ondes est plus dure que celle des pommes cuites au four. Préparez de la même façon. Piquez la pelure à plusieurs endroits avec un cure-dent pour l'empêcher d'éclater. Couvrez avec du papier ciré et faites cuire à puissance maximale pendant 6 à 9 minutes ou jusqu'à ce que les pommes soient tendres. Laissez reposer pendant 5 minutes et nappez de sauce au yogourt à l'érable.

Donne 4 portions.

PAR PORTION		
Calories		**250**
g	matières grasses	**1**
g	gras saturés	**1**
g	fibres	**4**
BONNE SOURCE DE :		
zinc		
g	protéines	**3**
g	glucides	**63**
mg	cholestérol	**3**
mg	sodium	**41**
mg	potassium	**425**

MENUS AU GOÛT DU CŒUR

Soupers saisonniers en famille (prêts en 30 minutes ou moins)

Printemps

Linguine aux asperges et au poivron rouge (p. 150)
Pain croûté
Compote de rhubarbe

Sole aux champignons et au gingembre au four micro-ondes (p. 100)
Riz et pois mage-tout OU haricots verts
Fraises

Gratin de saumon et d'épinards (p. 107)
Tomates cerises et muffins anglais de blé entier grillés
Tranches de melon

Minestrone aux haricots et au bœuf (p. 53)
Salade express d'épinards et de germes de luzerne (p. 78)
Pain pita grillé
Fraises

Été

Darnes de flétan grillées au romarin et sauce tomate au basilic (p. 103)
Petires pommes de terre nouvelles garnies d'aneth frais
Mï en épi et tranches de tomates
Bleuets

Hamburgers avec sauce à la coriandre et au yogourt (p. 116)
Salde grecque (p. 69)
Yogourt glacé et petits fruits

Poulet grillé au citron et au romarin (p. 90)
Salade thaïlandaise aux vermicelles (p. 63)
Tranches de concombres

Salade de poulet et de pâtes à l'orientale (p. 68)
Tranches de tomates, de concombres et laitue en feuilles
Pain croûté

Automne

Pâtes aux tomates, aux olives noires et au fromage feta (p. 154)
Salade verte garnie de sauce veloutée à l'ail (p. 80)
Tranches de pêches

Cari de légumes d'automne (p. 171) sur un lit de couscous ou de riz
Tranches de tomates garnier de fines herbes fraîches
Poires fraîches

Bœuf et poivrons sautés à la chinoise (p. 118) ou Brochettes de poulet avec poivrons et courgettes (p. 87)
Riz ou pâtes
Prunes fraîches

Pâtes aux poivrons, au fromage et au basilic (p. 161)
Haricots verts et pain de blé entier

Pommes au four nappées de sauce à l'érable (au micro-ondes) (p. 231)

Hiver

Nouilles chinoises au porc et aux champignons (p. 166)
Petits pois surgelés
Pommes au four nappées de sauce à l'érable (p. 231)

Sauté de porc et de brocoli (p. 125)
Nouilles ou riz
Salade verte

Chaudrée de saumon généreuse (p. 51)
Scones au babeurre, au gruau et aux raisins secs (p. 201)
Banane et yogourt garnis de cannelle

Pâtes à la saucisse italienne (p. 155)
Lanières de carottes et de poivrons crus
Pain croûté
Mandarines

Soupers « 4 saisons », prêts en 15 minutes

Quiche aux poireaux au micro-ondes (p. 188)
Petits pois surgelés et tranches de tomates
Petits pains de blé entier

Omelette espagnole (p. 189)
Salade verte et pain grillé de blé entier
Pizza végétarienne (p. 190)

OU Pizza minute aux tomates, au brocoli et à l'oignon rouge (p. 40)
Crudités

Marmite de poisson et de tomates (p. 109) accompagnée de couscous (p. 176)
Pain de seigle noir

Filets de poisson tériyaki à l'orange (p. 106)
OU Filets de sébaste aux fines herbes (p. 102)
OU Sole aux champignons et au gingembre au four micro-ondes (p. 100)
Asperges OU brocoli OU petits pois surgelés
Maïs en crème OU pommes de terre au four micro-ondes

Côtelettes d'agneau à la dijonnaise (p. 128)
Demi-tomates grillées OU tomates cerises
Brocoli au sésame (p. 145) OU haricots verts
Petits pains croûtés

Chow mein épicé au bœuf (p. 119)
Salade verte (pour apprêter en 15 minutes, utilisez de la laitue préparée et faites votre vinaigrette à l'avance)

Sauté de porc et de brocoli (p. 125)
Vermicelles chinois

Poulet à la moutarde et aux fines herbes au micro-ondes (p. 85)
Brocoli au sésame (p. 145) OU petis pois
Couscous

Chaudrée minute de haricots, de brocoli et de tomates (p. 59)
Bagel grillé avec fromage à la crème à faible teneur en matières grasses

---

Dinde grillée à l'orange et à l'estragon (p. 97)
Pommes de terre en robe des champs au four micro-ondes
Salade verte (laitue en paquet ou prélavée)

Darnes de flétan grillées au romarin et sauce tomate au basilic (p. 103)
Petites pommes de terre nouvelles garnies d'aneth frais
Asperges OU brocoli

Poulet sauté vite fait (p. 93) pour gagner du temps, utilisez des légumes précoupés
Nouilles de riz chinoises

Fettuccine Alfredo au goût de cœur (p. 165)
OU Macaronis au fromage jardinière pour petits gourmands (p. 162)
Tranches de tomates OU petits pois surgelés

Soupers éclair improvisés

Je suis parfois tellement occupée que je n'ai pas le temps de faire le marché et je me retrouve devant un réfrigérateur vide. Plutôt que de commander une pizza ou du poulet, je trouve tout aussi simple d'avoir quelques denrées de base au congélateur ou dans le garde-manger pour pouvoir préparer un repas « express » ! Gardez les aliments suivants sous la main : oignons, ail, gingembre frais, sauce soja à faible teneur en sodium, vinaigre de riz, huile de sésame, fines herbes et épices. Voici quelques idées qui pourront vous être utiles.

Avec des tomates en conserve et des filets de poisson surgelés, vous pouvez réaliser la Marmite de poisson et de tomates (p. 109).

Si vous avez des filets de poisson surgelés, du yogourt ou des oranges, des petits pois surgelés, du couscous ou du riz, vous pouvez préparer les Filets de poisson tériyaki à l'orange (p. 106) OU les Filets de sébaste aux fines herbes (p. 102) sur un lit de couscous ou de riz, accompagnés de petits pois surgelés.

Avec du bœuf haché, des petits pois et du maïs dans le congélateur et de la sauce tomate et des nouilles dans le garde-manger, vous êtes en mesure d'apprêter le Bœuf haché et nouilles poêlés (p. 117).

Du bœuf haché congelé, des tomates et des haricots en conserve sont tout ce qu'il vous faut pour préparer le Chili au bœuf et au légumes (p. 114).

Si vous avez du porc, de la dinde, du bœuf haché ou des crevettes au congélateur, ainsi que des champignons séchés et des vermicelles chinois, préparez les Nouilles chinoises au porc et aux champignons (p. 166).

Il suffit d'avoir du bœuf haché, de la pâte de tomates, des tomates en conserve et des spaghettis pour apprêter les Spaghettis favoris (p. 164).

Si vous avez de la saucisse congelée, des tomates en conserve et des pâtes, vous pouvez préparer les Pâtes à la saucisse italienne (p. 155).

Avec des haricots, des lentilles et des tomates en conserve, apprêtez la Casserole minute de lentilles et de haricots. (p. 172).

Repas spéciaux

Dîner-réception pour 8 personnes

Crudités avec Trempette aux épinards et aux artichauts (p. 26)

Soupe estivale aux tomates et aux haricots verts (p. 45)
OU Potage velouté aux carottes et aux panais (p. 54)

Pâtes aux crevettes, aux courgettes et aux champignons (p. 153)
Salade mixte parfumée à l'huile de noix (p. 82)

Gâteau au yogourt et aux framboises (p. 222)

Buffet pour 12 personnes

Endives au fromage de chèvre et aux crevettes (p. 31)
Guacamole léger et vite fait (p. 32)

Porc citronné au gingembre et salsa à la mangue (p. 123)
Poireaux et poivrons grillés (p. 135) OU Brocoli au sésame (p. 145)

Risotto au basilic et à la salade trévise (p. 179)

Pavés aux prunes et aux nectarines avec sauce veloutée au citron
(p. 228 et 215) OU Tarte meringuée à la limette (p. 226)

Dîner-réception prêt en une heure

Tomates au fromage de chèvre et au basilic (p. 78)

Truite saumonée grillée et sauce à la papaye et au concombre (p. 104)

Asperges au four de Rose Murray (p. 141)
Couscous citronné au basilic frais (p. 177)

Flan au citron-limette garni de petits fruits (p. 227) OU petits fruits frais

---

Buffet pour une grande tablée

Poulet marocain avec couscous (p. 95) OU riz
Asperges au four de Rose Murray (p. 141) OU haricots verts
Salade de fenouil et d'oranges (p. 77)
OU Salade mixte parfumée à l'huile de noix (p. 82)

Pavlova aux fraises à la crème citronnée (p. 214)
OU Bavarois à l'orange de Chris Klugman (p. 223)
et Biscuits citronnés au sucre (p. 207)

Voici un tableau de comparaison des teneurs en matières grasses et en calories d'un dîner de dinde traditionnel et d'un dîner au goût du cœur. Il s'adresse particulièrement aux gens qui ont un taux de cholestérol trop élevé.

Dîner de dinde traditionnel

	m.g. totales (g)	gras saturés (g)	calories
Lait de poule (1 portion) : 4 oz/115 ml de lait de poule et 1 1/2 oz/20 ml de rhum	9,5	5,6	264
Pâté de foie de volaille : 4 c. à table/60 ml de pâté sur 4 craquelins Ritz	10,3	2,1	176
Crudités avec 2 c. à table/25 ml de trempette à base de mayonnaise	16,0	1,5	146
Dinde : 6 oz/170 g de viande brune avec la peau	19,6	5,9	376
Farce : 1/2 tasse/125 ml, contenant des matières grasses ajoutées	5,0	1,0	96
Jus de viande : 1/4 tasse/50 ml	1,3	0,4	31
Purée de pommes de terre			
1/2 tasse/125 ml	0,1	0	67
avec 2 c. à thé/10 ml de beurre	7,7	4,8	68
et 2 c. à thé/10 ml de crème à 18 % m.g.	1,8	1,1	18
Navets			
1/2 tasse/125 ml	0,2	0	42
avec 1 c. à thé/5 ml de beurre	3,7	2,3	33
Salade en gelée	0,1	0	37
avec 2 c. à thé/10 ml de mayonnaise	7,3	0,7	66
Tarte au mincemeat	18,1	4,7	427
avec 2 c. à table/25 ml de sauce à base de beurre	11,4	7,1	101
12 oz/375 ml de vin blanc	0	0	255
TOTAL	112,1	37,2	2 203 (45 % des calories proviennent des matières grasses)

Dîner de dinde au goût du cœur

	m.g. totales (g)	gras saturés (g)	calories
Vin blanc panaché : 3 oz/90 ml de vin + eau gazéifiée	0	0	58
Tortellinnis en brochettes, 2 (p. 25)	4,1	1,1	150
Trempette aux épinards et aux artichauts : 2 c. à table/25 ml (p. 26)	1,7	0,2	27
Crudités accompagnées de 2 c. à table/25 ml de trempette à base de fromage cottage à 2 % m.g.	0,5	0,3	44
Dinde : 4 oz/125 g de viande blanche, sans peau	0,8	0,3	153
Farce : 1/2 tasse/125 ml, arrosée de bouillon ou d'eau, sans matières grasses ajoutées	1,0	0	60
Sauce aux canneberges : 2 c. à table/25 ml	0,1	0	53
Jus de viande : 2 c. à table/25 ml	0,6	0,2	15
Purée de pommes de terre : 1/2 tasse/125 ml contenant 1 c. à table/15 ml de lait à 2 % m.g.	0,4	0,2	75
Purée de navets et de carottes arrosée de jus d'orange	0,2	0	54
Salade en gelée ou salade verte avec 1 c. à table/15 ml de Sauce veloutée à l'ail (p. 80)	1,2	0,1	54
Yogourt glacé à la vanille (p. 221)	1,9	1,2	181
avec 1/4 tasse/50 ml de sauce au mincemeat	0,7	0	92
6 oz/175 ml de vin blanc	0	0	119
TOTAL	13,2	3,6	1 135 (10 % des calories proviennent des matières grasses)

Annexes

Annexe A : évaluation de la cote des recettes en éléments nutritifs

Notre système de calcul est basé sur le *Guide d'étiquetage et de publicité sur les aliments*, incluant ses modifications, publié en mars 1996 par l'Agence canadienne d'inspection des aliments. Le Guide stipule que si un aliment (dans ce cas-ci une recette) fournit 15 % de l'apport quotidien recommandé d'un élément nutritif (30 % pour la vitamine C), il s'agit d'une « excellente source » de cet élément. Un aliment qui contient au moins 2 g de fibres par portion est une « source » de fibres, et s'il en contient au moins 4 g, il est considéré comme un aliment à « teneur élevée en fibres ». Le pourcentage de l'apport quotidien recommandé est basé sur les *Recommandations sur la nutrition* (1983) et il représente l'apport recommandé le plus élevé de chaque élément nutritif pour chaque groupe d'âge et chaque sexe, à l'exception des besoins supplémentaires pour les femmes enceintes et allaitantes.

L'analyse nutritionnelle, basée sur les mesures impériales, a été faite par Info Access à l'aide du logiciel CBORD et des données du Fichier canadien sur les éléments nutritifs.

À moins d'indication contraire, toutes les recettes de ce livre ont été testées et analysées avec du yogourt à 1,5 %, du fromage cottage à 2 %, de la margarine molle et de l'huile de canola. Comme la majorité de la population boit du lait à 2 %, c'est ce lait qui a servi à l'analyse des recettes. Cependant, vous pouvez éliminer encore plus de matières grasses et de calories de votre alimentation en remplaçant le lait à 2 % par du lait à 1 % ou écrémé. De plus, comme la plupart des recettes n'exigent pas de sel ou recommandent de saler au goût, elles ont été analysées avec peu ou pas du tout de sel.

L'analyse nutritionnelle est basée sur le premier ingrédient de la liste quand un choix d'aliments est donné et elle n'inclut pas les ingrédients facultatifs. Les chiffres ont été arrondis.

Fibres

L'apport quotidien recommandé est de 25 à 30 g. (Pour plus de détails, voir les pages 3 à 6.)

Sodium

Les Canadiennes et les Canadiens consomment trop de sodium. Comme il est recommandé d'en réduire l'apport, la plupart des recettes de ce livre en contiennent relativement peu. Pour aider les personnes qui suivent un régime hyposodé, des moyens sont suggérés pour réduire la quantité de sel lorsque la recette en contient beaucoup.

Potassium

On pense que le potassium a un effet positif sur l'hypertension et qu'il réduit les risques d'accident vasculaire cérébral. On recommande une alimentation favorisant les aliments riches en potassium, axée sur les fruits et les légumes.

Apport quotidien total en protéines, matières grasses et glucides (basé sur 15 % des calories provenant des protéines, 30 % des calories provenant du gras et 55 % des calories provenant des glucides) selon les Recommandations sur la nutrition pour les Canadiennes et les Canadiens, Santé et Bien-être social Canada, 1990.

Calories (consommation)	*Protéines (g) par jour*	*Gras (g) par jour*	*Glucides (g) par jour*
1200	45	40	165
1500	56	50	206
1800	68	60	248
2100	79	70	289
2300	86	77	316
2600	98	87	357
2900	109	97	399
3200	120	107	440

Annexe B : facteurs de risque modifiables des maladies cardiaques

Les principaux facteurs de risque des maladies cardiaques sur lesquels vous pouvez agir :

- tabagisme
- diabète
- taux élevés de cholestérol total et de cholestérol LDL
- bas taux de cholestérol HDL
- taux élevé de triglycérides
- excédent de poids, surtout dans la région abdominale
- inactivité

À l'exception du tabagisme et de l'inactivité, tous ces facteurs de risque sont fortement liés à l'alimentation. De saines habitudes alimentaires et l'activité physique vous aideront à réduire les risques qu'ils représentent pour votre santé.

Cholestérol sanguin, triglycérides et santé du cœur

Les différents types de matières grasses, ou lipides, contenues dans votre sang, en particulier le cholestérol et les triglycérides, en disent long à un médecin sur vos risques de maladies cardiovasculaires. Bon nombre de preuves démontrent que des taux *élevés* de cholestérol total et de cholestérol LDL[1] et un *bas* taux de cholestérol HDL vous exposent à des risques accrus de crise cardiaque et d'accident vasculaire cérébral.

Le cholestérol LDL ou « mauvais » cholestérol s'accumule sur les parois internes des vaisseaux sanguins, ce qui a pour effet de bloquer la circulation sanguine et peut accroître le risque de maladie cardiovasculaire. L'inactivité, l'obésité et une alimentation riche en gras saturés et trans, et pauvres en fruits, légumes et fibres alimentaires, vous prédisposent à un taux élevé de cholestérol LDL.

Le cholestérol HDL, c'est une autre histoire. On l'appelle le « bon » cholestérol et plus son taux est élevé, mieux c'est. Un taux élevé de cholestérol HDL indique que le cholestérol sanguin est acheminé vers le foie, où il sera décomposé et éliminé de l'organisme. Les personnes actives, les non-fumeurs, les

1. Cholestérol LDL signifie cholestérol à lipoprotéines de basse densité et cholestérol HDL signifie cholestérol à lipoprotéines de haute densité.

femmes préménopausées (car préménopause correspond à la période juste avant la ménopause) et les personnes qui boivent modérément sont plus susceptibles de présenter un taux de cholestérol HDL élevé.

Un taux de triglycérides élevé ne présage rien de bon pour la santé, même si le risque exact qu'il fait courir est moins clair que pour les autres taux de cholestérol. L'embonpoint et un régime à teneur élevée en calories, provenant en particulier des produits céréaliers raffinés, des sucres ajoutés et de l'alcool, peuvent faire augmenter les taux de triglycérides sanguins.

Dépistage des taux de cholestérol et de triglycérides[2]

Quels devraient être vos taux de cholestérol et de triglycérides ? Tout dépend dans quelle mesure vous êtes à risque de maladies cardiaques. Si vous fumez, faites de l'hypertension et faites du diabète, vous présentez des risques très élevés de maladies cardiaques. Vos taux de cholestérol sanguin et de triglycérides doivent donc être beaucoup plus bas que ceux d'une personne qui ne présente pas ces risques.

Pour la Canadienne et le Canadien moyen qui présente des risques de maladies cardiaques qui vont de faibles à modérés, voici quels sont les taux que ciblera le médecin :

Cholestérol LDL :	< 4 mmol/L
Triglycérides :	< 2 mmol/L
Ratio de cholestérol total sur le cholestérol HDL[3] :	< 6 mmol/L
Cholestérol HDL	> 1 mmol/L

Hypertension

L'hypertension augmente de façon notable vos risques de maladie cardiovasculaire. Les habitudes alimentaires et les modifications du mode de vie prônées dans ce livre peuvent aider à prévenir les hausses de tension artérielle qui deviennent plus fréquentes avec l'âge et à faire diminuer l'hypertension chez les personnes qui en souffrent. Pour atteindre et maintenir une tension artérielle saine :

- maintenir un poids santé et de bonnes habitudes alimentaires et être actif chaque jour. Si vous faites de l'embonpoint, toute perte de poids, même de quelques livres, peut avoir un effet bénéfique sur votre tension artérielle ;
- avoir une alimentation saine, axée sur les légumes, les fruits et les produits laitiers à teneur réduite en matières grasses. Les recherches récentes démontrent que ces aliments associés à un régime alimentaire faible en matières grasses peuvent faire considérablement diminuer l'hypertension ;
- limiter la consommation d'alcool. Une forte consommation (3 consommations ou plus par jour) fait augmenter la tension artérielle ;
- limiter l'apport en sodium à 2400 mg par jour. Suivre les suggestions de la section « Comment réduire le sel » de la page 12.

Tension artérielle	
Tension artérielle saine :	< 130/80
Hypertension :	> 140/90

2. Fodor, J.G. *et al.*, *Recommendations for the management and treatment of dyslipidemia. Report of the working Group on Hypercholesterolemia and other Dyslipidemias.* » JAMC, 16 mai 2000 : 162(10).
3. Le ratio de cholestérol total sur le cholestérol HDL est le meilleur indice de risque de crise cardiaque subséquente.

Teneur en sodium des ingrédients courants

Lorsque vous lirez les étiquettes pour connaître la teneur en sodium des aliments, vous serez peut-être surpris par la quantité de sodium contenue dans de nombreux aliments en conserve, emballés et préparés.

Par tasse/250 ml	***Milligrammes (mg) de sodium***
Sauce tomate, en conserve	1 476
Sauce à spaghetti, en conserve	1 238
Tomates à l'étuvée, en conserve	646
Tomates entières, en conserve	390
Purée de tomates : 1/3 tasse/75 ml[4]	56
Tomate mûre, crue	14
Assaisonnements (par c. à table/15 ml)	
Sel de table	6 975
Bouillon en cube	1 440
Sauce soja, régulière	830
Sauce soja, à teneur réduite en sodium	484
Sauce hoisin	346
Sauce chili, en bouteille	225
Moutarde du commerce	200
Ketchup de tomates	175
Sauce Worcestershire	147
Sauce aux canneberges	5
Vinaigres	0

4. Mélanger 1/3 de tasse (75 ml) de purée de tomates à 2/3 de tasse (150 ml) d'eau au lieu d'utiliser de la sauce tomate.

Annexe C : déterminer votre poids à l'aide de l'indice de masse corporelle *(voir p. 240)*

Ce que signifie votre IMC

MOINS DE 20	Un IMC inférieur à 20 peut indiquer que vous êtes trop mince. S'il s'agit de votre poids naturel et que vous vous y maintenez sans effort, il n'y a pas lieu de vous inquiéter. Si toutefois vous avez suivi un régime pour atteindre ce poids et devez travaillez fort pour vous y maintenir, ce n'est pas un poids qui convient à votre type corporel.
20-25	Félicitations, vous êtes déjà à un poids santé. Continuez ainsi en mangeant bien et en faisant régulièrement de l'exercice.
25-27	Il est temps d'évaluer votre situation. Même si vous ne faites pas vraiment de l'embonpoint, à moins d'être une personne très sportive ou très musclée, vous risquez d'en faire. Manger mieux et faire plus d'exercice vous serait bénéfique.
PLUS DE 27	Votre poids est assez élevé pour présenter des risques pour votre santé. Plus votre IMC dépasse 27, plus le risque est grand. Une perte de poids sous surveillance médicale est recommandée.

ÉVALUEZ VOTRE POIDS

Nutrition Services, Ottawa-Carleton Health Department, 1987. Revised 1994.

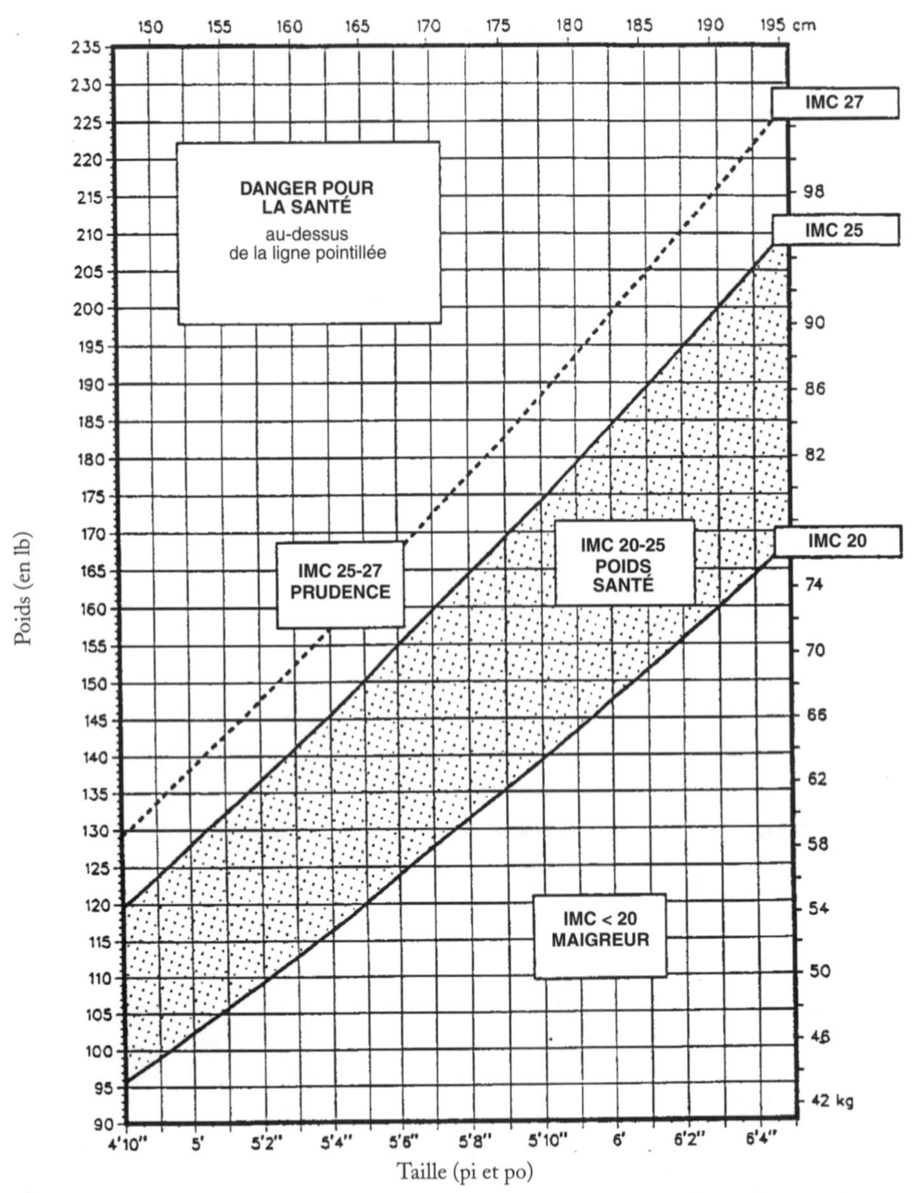

Établi par le Service de santé d'Ottawa-Carleton, 1987. Révisé en 1994. Reproduit avec la permission du Programme de nutrition, Service de santé d'Ottawa-Carleton.

LE SYSTÈME D'ÉQUIVALENTS DE L'ASSOCIATION CANADIENNE DU DIABÈTE

Les personnes diabétiques ont les mêmes besoins nutritifs que ceux de l'ensemble de la population. Un diététiste peut leur apprendre à équilibrer les choix et les quantités d'aliments consommés en fonction de leur niveau d'acitivité et de leur médication. Ce professionnel de la santé pourra élaborer un guide de repas personnalisé en se basant sur le système d'équivalents de l'Association canadienne du diabète. Ce système, composé de 6 groupes d'aliments vise à simplifier la planification des repas. Le guide *Vive la santé! Vive la bonne alimentation!* explique en détail le système par groupes d'aliments.

Le nombre de choix d'aliments, de chaque groupe du système d'équivalents, a été calculé pour chaque recette de ce livre, et ce, par portion. Les calories provenant de l'alcool ont été calculées dans le groupe matières grasses. Il est à espérer que cette information sera des plus utiles pour les personnes diabétiques et leur famille, en les aidant à dresser des menus variés et équilibrés.

Pour en savoir davantage sur le diabète et sur le guide *Vive la santé! Vive la bonne alimentation!*, écrivez à l'Association canadienne du diabète, 78, rue Bond, Toronto, Ontario, M5B 2J8

	ÉQUIVALENTS PAR PORTION						
	PROTÉINES	FÉCULENTS	LAIT 2 %	FRUITS ET LÉGUMES	MATIÈRES GRASSES	AUTRES	SUCRE
24. Rouleaux aux légumes à l'orientale (2)		1		1/2			
25. Tortellinis en brochettes (1/25 recette)		1/2					
26. Trempettes aux épinards et aux artichauds (1 c. à table/15 ml)						1	
27. Bruschetta aux tomates et au basilic frais (1/16 recette)		1					
31. Endives au fromage de chèvre et aux crevettes (1/30 recette)						1	
32. Guacamolle léger et vite fait (2 c. à table/25 ml)				1			
33. Trempette aux oignons verts (4 c. à table/50 ml)	1						
34. Tartinade de saumon fumé (2 c. à table/25 ml)	1						
35. Trempette mexicaine aux haricots (4 c. à table/50 ml)		1					
35. Tomates et concombres à la mexicaine (1/4 tasse/50 ml)						1	
36. Brochettes de poulet à l'orientale (1 brochette)						1	
36. Brochettes de poulet à l'orientale (1/4 recette)	3 1/2			1/2			1/2
37. Sauce thaïlandaise aux arachides (1 c. à table/15 ml)						1/2	
38. Quesadillas fromagées aux chilis (1/4 tasse)	1	1		1/2		1	
39. Burritos mexicains éclair (1/4 recette)	2	2		1/2			
40. Pizza minute aux tomates, au brocoli et à l'oignon rouge (1/4 rec.)	1	1		1	1		
41. Sangria aux agrumes (1/8 recette)				2			
42. Gaspacho rafraîchissant (1/6 recette)				1/2			
44. Soupe aux pois à l'ancienne (1/8 recette)	1	2					
45. Soupe estivale aux tomates et aux haricots verts (1/8 recette)				1	1/2		
46. Soupe aux lentilles et à la saucisse fumée (1/6 recette)	3	3			1		
47. Soupe aux lentilles et aux épinards avec yogourt au cari (1/5 recette)	1	1					
48. Soupe aux poireaux et au chou (1 tasse/250 ml)		1/2		1			
49. Soupe aux haricots noirs et au jambon (1/10 recette)	2	1					
50. Chaudrée de poisson minute (1/4 recette)	2 faible m.g.	2	1				
51. Chaudrée de saumon généreuse (1/4 recette)	1	2	2	1			

	ÉQUIVALENTS PAR PORTION						
	PROTÉINES	FÉCULENTS	LAIT 2 %	FRUITS ET LÉGUMES	MATIÈRES GRASSES	AUTRES	SUCRE
52. Chaudrée onctueuse aux huîtres (1/3 recette)	1	1	1	1/2	1		
53. Minestrone aux haricots et au bœuf (1/8 recette)	1	1 1/2			1/2		
54. Potage velouté aux carottes et aux panais (1/8 recette)		1/2		1			
55. Potage à la citrouille parfumé au cari (1/8 recette)			1/2	1	1/2		
56. Soupe aux champignons et à l'orge à l'ancienne (1/8 recette)		1					
57. Soupe à l'oignon (1/4 recette)	3	1		1	1		
58. Soupe aux champignons et aux nouilles chinoises (1/4 recette)	1	2			1		
59. Chaudrée minute de haricots, de brocoli et de tomates (1/5 recette)	1	1					
60. Bouillon de poulet maison	– TEL QUE DÉSIRÉ –						
62. Salade César au goût du cœur (1/4 recette)				1	2		
63. Salade Thaïlandaise aux vermicelles (1/6 recette)		2		1/2	1 1/2		
64. Salade de saumon et de riz au cari (1/6 recette)	1	2		1	1		
65. Salade de haricots rouges au fromage feta et au poivron (1 tasse/250 ml)	1	1		1	1		
66. Salade Parmentier parfumée à l'estragon (1 tasse/250 ml)		2			1/2		
67. Brocoli en fête(1/6 recette)	1/2			1 1/2	1 1/2		1/2
68. Salade de poulet et de pâtes à l'orientale (1/10 recette)	2	2		1			
69. Salade grecque (1/6 recette)	1/2			1	1		
70. Haricots verts et carottes en salade (1/8 recette)				1/2	1/2		
71. Salade de lentilles aux petits légumes (1/8 recette)	1	1			1		
72. Salade de chou minceur (1/4 recette)	1/2			1/2			1/2
73. Salade de riz et de haricots du Sud-Ouest (3/4 tasse/175 ml)	1	1		1			
74. Riz sauvage et boulghour citronnés (1/10 recette)		1 1/2			1		
75. Quinoa et agrumes en salade (1/2 tasse /125 ml)		2			1		
76. Salade de pâtes jardinière au basilic (1/2 tasse /125 ml)		1		1/2	1		
77. Salade de fenouil et d'oranges (1/8 recette)				1	1		
78. Salade express d'épinards et de germes de luzerne (1/8 recette)					1		
78. Tomates au fromage de chèvre et au basilic (1/6 recette)				1/2			
79. Ma vinaigrette de tous les jours (1 c. à table/15 ml)					1		
80. Sauce veloutée à l'ail (2 c. à table/25 ml)					1		
81. Babeurre au concombre parfumé au basilic (1 c. à table/25 ml)							1
82. Salade mixte parfumée à l'huile de noix (1/8 recette)					1		
84. Poitrines de poulet grillées à l'ail et au gingembre (1/4 recette)	3						
84. Sauce à l'ananas et aux raisins secs (2 c. à table/25 ml)				1/2			
85. Poulet à la moutarde et aux fines herbes au micro-ondes (1/4 recette)	4 très faible mg						
86. Poule au pot (1/6 recette)	3	2					
87. Brochettes de poulet avec poivrons et courgettes (1/4 recette)	3 faible m.g.			1/2			
88. Fondue au poulet dans un bouillon au gingembre (1/4 recette)	3 faible m.g.			1/2			
89. Sauce à l'ail (1 c. à table/15 ml}						1	
89. Sauce chili (1 c. à table/15 ml)						1	

	ÉQUIVALENTS PAR PORTION						
	PROTÉINES	FÉCULENTS	LAIT 2 %	FRUITS ET LÉGUMES	MATIÈRES GRASSES	AUTRES	SUCRE
90. Poulet grillé au citron et au romarin (1/4 recette)	3 faible m.g.						
91. Poulet rôti au thym et au citron (1/6 recette)	3				1		
92. Blancs de poulet au basilic frais (1/10 recette)	3 très faible m.g.				1		
93. Poulet sauté vite fait (1/4 recette)	4			1			
94. Poulet aux pommes de terre croustillantes de Jane Freiman (1/4 recette)	4 faible m.g.	1					
95. Poulet marocain avec couscous (1/6 recette)	3 très faible m.g.	1 1/2					
96. Dinde divan (1/5recette)	4	1					
97. Dinde grillée à l'orange et à l'estragon (1/4 recette)	3 faible m.g.						
98. Hachis de dinde et de pommes de terre (1/3 recette)	3 faible m.g.	2					
100. Sole aux champignons et au gingembre au four micro-ondes (1/2 rec.)	2						
101. Filets de morue au poivron rouge et à l'oignon (1/4 recette)	3 faible m.g.						
102. Filets de sébaste aux fines herbes (1/4 recette)	3 faible m.g.						
103. Dames de flétan grillées au romarin et sauce tomate au basilic (1/4 rec.)	4 très faible m.g.						
103. Sauce tomate au basilic (1/4 recette)					1/2		
104. Truite saumonée grillée et sauce à la papaye et au concombre (1/8 rec.)	4						
105. Sauce à la papaye et au concombre (1/8 recette)				1/2			
106. Filets de poisson tériyaki à l'orange (1/4 recette)	2 faible m.g.			1/2			
107. Gratin de saumon et d'épinards (1/3 recette)	2		1	1	1		
108. Pain de saumon léger à l'aneth (1/4 recette)	2			1	1/2		
109. Marmite de poisson et de tomates (1/4 recette)	3 très faible m.g.			1			
110. Poulet et crevettes au cari (1/8 recette)	3	2		1			
111. Moules vapeur aux tomates et au fenouil (1/4 recette)	3			1 1/2			
112. Rémoulade au yogourt (1 c. à table/15 ml)						1	
112. Marinade tériyaki (1/4 recette)					1/2		
114. Chili au bœuf et aux légumes (1/6 recette)	3	1		1			
115. Chili végétarien (1/6 recette)	1	2		1	1		
116. Hamburgers au bœuf avec sauce à la coriandre et au yogourt (1/5 recette)	3				1/2		
116. Hamburgers à la dinde avec sauce à la coriandre et au yogourt (1/5 rec.)	3 faible m.g.						
116. Hamburgers au poulet avec sauce à la coriandre et au yogourt (1/5 rec.)	3						
116. Hamburgers à l'agneau avec sauce à la coriandre et au yogourt (1/5 rec.)	3				1		
117. Bœuf haché et nouilles poêlés (1/5 recette)	3			1/2			
118. Bœuf et poivrons sautés à la chinoise (1/4 recette)	4			1			

	ÉQUIVALENTS PAR PORTION						
	PROTÉINES	FÉCULENTS	LAIT 2 %	FRUITS ET LÉGUMES	MATIÈRES GRASSES	AUTRES	SUCRE
119. Chow mein épicé au bœuf (1/4 recette)	2 1/2	2 1/2		1/2			
120. Pot-au-feu de bœuf et de légumes (1/5 recette)	3 très faible m.g.	1 1/2		1			
121. Rôti braisé aux oignons sans façon (1/8 recette)	3			1/2			
122. Bifteck de flanc mariné aux agrumes et au poivre (1/4 recette)	4						
123. Porc citronné au gingembre et salsa à la mangue (1/12 recette)	4					1	
124. Salsa à la mangue (2 c. à table/25 ml)						1	
125. Sauté de porc et de brocoli (1/4 recette)	3 1/2			1/2			1/2
126. Filet de porc à l'orange et au gingembre (1/4 recette)	3			1			3 faible m.g.
127. Jambon au four glacé à la marmelade et à la moutarde (1/6 recette)	4			1			1/2
128. Côtelettes d'agneau à la dijonnaise (1/6 recette)	3 faible m.g.						
129. Pilaf pour une personne (1 recette)	2	2		2			
130. Ragoût de jarrets d'agneau aux petits légumes (1/6 recette)	1	1		1			
131. Côtelettes de veau à l'estragon (1/4 recette)	3						
132. Marinade au romarin et au citron (1/8 recette)					1/2		
132. Marinade de tous les jours (1/4 recette)					1/2		
134. Poireaux au four (1/10 recette)				1			
135. Poireaux et poivrons grillés (1/2 recette)				1	1/2		
136. Julienne de carottes et de céleri au basilic (1/6 recette)				1			
137. Carottes braisées au fenouil (1/4 recette)				2			
138. Gratin dauphinois de ma mère (1/8 recette)	1	2					
139. Pommes de terre à l'ail au micro-ondes (1/6 recette)		2			1		
140. Pommes de terre farcies aux champignons (1/4 recette)	1/2	3			1		
141. Asperges au four de Rose Murray (1/4 recette)				1	1/2		
142. Gratin de tomates et d'aubergines (1/6 recette)	1			1 1/2			
143. Fèves germées et pois mange-tout sautés (1/4 recette)				1/2	1/2		
144. Aubergines grillées à l'ail et au romarin (1/6 recette)				1	1		
145. Brocoli au sésame (1/5 recette)				1/2	1/2		
146. Céleri et champignons sautés à l'huile de sésame (1/6 recette)				1/2			
148. Sauce tomate aux palourdes (1/6 recette)				1 1/2			
149. Pâtes et légumineuses aux fines herbes (1/6 recette)	1	3		1			
150. Linguine aux asperges et au poivron rouge (1/4 recette)	1	5		1	2		
151. Linguine aux pétoncles et aux épinards (1/3 recette)	2	3		1	1		
152. Pâtes avec sauce crémeuse au thon (1/4 recette)	3	3		1			
153. Pâtes aux crevettes, aux cougettes et aux champignons (1/8 recette)	3	3					
154. Pâtes aux tomates, aux olives noires et au fromage feta (1/4 recette)	2	5		1	2		
155. Pâtes à la saucisse italienne (1/6 recette)	2	3		1 1/2	1 1/2		
156. Nouilles thaïlandaises aux petits légumes (1/8 recette)	1/2	1 1/2		1/2	1		

	ÉQUIVALENTS PAR PORTION						
	PROTÉINES	FÉCULENTS	LAIT 2 %	FRUITS ET LÉGUMES	MATIÈRES GRASSES	AUTRES	SUCRE
157. Nouilles thaïlandaises au poulet ou aux crevettes (1/8 recette)	1	2		1/2	1/2		1/2
158. Lasagne aux poivrons et aux champignons (1/8 recette)	3	2					
158. Lasagne à la saucisse italienne (1/8 recette)	4	2			2		
160. Lasagne classique (1/8 recette)	3	2			1		
160. Lasagne végétarienne (1/8 recette)	3	2		1			
161. Pâtes aux poivrons, au fromage et au basilic (1/3 recette)	1	3		1 1/2	2		
162. Macaronis au fromage jardinière pour petits gourmands (1/6 recette)	1	2		1	1		
163. Pâtes au jambon et à la tomate pour moi (1 recette)	2	3		1/2	1		
164. Spaghettis favoris (1/6 recette)	3	3		2			
165. Fettuccine Alfredo au goût du cœur (1/4 recette)	2	3					
166. Nouilles chinoises au porc et aux champignons (1/4 recette)	2	2		1	1		
171. Cari de légumes d'automne (1/6 recette)		2		1	1		
172. Casserole minute de lentilles et de haricots (1/4 recette)	3	2		1	1/2		
173. Cari de lentilles parfumé à la coriandre (1/8 recette)	1	2					
174. Burritos végétariens (1/5 recette)	1	2		1	1		
175. Fèves au lard à l'ancienne (3/4 tasse/175 ml)	1 1/2	1 1/2		1/2			
176. Couscous (1/6 recette)		1 1/2			1/2		
176. Couscous au cari garni de raisins de Corinthe (1/8 recette)		1		1			
177. Couscous citronné au basilic frais (1/8 recette)		1 1/2					
178. Pilaf El Paso (1/ 6 recette)	1	2		1			
179. Risotto au basilic et à la salade trévise (1/12 recette)		3		1	2		
180. Le risotto aux champignons d'Elizabeth Baird (1/4 recette)	1	4			1		
181. Riz frit à l'indonésienne (1/6 recette)		3		1			
181. Riz frit à l'indonésienne avec du poulet ou du jambon (1/6 recette)	1 1/2	3		1			
181. Riz frit à l'indonésienne avec des crevettes (1/6 recette)	1	3		1			
182. Riz aux légumes sautés à la chinoise (1/4 recette)	1	1 1/2		1	2		
183. Gratin d'orge et de riz brun à la méditerranéenne (1/6 recette)	1	2					
184. Pollenta aux fines herbes avec parmesan (1/8 recette)		1					
185. Polenta aux champignons sautés (1/6 recette)		1		1	1		
185. Tofu mariné au gingembre et au soja (1/4 recette)	1/2				1/2		
186. Boulghour aux oignons verts parfumé au gingembre (1/6 recette)		2					
187. Müesli classique aux bananes (1/4 recette)		1/2		2 1/2	1/2		1
187. Le müesli de Leslie (1/10 recette)	1/2	1	1/2		1/2		
188. Quiche aux poireaux au micro-ondes (1/2 recette)	1			1	1/2		
189. Omelette espagnole (1 recette)	1				1/2		
190. Pizza végétarienne (1/8 recette)	1	1		1/2	1		
190. Salsa d'hiver (2 c. à table/25 ml)						1	
192. Pain au citron (1 tranche)		1/2			1/2		2
193. Pain à la citrouille glacé à l'orange (1 tranche)		1/2		1/2	1		1
194. Pain aux carottes et à la cannelle (1 tranche)		1/2		1	1		1

	ÉQUIVALENTS PAR PORTION						
	PROTÉINES	FÉCULENTS	LAIT 2 %	FRUITS ET LÉGUMES	MATIÈRES GRASSES	AUTRES	SUCRE
195. Gâteau aux bananes glacé à l'orange (1 tranche)		1		1/2	1		4
196. Pain minute au babeurre et aux fines herbes (1 tranche)		1			1		
197. Muffins aux pommes à l'ancienne (1 muffin)		1			1		1/2
198. Muffins aux pommes et aux dattes (1 muffin)		1			1/2		
199. Muffins aux bleuets et au citron (1 muffin)		1			1		1
200. Muffins aux raisins secs et au germe de blé (1 muffin)		1		1	1		
200. Muffins aux canneberge, aux carottes et au son d'avoine (1 muffin)		1		1/2	1 1/2		1
201. Muffins aux graines de lin et à la banane (1 muffin)	1/2	1		1	1 1/2		1
202. Petits gateaux aux raisins secs glacés au citron (1 gâteau)		1		1	1/2		2
203. Biscuits de blé entier aux bleuets (1 biscuit)		1 1/2			1		
204. Carrés à l'ananas et aux carottes (1 carré)				1/2	1/2		1/2
205. Carrés aux dattes et aux noix (1 carré)				1	1/2		1
206. Biscuits aux épices et à la compote de pommes (1 biscuit)		1/2			1/2		
207. Biscuits citronnés au sucre (1 biscuit)					1/2		1/2
208. Biscuits au gingembre (1 biscuit)							1/2
209. Biscuits aux épices (1 biscuit)				1/2	1/2		1/2
210. Crêpes à la semoule de maïs et aux pêches (3 crêpes)	1/2	2	1/2	1/2	1 1/2		
213. Gâteau au fromage et au citron avec bleuets (1/10 recette)	1	1	1	1/2	1		1
214. Pavlova aux fraises à la crème citronnée (1/8 recette)	1/2		1	1/2			2 1/2
215. Sauce marmelade aux fruits (1/6 recette)				1 1/2			1 1/2
215. Sauce veloutée au citron (1 c. à table/15 ml)			1/2				1/2
216. Tarte aux fruits (1/6 recette)		1 1/2			2 1/2		
216. Pâte à tarte (1/6 recette)		1/2			1 1/2		
217. Pouding au pain et aux petits fruits (1/6 recette)	1/2	2	1/2	1/2	1		2
218. Shorcake aux fraises au goût du cœur (1/8 recette)	1	1		1/2			4
218. Sauce aux petits fruits (1/6 recette)				1			1
219. Shorcake aux pêches (1/10 recette)		1 1/2	1	1	1		
220. Yogourt glacé aux framboises (1/6 recette)			1/2	1/2			
220. Yogourt glacé aux abricots (1/8 recette)			1	2			
221. Yogourt glacé à la vanille (1/4 recette)			1 1/2				2 1/2
222. Gâteau au yogourt et aux framboises (1/12 recette)		1	1/2		1		2
223. Bavarois à l'orange de Chris Klugman (1/8 recette)			1	1/2			1 1/2
224. Mousse aux pruneaux (1/6 recette)			1/2	1/2			1
224. Sauce éclair au citron et au yogourt (2 c. à table/25 ml)							1/2
225. Tarte croustillante aux pommes (1/8 recette)		1 1/2		1	1 1/2		2
226. Tarte meringuée à la limette (1/8 recette)	1/2						3
227. Flan au citron-limette garni de petits fruits (1/6 recette)	1/2			1/2	1		3
228. Pavés aux prunes et aux nectarines (1/12 recette)		1		1 1/2	1		2 1/2
229. Pavés à la rhubarbe et aux fraises (1/6 recette)		1		1	1		3
230. Croustade aux pommes et à la rhubarbe (1/6 recette)		1		1	1		3 1/2
231. Pommes au four nappées de sauce à l'érable (1/4 recette)	1/2	1/2	1/2	3			

INDEX